★ ★ ★ ★ ★

谨以此书献给

精忠报国的中国航母人

黑龙江省精品工程专项资金资助出版

美国海军航母装备
维修保障技术与管理

▶ ▶ ▶　王明为　　田小川 ◆ 主编

哈爾濱工程大学出版社

图书在版编目(CIP)数据

美国海军航母装备维修保障技术与管理／王明为，田小川主编. —哈尔滨：哈尔滨工程大学出版社，2017.9
ISBN 978 – 7 – 5661 – 1647 – 5

Ⅰ. ①美… Ⅱ. ①王… ②田… Ⅲ. ①航空母舰 – 维修 – 军需保障 – 美国 Ⅳ. ①E925.671
中国版本图书馆 CIP 数据核字(2017)第 210549 号

选题策划 张 玲 吴鸣轩
责任编辑 张忠远 宗盼盼
封面设计 博鑫设计

出版发行 哈尔滨工程大学出版社
社 址 哈尔滨市南岗区东大直街 124 号
邮政编码 150001
发行电话 0451 – 82519328
传 真 0451 – 82519699
印 刷 哈尔滨市石桥印务有限公司
开 本 787 mm × 1 092 mm 1/16
印 张 15.5
字 数 310 千字
版 次 2017 年 9 月第 1 版
印 次 2017 年 9 月第 1 次印刷
定 价 88.00 元
http://www.hrbeupress.com
E-mail：heupress@ hrbeu. edu. cn

编　委　会

前　言

　　航母(航空母舰)是搭载舰载机的海上活动机场,是以舰载机为主要作战力量的大型水面舰艇,是体现国家国防和军事战略需求的重要海军武器装备,是现代战争体系对抗的"巨系统",是国家综合国力的体现和海军实力的重要标志。航母一直被世界公认为是海军的核心打击力量,既具有进攻性,又具有防御性,是现代海战的中坚力量;航母可以远离国土、不依靠本土机场进行军事任务和非军事行动。由于航母服役期限较长,为确保航母及其装备能够满足现代海上作战需求,航母需按计划在船厂或基地接受保养和维修,航母维修保障已成为影响其战斗力的重要组成部分。

　　由于航母系统复杂,部署周期长,遂行任务繁重,作战消耗与损伤大,因此航母维修保障尤为重要。美国是世界上拥有航母数量最多的国家,经过一百多年的发展,美国海军已经具备了较为完善的航母维修保障体制,积累了丰富的维修保障管理经验。为此,我们组织了有关专家广泛搜集、翻译、整理资料,对美国航母全寿命周期内的维修管理体制、维修类别、维修技术、维修费用、维修案例等进行分析,首次系统研究了美国海军维修体系和管理体制上的经验与教训,共同完成了《美国海军航母装备维修保障技术与管理》一书。本书在谋篇布局上分为美国航母维修保障概述、美国航母维修保障管理制度机制、美国航母维修保障技术与管理、美国航母战略母港及维修设施、美国"尼米兹"级航母维修案例分析、附录、缩略语说明表等。

　　本书在编撰过程中得到海军装备研究院、中国船舶工业综合技术经济研究院、北京轩航信息技术研究院等有关单位的大力支持。在中国人民解放军建军90周年之际,谨以此献给中国航母事业,祝愿祖国强盛,实现海洋强国梦、强军梦,祝福世界和平!

　　书中所有资料都来自于开源信息,憾时间短、水平有限,书中难免存在疏忽和遗漏,望参考借鉴过程中注意结合实际进行鉴别,如有不当之处敬请批评指正!

编　者

2017 年 8 月

目　　录

目　录

第1章　美国航母维修保障概述

航母一直被世界公认为是一种极富打击力量的海军核心战舰,既具有进攻性,又具有防御性,是现代海战的中坚力量。由于航母服役期限较长,为确保航母及舰上装备和系统能够满足新时期海上作战需要,航母需按计划在船厂或基地接受维修和保养,航母维修保障已成为影响其战斗力的重要组成部分,甚至与航母作战性能一样居于重要地位。

和平时期,航母在训练与执行任务的过程中,也需要通过维修来保持其战备的完好性,延长使用寿命,保证航母编队训练、执勤和战备需要,还可以进一步提高航母的作战效能。在高技术条件下的现代战争一触即发,空间、时间被压缩,航母编队战斗力的保持将更加依赖于航母及装备的"战斗力再生"能力,对维修保障的依赖程度将会进一步加强。

由于航母系统复杂,部署周期长,遂行任务繁重,作战消耗与损伤大,因此,对航母实施系统化的维修保障,建立适应未来战场需要的航母维修体系,已成为保持航母战备完好性,提高航母作战效力,保障航母作战需求的一项重要任务。

美国是世界上拥有航母最多的国家,在役航母 10 艘,均为"尼米兹"级,约占全世界航母数量的58%。经过多年的发展,美国海军已经形成了较为完善的航母维修保障技术与管理体制。

首先,就维修体系来说,美国海军航母采用三级维修:第一级是舰员级维修,由舰上设备操作人员完成,主要工作内容是设施维修、系统和部件的日常预防性维修、维修工作记录等;第二级是中继级维修,主要维修内容包括超出了舰员维修能力的船机电和作战装备、系统的维护、修理、翻修、安装、质量保证、校准、测试和其他与之相关的工作等;第三级是基地级维修,在航母停泊基地或修理厂内完成,主要包括完成超出舰员级与中继级维修能力的更高的工业维修和舰船现代化改装等任务,例如大修、改装、翻新、恢复以及更换核燃料等。基地级维修作为航母的关键维修层级,是保持并提升航母作战能力的重要保障。

其次,就管理体制来说,美国海军建立了健全的维修保障管理体制。美国海军航母维修管理工作在海军作战部的领导下,由海上系统司令部、供应系统司令部负责,并直接管理基地级维修和器材保障;而航母维修和器材保障以及中继级以下维修,则通过舰队实施管理。海军作战部、舰队司令部、舰队舰种司令部、海上系统司令部、海军供应系统司令部、项目执行官、舰队指挥官、船厂及相关下属机构分别有各自的职责和分工,全面、统筹、协调地推进和实施航母维修工作。

航母作为美国海军的中坚力量,其维修保障能力的发展趋势主要表现在以下两点。

(1)作为技术保障能力的前沿存在,努力提高航母国外驻泊基地和远离本土的保障基地的维修能力,并提高前沿预置器材水平和战略海运能力。此外,在航母上升级改造机械零件加工设备、器材供应不足的情况下提高舰艇本身复杂配件的应急制造能力等。

(2)通过提高信息化水平,提高航母维修保障的精确保障能力和远程保障能力。例如,为现役航母研制状态检测系统,在新一代航母建造中全面采用计算机诊断和状态管理系统,为实现准确的预知维修创造条件;通过解决远程维修保障遇到的通信传输容量和传输速率等瓶颈问题,广泛推广远程维修等。

1.1 美国海军现役航母及其维修周期安排

1.1.1 舰员航母装备概况

美国海军目前维持着由 10 艘航母组成的庞大舰队。在今后 10 年内,美国海军航母的数量将维持在 10~12 艘。表 1.1 是美国海军目前已有的和未来计划服役的航母。

表1.1 美国海军当前与未来计划服役的航母

航母	舰号	服役时间	退役时间	母港
"尼米兹"号	CVN 68	1975	2027	加利福尼亚州圣迭戈海军基地
"德怀特·艾森豪威尔"号	CVN 69	1977	2029	弗吉尼亚州诺福克海军基地
"卡尔·文森"号	CVN 70	1982	2034	弗吉尼亚州诺福克海军基地
"西奥多·罗斯福"号	CVN 71	1986	2038	弗吉尼亚州诺福克海军基地
"亚伯拉罕·林肯"号	CVN 72	1989	2041	华盛顿州埃弗雷特海军基地
"乔治·华盛顿"号	CVN 73	1992	2044	弗吉尼亚州诺福克海军基地
"约翰·斯坦尼斯"号	CVN 74	1995	2047	华盛顿州布雷默顿海军基地
"哈里·杜鲁门"号	CVN 75	1998	2050	弗吉尼亚州诺福克海军基地
"罗纳德·里根"号	CVN 76	2003	2055	加利福尼亚州圣迭戈海军基地
"乔治·布什"号	CVN 77	2009	2060	弗吉尼亚州诺福克海军基地
"杰拉尔德·福特"号	CVN 78	2017	2067	西海岸
CVNX2	CVN 79	2019	2071	东海岸
CVNX3	CVN 80	2025	2077	西海岸

目前,6艘航母在东海岸拥有母港,4艘航母在西海岸拥有母港。2008年,当"小鹰"号退役时,"乔治·华盛顿"号从其诺福克母港出发前往日本接替"小鹰"号作为前沿部署航母。同样,前沿部署期间,该航母维修周期较短且频繁①。由于"乔治·华盛顿"号的维修在美国本土之外进行,因此它们不在本研究对象之列。

表1.1显示出随时间变化,航母数量的变化。表1.2显示出到2036财年的未来航母数量。在2006财年和2007财年之间,随着"肯尼迪"号航母的退役,航母数量从12艘减至11艘。2012年,随着"企业"号退役,航母数量减至10艘。这一规模将保持至2017年CVN 78的首舰服役。

表1.2 航母数量变化(2006—2036财年)

财年	2006	2007	2008	2009	2010	2011	2012	2013	2014	2015	2016	2017	2018	2019	2020—2036
航母数量	12	11	11	11	11	11	10	10	10	10	10	11	11	12	12

① 前沿部署航母与美国本土航母的维修计划不同。前沿存在要求使其周期更短,但更频繁。"乔治·华盛顿"号维修周期将与"小鹰"号相似。通常计划为每年4个月的维修期,1~4月。

3

2030 年之前,"尼米兹"级航母中总有一艘将处于换料大修状态①,因此可用于部署的航母数量受到影响。航母数量减少和每三年一艘"尼米兹"级航母进行换料大修,现有航母的维修计划需要仔细评估,尤其要满足不断变化的维修需求。

美国海军航母的行动日程与部署计划是根据各作战司令部对航母的需求制订的。各作战司令部会对航母在其责任区内的部署时间提出要求,且其需求是随时间动态变化的,主要取决于美国政府当时在该战区的军事意图。根据 2003 年"舰队反应计划",航母舰队的日程规划人员需要对航母的维修、训练、部署与维持战备的时间进行综合平衡,保证其作战需求得到满足,同时还要满足航母使用的总目标:"6 + 1"舰队,即要求海军至少有 6 艘航母已部署或能够在 30 天内部署,第 7 艘航母能够在 90 天内部署。

为了今后在可用航母减少的情况下实现上述目标,美国海军不得不考虑如何充分利用每一艘航母。海军作战部资源、需求与评估副部长下辖的评估部要求研究人员对航母维修周期加以研究,确定增加航母在前线部署时间的可行性与相关影响,必要的情况下可以考虑航母在每个维修周期内部署两次,但要确定在当前的航母部署政策下,这些做法对维修基地的维修任务安排可能产生的冲击。

1.1.2 美国航母维修周期发展

美国海军认为,其建设是以航母为中心展开的,航母编队已经成为美国向岸上投送力量和战时控制海洋的主要工具。和平时期,航母编队通过在热点地区的存在,显示美国的力量,这种力量的显示旨在慑阻入侵、取信盟国,并可以对地区危机做出迅速的反应。因此,航母的部署能力对发挥其自身的作用乃至发挥海军的作用,都至关重要。

正因为如此,美国海军以及美国政府部门长期以来进行了大量的研究,一直努力提高航母的部署能力。在这样的努力下,20 世纪 90 年代,美国航母全寿命周期内的部署时间尚不足其寿命的 25%,在新的部署周期中,美国航母全寿命周期的理论可部署时间将达到 50% 左右。

①　现有计划是"尼米兹"级航母将进行中期换料大修:CVN 68 和 CVN 69 已进行过换料大修,CVN 70 在 2005 年 11 月 1 日进行换料大修。换料大修在诺·格纽波特纽斯船厂进行,需要 3 年时间。未来 24 年,CVN 68 级航母将陆续进行换料大修。

和平时期,美国航母将按照正常的部署周期周而复始地部署,其部署能力取决于部署周期。

1. 部署间训练周期

在 2003 年 5 月提出"舰队反应计划"(FRP)之前,美国海军航母和水面舰艇的部署周期为"部署间训练周期"(IDTC)。按照这个部署间训练周期安排,常规动力航母的维修、训练、部署周期通常为 21 个月,核动力航母的维修、训练、部署周期为 24 个月,在一个周期中,航母仅部署 6 个月(训练为期 9 个月,包括 3 个月的初级训练阶段,3 个月的中级训练阶段和 3 个月的高级训练阶段,其余时间用于维修)。当时,美国海军拥有 12 艘航母,包括 2 艘常规动力航母、10 艘核动力航母,按照这样的部署周期安排,在一个标准的部署周期内,美国在任一时刻平均有 3.07 艘航母可部署,美国 12 艘航母可 100% 覆盖西太平洋地区(此处 100% 覆盖指的是任何时候都可以在西太平洋地区保持 1 艘航母存在),对地中海和北阿拉伯海、印度洋地区实现 84% 的覆盖。

2. 美国海军"舰队反应计划"及其对水面舰艇维修的影响

十几年来,美国海军舰队主要部署在三个海外区域:地中海地区、印度洋与波斯湾地区以及西太平洋地区。2003 年之前,海军采用的是为期两年的标准轮换周期制度,在母港部署至前沿区域驻扎 6 个月后,由其他"航母战斗群"接替后返回母港并进入为期 18 个月的休整、维修与训练期,从而持续保持海军力量在上述区域的前沿存在。为进一步提高舰队战备水平和应急部署能力,满足"全球反恐战争"对舰队高战备水平的需求,美国海军于 2003 年提出了"舰队反应计划"(FRP),并对水面舰艇非部署期间的维修规划与执行工作进行了重大调整。

(1)美国海军提出"舰队反应计划"的背景

按照以往美国海军"全球海军部队存在政策"(GNFPP)以及人员招募与轮换的有关规定,水面舰艇处于非部署阶段时,其主要工作是训练和维修。非部署阶段(称之为"部署间训练周期"),包括部署后休整期、维修期、训练期,随后又进入 6 个月的部署期。在"部署间训练周期"制度下,美海军约有 35% 的舰艇和 10% 的现役人员随时部署在海外,基本能够满足冷战时期的任务要求。但随着新的威胁对传统的作战方法带来的挑战,尤其是

"9·11"事件发生后,"全球反恐战争"导致美国海军的行动节奏大大加快,采用6个月的轮换制度,大量舰艇就会处于训练期或维修期,无法进行快速和应急部署。

在"伊拉克自由行动"开始后,美国海军共有70%的水面舰艇、50%的潜艇部署到波斯湾,包括7个"航母打击群"、3个两栖战备大队、2个两栖特遣队以及7.7万名海军士兵,并有1艘航母被派驻到日本以接替"小鹰"号航母的岗位。部署舰艇的数量和速度要求严重扰乱了美国海军的"部署间训练周期"的日程安排,导致很多舰艇没有按照预定时间抵达部署地点,而有的舰艇部署时间则超过了规定的6个月(如"林肯"号航母部署时间已延长至10个月,是越南战争以来部署时间最长的一次)。此外,舰艇的维修日程也受到了应急部署的影响,维修经费被分配给需要更多维修工作的舰艇和舰队,从而导致其他舰艇的维修经费被挪用、维修工作被延误,战备水平大幅下降,严重影响了美国海军作战能力的发挥。

为构建响应速度更快、部署能力更强的舰队以满足"全球反恐战争"的应急部署要求,2003年3月,海军作战部长(CNO)提出了"舰队反应计划",制定了在30天内部署6个"航母打击群",在90天内再完成2个"航母打击群"部署的总目标,并于同年5月指示舰队司令部司令(CFFC)对"部署间训练周期"进行必要的调整,以实现在接到命令后短时间内完成舰队部署的能力。为实现该目标,舰队司令部确定了新的"部署间战备周期"(IDRC)制度来取代传统的"部署间训练周期"制度,旨在提高维修日程规划灵活性的同时满足紧急战备需求。

(2)"舰队反应计划"介绍

"舰队反应计划"意味着航母训练和战备方式的正式改变。鉴于增量维修计划确定了一个作战、维修和训练周期为24个月,"舰队反应计划"的一个周期为27个月。航母概念意义上①27个月的训练与战备周期包括维修和基础训练(第1~7个月)、综合训练(第8~12个月)、保障(可用性)和预部署(第13~18个月)、部署(第19~24个月)、保障/部署后(从25~27个月)几个阶段。

尽管27个月周期以维修期开始,而不是作战间隔,但仍与24个月周期

①　航母各阶段的时间周期可能根据航母状态而发生变化。

中的作战间隔相似。实际上,"舰队反应计划"认可增量维修计划实践中得来的作战和维修周期。"舰队反应计划"实施前后,基地级维修间的时间间隔平均为 27 个月。

维修和基础训练阶段:

维修和基础训练通常发生在部署后保障阶段,航母进入基地进行可用性维修且不能用于部署的时期。

在基地可用性维修期间及之后,舰上和岸基人员进行作战训练。该训练旨在保证舰员准备好支持设备进行测试和鉴定。在基地级维修期间,航母必须平衡维修及作战训练需求。

为使舰员满足训练要求,基础训练包括港内和航行中的训练。[①] 空军部队也参加的航行中的训练部分为期 25 天。当训练圆满完成后,该航母被认为可在 90 天内参加部署。

基础训练阶段完成后,进入综合训练阶段。此时,航母成为可用于作战的装备,但仍存在局限和与承担任务相关的风险。

综合训练阶段:

航母在基础训练完成后进入综合训练阶段。综合训练旨在将单一军种结合实现整体综合训练和在具有挑战性的环境中作战。该训练使各军种人员完成航母打击群指挥团队计划和战争指挥课程,执行多军种在港和海上训练,提高单兵在前期训练中所获技术的熟练程度。航母综合训练为期接近 3 个月。期间,舰员进行主要海军作战任务的训练,获得代表其做好作战准备的 C - 2 以上全体状态级别。

综合训练阶段包括综合训练军种演习(COMPTUEX)。该演习为期 18 天,由航母打击群训练指挥官执行,重点紧密结合航母和空军,并将其他军种集成到航母打击群中。最后,综合训练军种演习将为各作战区域航母打击群团队和航母打击群设计为期 3 天的作战任务。在综合训练阶段,航母预期保持 C - 2 全体状态级别。当综合训练军种演习结束后,航母处于大规模作战(MCO)准备状态,准备进入部署作战。

---

① 定制的航母训练(TSTAs)重点关注训练中的不足,目标是训练舰员熟练操作并增强舰船训练队伍的自训练能力。

保障(可用性)和预部署阶段:

各军种和团队在保障训练中演习多任务计划及其执行,包括作战环境下高效配合的能力。一旦某军种或一个航母打击群获得前沿部署所需的战备等级水平,必须通过由该舰队司令制定的预部署保障训练来维持执行预期任务所需的关键熟练技术。"预部署保障训练"在联合战术部队演习(JTFEX)完成后进行。联合战术部队演习为期 21 天,演习航母打击群团队和军种之间配合完成多威胁、多维环境下的作战任务①。联合战术部队演习过程中的训练包括航母打击群内各要素参与的基本作战任务。从概念上讲,一旦航母打击群完成了联合战术部队演习,就处于大规模作战战备状态,保持该状态并进行为期 6 个月的部署。之后,航母打击群返回母港。

"舰队反应计划"中,航母返回母港后,将保持大规模作战战备状态而不是立即进行基地级维修。返港的航母正处于其最高战备和训练状态,需要"部署后保障训练"以保持舰员熟练程度,满足可能在航母进入维修阶段之前发生的任务需求。要求的训练取决于舰员轮换或航母预计保持应急准备的时间长度。

应急航母的优先选择阶段:

"舰队反应计划"要求 6 艘航母 30 天内、预备级航母 90 天内部署到位。非部署航母通常处于不同的战备阶段。实际上,如果"6 + 1"方案是必要的,应由几类状态的航母提供反应优先权,即已部署、计划下一个部署、处于部署后保障阶段、处于"紧急海上安全"(Maritime Security Surge)状态。

(3)"舰队反应计划"的核心——"部署间战备周期"制度

"舰队反应计划"的目标是获得响应能力更强、战备水平更高的舰队,旨在通过一种全新的战备管理方法使海军能够快速部署更多的战舰。根据"舰队反应计划"的要求,未部署舰队要能保持高战备水平以在接到任务后快速完成部署行动。而"舰队反应计划"的核心是新的"部署间战备周期"制度(图 1.1)。

---

① 舰队训练机构表明,JTFEX 已在港内进行舰队综合训练(FST)演习。FST 演习采用岸基指挥和控制设备与舰船嵌入式仿真系统来执行战争熟练度(proficiency)、作战、任务预演及联合互操作训练。目前,仅一个东海岸航母通过港内 FST 进行了 JTFEX。

以往的部署间训练周期制度

中 / 高级

| 休整期 | 维修期-9周 | 16周的基础训练 | 训练 | 部署 |

为期52周

新的部署间战备周期制度

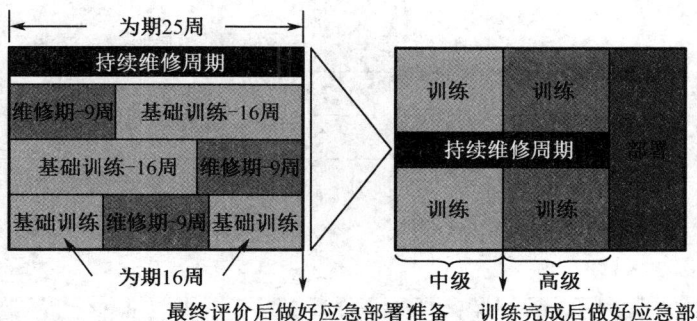

为期25周

持续维修周期

维修期-9周	基础训练-16周
基础训练-16周	维修期-9周
基础训练	维修期-9周	基础训练

训练	训练
持续维修周期	部署
训练	训练

中级　　高级

为期16周

最终评价后做好应急部署准备　　训练完成后做好应急部

图 1.1　"部署间训练周期"制度与"部署间战备周期"制度对比

在 2003 年 3 月实施"舰队反应计划"之前,舰艇从部署地点返回后要进入休整期,一般需要等待一段时间后才开展为期 9 周的基地级维修,之后进行为期 16 周的基本训练,随后开展中级训练和高级训练。必须按顺序依次完成上述各维修与训练阶段才能够获得战备水平较高的舰艇,缺乏必要的灵活性,某些在时间上并不冲突的训练和维修工作无法同时开展,严重限制了舰艇的应急部署能力。

实施"舰队反应计划"之后,舰艇从部署地点返回进入休整期后不需要等待直接开展为期 9 周的基地级维修或为期 16 周的基本训练,也可在 16 周的训练期间穿插安排维修工作。尽管基地级维修周期没有变化,但可以更灵活地规划并开展基本训练,因此能够更早地进入中级和高级训练。

(4)24 ~ 27 个月为周期的舰队反应计划

美国海军认为,根据传统的"部署间训练周期",航母每次维修后,从平台级训练逐渐过渡到多平台集成训练,最后整个编队部署,但每次部署完成后,随着航母进入维修期和大批舰员轮换,编队战备水平大幅下降,难以满足紧急出动要求。"9·11"后,美国出于全球反恐需求,将航母和水面舰艇的部署周期从"部署间训练周期"改为"部署间战备周期"(IDRC),新的部署周期为 24～27 个月:航母首先经过 9 个月的训练,接下来进行 6 个月的训练状态保持,然后进行 6 个月的部署,最后进行一定时间的检修。由于航母动力形式的不同,检修周期也不相同,常规动力航母为 3 个月,核动力航母为 6 个月,美国航母"部署间战备周期"见表 1.3,周期为 27 个月的"6+2""舰队反应计划"如图 1.2 所示。

表 1.3 美国航母"部署间战备周期"

初级训练	中级训练	高级训练	保持状态	部署	维修
3 个月	3 个月	3 个月	6 个月	6 个月	3 或 6 个月

注:维修周期取决于航母动力形式,常规动力航母 3 个月,核动力航母 6 个月。

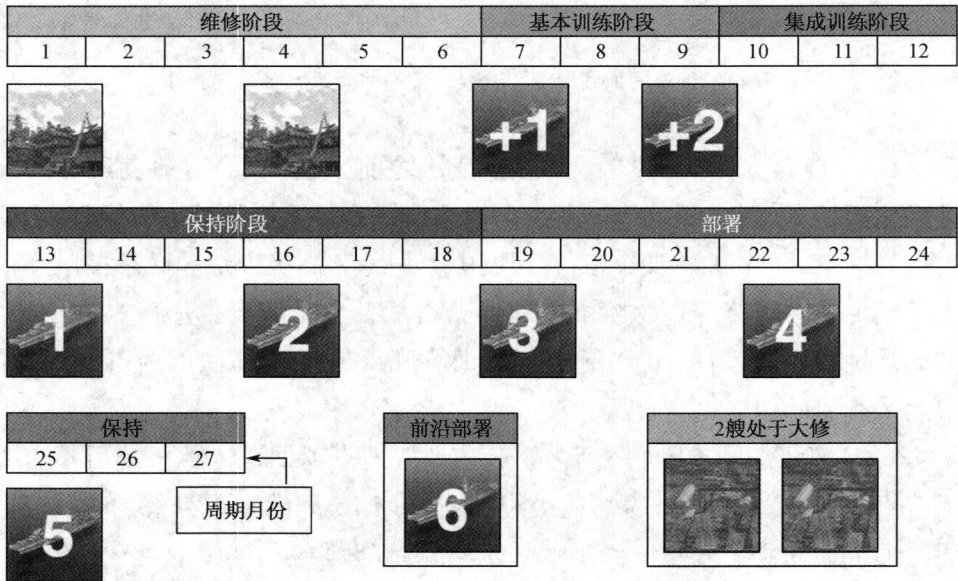

图 1.2 周期为 27 个月的"6+2""舰队反应计划"

注:数字 1～6 表示"6+2"中的"6",即在接到通知后 30 天内必须出动的航母分别处于部署前保持阶段、部署阶段或部署后保持阶段;"+1"和"+2"分别表示 2 艘处于基本训练阶段的航母,在接到通知后的 60 天内应迅速完成训练,达到可部署状态。

在部署周期中,航母训练完毕即达到可部署的状态,只是鉴于海军对官兵离开母港的时间有限制(出于生活品质的考虑)。平时,航母在训练完成后,仍在母港附近进行为期 6 个月的训练活动保持状态,然后再离开港口进行 6 个月的实际部署。这意味着,按照当前的部署周期安排,美国航母在一个部署周期内实际上有 12 个月处于可部署状态。如果仍以 12 艘航母(2 艘常规动力航母和 10 艘核动力航母)来计算,那么美国在任一时间点平均有 5.44 艘航母处于可部署状态,这使得美国航母在一个部署周期内的部署能力比之前提高了 77%。

(5)32 个月周期的舰队反应计划

为了进一步提高航母的部署能力,美国海军采取了两项措施:一是将航母的干船坞维修周期从原来的 6 年延长至 8 年,并开始探索在部分航母上延长至 12 年的可能性;二是从 2006 年 8 月开始,将航母的维修、训练和部署周期进一步延长至 32 个月,即用"舰队战备训练计划"(FRTP)替代"部署间战备计划",如图 1.3 所示。按照"舰队战备训练计划",航母的部署周期分为 4 个部分,即基本训练阶段(平台级训练)、集成训练阶段、保持阶段和维修阶段。这种安排将使美国航母处于"3 + 3 + 1 + 3 + 1"状态,即 3 艘处于部署状态,另 3 艘可在 30 天内做好部署准备,1 艘处于基本训练或集成训练阶段,可在 90 天内做好部署准备,3 艘处于一般维修阶段,另 1 艘处于为期 3 年的换料大修阶段。

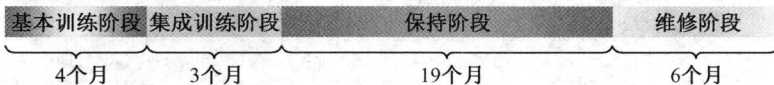

基本训练阶段	集成训练阶段	保持阶段	维修阶段
4个月	3个月	19个月	6个月

图 1.3　周期为 32 个月的"舰队战备训练计划"

注:在目前美国海军"舰队反应计划"文件中,"保持阶段"的概念有所扩大,包括之前的保持、部署、部署后保持 3 个部分。

来源:美国海军作战部长办公室(2006 年)。

按照新的"舰队战备训练计划",以美国拥有 11 艘核动力航母计算,美国在一个部署周期内的任一时刻平均拥有 6.5 艘航母可部署,比"部署间战备计划"下的航母部署能力提高了 20%(图 1.4)。表 1.4 是 2009 年 5 月美国所有现役和在建航母的状态,从表中可以看出,当时,美国有 7 艘航母是具备部署能力的,完全可以满足"6 + 1"的需求。

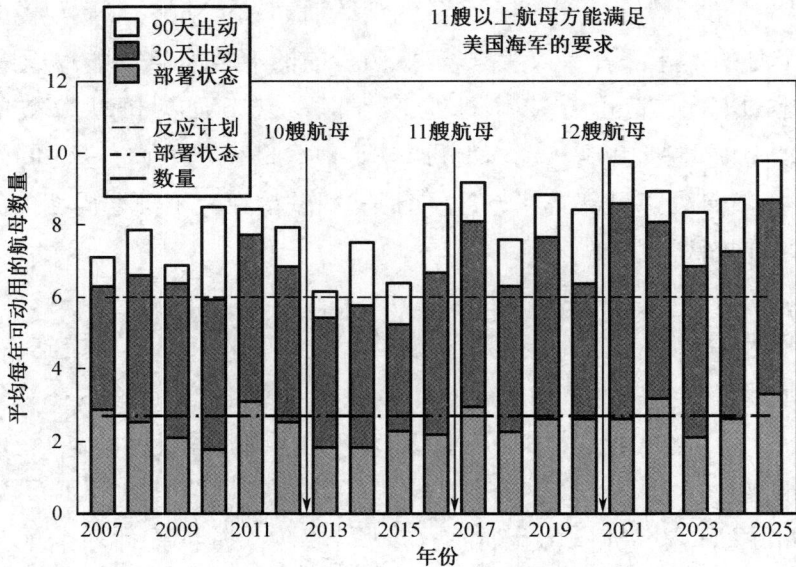

图 1.4 美国海军"舰队反应计划"下的航母出动能力

表 1.4 2009 年 5 月美国航母的状态

前沿部署	
华盛顿（CVN 73）	西太平洋地区
部署	
艾森豪威尔（CVN 69）	支持"持久自由行动"
斯坦尼斯（CVN 74）	2009 年 1 月 17 日抵达珍珠港，参加"西太 09"演习
可紧急部署	
里根（CVN 76）	进行能力维持演习（SUSTAINEX）
尼米兹（CVN 68）	综合训练军种演习（COMPTUEX）/联合战术部队演习（JTFEX）
杜鲁门（CVN 75）	特定能力训练（TSTA）与最终评估（FEP）
乔治·布什（CVN 77）	飞行甲板认证
结束部署	
罗斯福（CVN 71）	2009 年 4 月返抵纽波特纽斯船厂
维修中	
卡尔·文森（CVN 70）	即将结束换料大修（RCOH），该大修始于 2005 年 11 月
林肯（CVN 72）	在布雷默顿的干船坞中
企业（CVN 65）	在纽波特纽斯船厂的干船坞中，进行入坞大修（EDSRA）
建造中	
杰拉尔德·福特（CVN 78）	2017 年服役

实际上,美国航母并不严格执行 32 个月的部署周期安排,如"杜鲁门"号航母(CVN 75)从 2004 年 2 月 12 日开始,至 2006 年 12 月 21 日执行完一个周期,为期 35 个月(图 1.5),在这一周期中保持阶段为期 18 个月,其中包括 6 个月的部署,这也意味着,美国航母的实际部署能力并不像理论计算得那样高。

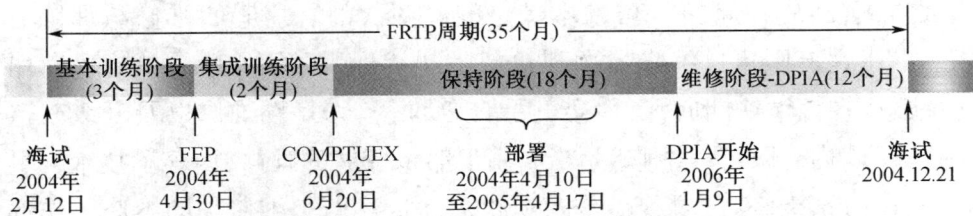

图 1.5　"杜鲁门"号航母 2004—2006 年训练部署与维修

按照"舰队战备训练计划",美国核动力航母在换料大修前将能够进行 9 轮部署(图 1.6),每轮部署的可部署时间为 18 个月,一艘核动力航母全寿期内可部署的时间将长达 324 个月,占其寿命(50 年)的 54%。

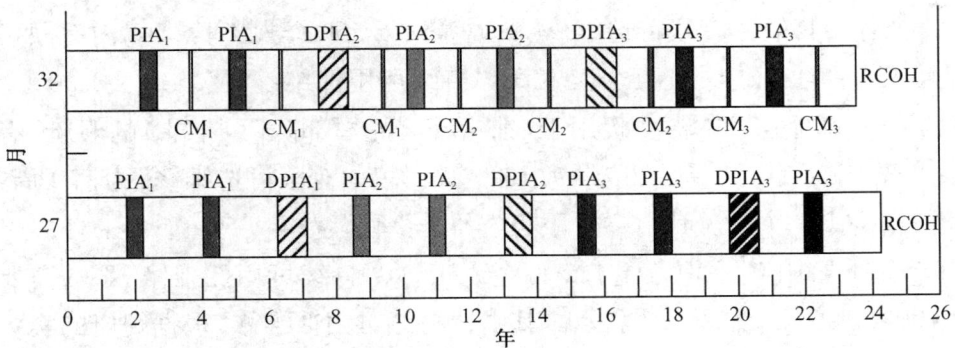

图 1.6　美国航母换料大修前 27 个月和 32 个月的部署周期安排

注:PIA 为预定增加可用性维修,一般为 6 个月;DPIA 为坞内预定增加可用性维修,一般为 10 个月;RCOH 为换料大修。

无论美国采取何种策略,无论美国航母在一个部署周期内的部署能力提高到什么程度,到目前为止,美国航母在和平时期的一个部署周期内的实际离港部署时间一般都为 6 个月左右,这也意味着,随着美国航母的部署周期逐渐拉长和可部署能力的日益提高,美国航母在母港附近进行训练、状态保持的时间也越来越长,基地(包括航母母港和舰载机驻屯机场)在美国提高航母部署能力中的作用越来越大。

（6）舰艇两次部署期间的维修工作

目前，水面舰艇在两次部署期间共有三种类型的基地级维修，分别是"有限可选维修"（SRA）、"坞内有限可选维修"（DSRA）以及"持续可用性维修"（CMA）。这些维修期均为舰艇维修周期的一部分，与训练周期共同组成"部署间战备周期"，可基本满足舰艇两次部署之间的维修与训练需求。其中，"有限可选维修"是短期的、人力密集型的维修期，通常在私营船厂完成。在该维修期间，一般会开展计划维修、修复性维修以及升级改造工作。"坞内有限可选维修"是指利用干船坞开展的维修，内容和技术含量较"有限可选维修"的维修工作有所扩展。上述两个维修期的维修工作都由海军作战部负责管理。"持续可用性维修"是指在海军作战部的两种有限可选维修之外的基地级维修，通常参与的人员较少，其主要目的是利用专门的时间完成上述有限可选维修未完成的基地级维修工作。

以"阿利·伯克"级驱逐舰为例，基地在美国本土的舰艇"有限可选维修"为期9周，间隔期为25个月，"坞内有限可选维修"为期9周，间隔期为134个月。其中，"有限可选维修"平均需要6 560个人工日，"坞内有限可选维修"平均需要1.98万个人工日，"持续可用性维修"平均需要1 500个人工日。基地在日本横须贺用于"前沿部署海军部队"（FDNF）的舰艇"有限可选维修"为期9周，间隔期为15个月，"坞内有限可选维修"为期9周，间隔期为101个月。其中，"有限可选维修"平均需要5 500个人工日，"坞内有限可选维修"平均需要1.2万个人工日，"持续可用性维修"平均需要3 000个人工日，如图1.7所示。其中，"持续可用性维修"根据舰艇的实际需要随时开展。

基地设在美国本土海军基地的"阿利·伯克"级驱逐舰维修周期

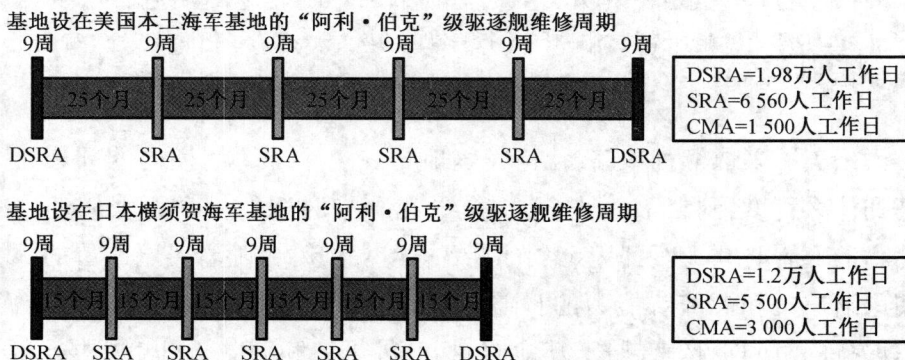

DSRA=1.98万人工作日
SRA=6 560人工作日
CMA=1 500人工作日

基地设在日本横须贺海军基地的"阿利·伯克"级驱逐舰维修周期

DSRA=1.2万人工作日
SRA=5 500人工作日
CMA=3 000人工作日

图1.7 "阿利·伯克"级驱逐舰维修周期

（7）"舰队反应计划"对水面舰艇维修的影响

按照"舰队反应计划"的要求,水面作战舰艇在完成部署任务返回后不再固定开展为期 6 周的基地级维修。因此,舰队规划部门(N3)必须与舰队维修规划部门(N4)更密切地协作来制订维修规划。三种维修期的规划必须全面考虑应急部署需求、预算和编制体制等要素,并要妥善解决基地级维修与持续时间较长的升级改进之间的关系。

首先,应考虑应急部署能力是优先考虑的因素。

与以往相比,维修部门必须更加密切跟踪舰艇所开展的维修工作。根据应急部署要求,舰队维修管理部门可通过"多舰艇多方案合同"(MSMO)灵活调整舰艇维修工作内容的优先顺序。对于那些为了优先满足需要快速部署的而推迟维修的舰艇,舰队维修管理部门也要对其状态进行密切跟踪,要确保此类舰艇在接到应急部署通知后能够快速完成对履行任务而言非常关键的维修工作。此外,"舰队反应计划"还要求不处于重大维修期的舰艇要能在 96 小时内完成部署准备,如果此类舰艇的某些装备因失修无法实现该目标,必须要向舰队司令部上报失修报告。

其次,还有机构整合与调整带来的影响。

为实现"舰队反应计划",美国海军新设置了"维修工作组""系统与装备状态评估小组"等机构,并通过地区维修中心对海军现有的维修力量进行了整合。一方面,新成立机构的职责与职能以及各机构之间的关系仍需进一步明确,另一方面,新整合的地区维修中心与舰队司令部、舰种司令部之间的协作效率仍需进一步提高。

然后,也应考虑预算对维修规划与执行的影响。

某些财政法律、政策和措施会对海军舰艇的维修规划与执行产生不利影响。由于海军的"使用与维修"经费不像"舰船建造与改造"(SCN)或"海军其他采购"(OPN)经费那样能够实现跨年度划拨,因此如果舰艇的维修周期始于某一财政年度而于下一财政年度结束的话,经费拨付就会出现问题。舰队维修规划部门只有进行详细规划并在本财政年度结束前提出内容详细、需求明确的合同或项目才能确保实现舰艇维修经费的跨年度接续,但舰队在财政年度结束前很难有多余的维修经费用于签订此类跨年度合同。此外,由于每年的预算存在不确定性,虽然舰队维修规划部门可以确定舰艇维修期能够获得维修经费支持,但仍然无法得知能够获得多少经费以及何时能够获得这些经费,这也限制了其维修规划的灵活性。

另外,还应考虑对"持续可用性维修"规划的影响。

在实施"舰队反应计划"前,基地设在美国本土的非部署舰艇每年规划两次"持续可用性维修"。实施该计划后,舰艇每季度要规划一次为期3周的"持续可用性维修"。规划频度的增加有助于舰队维修管理部门解决非部署舰船的问题,但也会对舰艇的预期使用寿命以及部署能力产生负面影响。

最后,还要考虑对持续时间较长的升级改进工作的影响。

对航母、驱逐舰及巡洋舰开展长期改进往往会影响到"舰队反应计划"的周期,并与"舰队反应计划"的应急部署要求存在冲突。一般情况下,某一级舰艇从批准升级改进到最后一艘舰船完成改进需要3年的时间。如果优先满足应急部署的要求导致升级改进时间拖延过长,同级最后一艘舰船完成改进后可能存在技术过时问题。如果优先满足升级改进的要求就会对某级舰船的应急部署能力产生不利影响。因此如何解决升级改进与应急部署之间的矛盾和冲突也成为美海军当前着重关注的问题。

(8)"舰队反应计划"下形式化的已有实践

"舰队反应计划"使在实践中演变而来的27个月维修、训练和战备周期形式化。图1.8表示"尼米兹"级航母在两次基地级维修之间的平均时间(换料大修除外)。对于所有8艘航母,基地级维修间的平均时间已超过24个月(在图中下虚线表示)。对于其中3艘航母,平均时间甚至超过27个月(在图中上虚线表示)。

"舰队反应计划"并未缩短航母维修的时间表。预定增加可用性维修仍为6个月,坞内预定增加可用性维修仍为10.5个月。"舰队反应计划"也不会改变现有主要维修和保养安排,武器、通信和工程系统的升级或换料。[①] 也就是说,航母维修和现代化继续保持"舰队反应计划"制订之前的安排。

---

① 美国政府审计署,国防后勤:GAO对"海军舰队应急反应计划"维修方面的观察,华盛顿,GAO-04-724R,2004年6月18日。

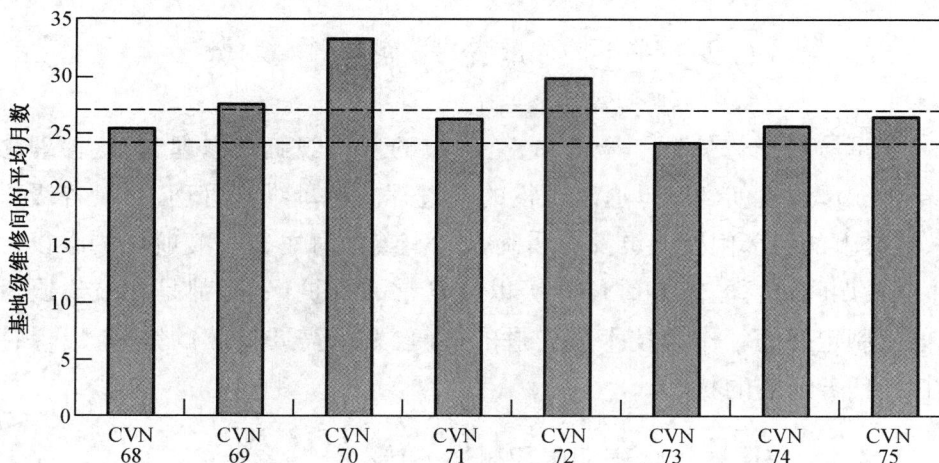

图 1.8　"尼米兹"级航母基地维修历史平均时间间隔

注：由于 CVN 76 仅在 2003 年服役，因此图中未包括该航母。

（9）"舰队反应计划"的优势及新发展

"舰队反应计划"可通过协调航母打击群中各要素的维修和训练战备等级增强航母打击群的可用性和快速反应性，并可提升各航母舰员的战备和反应能力。"6 + 1"航母打击群对于敌方来说拥有足够大的威慑力。如海军作战部长所述，"舰队反应计划"以任务为驱动，以能力为基础，在正确的时间（在有限预算内）提供适当的战备。该计划可实现快速响应的、可靠的前沿存在。"舰队反应计划"能够部署更加机敏、灵活和可调的海军力量，能够快速增援以解决预期之外的威胁、人道主义灾难和突发战争。"舰队反应计划"逐渐灌输了对于战备的新思想，即从使航母可用的传统轮换过程转变为维修结束后 3 ~ 4 个月内应急①。相反地，传统维修、训练和人员安置过程强调在维修期后的一年时间内使航母为下一个计划的部署做好准备。航母在维修完成后 6 个月内完成综合训练，更快速地获得了较高的战备状态，且保持时间更长。

---

　　① 美国政府审计署，国防后勤技术修正法（CAO 编号 350466）：GAO 对"海军舰队应急反应计划"维修方面的观察，华盛顿，GAO - 04 - 724R，2004 年 6 月 18 日。

1.2 美国航母全寿期维修概念

美军航母维修体现了全寿命、全系统的现代舰艇维修理念,这种理念贯穿了航母服役前到航母退出现役的全过程。航母维修管理工作,各级机关、航母上的各部门及人员都有明确分工。美国海军每一艘航母的服役寿命、服役期间进行的定期维修升级以及日常的维护保养,都是在航母服役之前就制定好的。作为技术最先进的舰艇,航母需要持续的维修,以保持其执行任务所需的状态。

1.2.1 美国航母全寿期费用概述

多年来,既具进攻性又具防御性的航母一直被世界公认为是海军的一种富有打击力量的核心战舰,是现代海战的中坚力量。由于航母服役期限较长,为确保航母及舰上装备和系统能够满足新时期海上作战需要,航母需按计划在船厂或基地接受维修和保养。美国作为拥有航母最多的国家,历来重视航母维修保障工作。在不断优化航母维修周期过程中,积累了丰富的维修经验和相对系统的费用数据。

现代航空母舰及其舰载机作为技术密集型的军事系统工程,是一个国家军事、工业、科技水平和综合国力的象征,其意义之重大、工程之复杂、费用之高昂已超过了单个部门或单位所能承受的限度,即使美国这样的航母大国也不例外。因此,各国对航母"全寿期费用"的评估、分析、管理和决策均十分重视,它涵盖了航母的设计研发、建造、使用、维修、保障及退役报废等全寿命周期的各个阶段。

1.2.2 美国航母建造费用

航母的建造,除了要具备足够的造船技术、电子技术和工艺水平外,关键还必须具备航母建造进度的统筹安排能力和经费保障,这与航母的设计和研发要求是一致的。如俄罗斯,虽然掌握了建造航母的基本经验,但按照《俄联邦海军未来十年发展规划》再造航母,其技术水平短期内也难以赶上美国水平,其中经费保障这一条就足够令俄罗斯头疼的。具有近百年建造航母历史的美国,其航母建造都是在前期大量的技术基础和充足的经费保障下进行的,其重大设计和技术开发工作都需要在建造合同签订前开展,有的配套系统甚至在动力系统建造前七八年就开始生产了。航母建造中各项时间节点和经费预算,也都有严格的要求和周密的计划。可见,航母的建造涉及技术研发、组织管理、部门协调、系统配套等许多问题,是一个非常庞大和复杂的系统工程。

在航母的建造费用方面,其主要花费包括人力资源成本和原材料费用等。其中,人工成本很大程度上取决于航母技术研发和建造的进程,当进程延误时,将不可避免导致工时增加或人力成本上升。虽然美国在建造"福特"号航母之前对其中的一些关键技术进行了前期开发,但近几年的实际建造经验表明,海军在其最初的经费额度内很难及时交付舰船,影响建造经费的不确定因素太多,导致其首舰建造时很难设立一个可实现的经费目标。此外,在建造过程中,承包商曾经通过对一些新的、未经验证的手段进行估算,预计可节约成百上千个工时,如在建造管理过程中运用产品模型的方法,可以节省约400 000个舰船建造工时,且通过设备改进和设计方案优化可进一步节省工时。然而,承包商自己也承认,无法精确估计通过上述新举措到底能够节约多少工时。事实上,这些新手段实际上节约的工时往往比预期的要少。而如果海军延误了给承包商相关技术信息的时间,或者一些关键技术和试验进度耽搁了,工时将会增加,其费用风险也会增大。虽然美国海军将"福特"号航母的建造工时比尼米兹级首舰的建造工时多预估了10%,并提出提高造船厂的实际劳动效率来减少人力成本的方案,但以往的经验表明,通过提高效率节省工时,其结果往往不如期望的那样好。例如,"布什"号航母在建造时,曾期望通过使用计算机辅助设计减少工时,但最终工时并没有减少。

目前,国防部独立成本分析专家还没有对"福特"号航母建造中劳动效率提高对工时的节省状况作出预估,原因是其效果还没有得到论证。

而航母建造中的材料配套体系,包括材料的研制、配套材料和工艺完善等则是航母建造的基础,其花费也很可能超过预计值,并造成最终成本高于目标经费。根据承包商的说法,过去在建造新航母时,其原材料都是根据前一艘航母建造时的材料进行报价,而对于新航母在设计上与前一艘有什么不同不是非常清楚。因此,原材料报价存在很大的不确定性。一方面,随着航母设计理念的发展和军事作战要求的提升,一些高性能材料和设备的研制与使用会导致原料成本上升;而另一方面,随着新材料、新技术的飞速进步,一些材料的大规模工业应用在一定程度上又会降低其生产成本。因此,诸多因素的影响会导致各航母采用的原材料费用产生不同程度的变化,并与预估经费目标发生一定的偏离。

航母的船体结构材料是航母原材料的主体,各国都投入大量精力研究,力求提高结构材料性能、降低成本、完善配套和挖掘潜力。其中,航母结构用钢是航母建造中最重要的物质基础,在短短几十年中便经历了多个发展阶段。由于各航母所采用的结构用钢型号、性能和用量各不相同,由此造成航母的原材料费用也产生了较大的差异。美国是航母大国,其材料技术先进、工业基础雄厚,因而航母结构用钢更为先进和齐全,其在第二次世界大战期间主要选用 HTS,A,B,D,E 等高强度及一般强度的结构钢作为船体结构材料,虽然成本低、焊接性好,可基本满足美国中型航母的需求,但韧性较低、防弹性能差。到 20 世纪 60 年代后,美国在 Ni-Cr 系 STS 防弹钢的基础上开发出了 HY-80,HY-100 等高强度结构钢,用于减轻航母质量和提高性能,满足发展大型航母的需求,但成本较高,焊接工艺复杂。20 世纪 80 年代以后,美国海军又发展了 HSLA-80 钢和 HSLA-100 钢,与之前的 HY 型钢相比,这类钢采取铜沉淀硬化型的强化机理,C,Ni,Cr,Mo含量减少,厚板的淬脆性降低,从而可改善舰船用钢的焊接性,节约航母建造成本。这一阶段美国航母的主船体用钢主要是 HY-80,HY-100,HSLA-80,HSLA-100 四种混用。而到了 20 世纪 90 年代以后,美国海军对航母主船体质量、航母机动性和有效载荷等问题更加关注,因而开发了HSLA-65 钢和 10Ni 钢。据估计,核动力航母"里根"号使用 HSLA-65钢,舰体质量可减轻2 400 t,节省建造费用2 400 万美元;另一种10Ni 钢则是一种高强度、高韧性钢,其屈服强度高达 1 240 MPa,且焊接性好。与HSLA-100 相比,如果将其应用于航母,可使舰体质量减轻400~800 t。

其他国家也非常重视航母结构用钢的研制工作,其目的是在保证航母战斗性能的条件下,开发更先进的结构材料,进一步降低成本,改进性能。例如,俄罗斯先后开发了 AK-25,AK-29,AK-43 等航母壳体和防护材料用钢,以及 A,B,D,E 结构用钢,其屈服强度从 355 MPa 至 980 MPa 不等,成本较低,可满足航母不同部位结构和性能的要求;英国在 20 世纪五六十年代发展了 QT28 和 QT35 钢,之后由于技术和经费原因,分别仿制美国的

HY-80钢、HY-100钢和HY-130钢,从而形成了英国的Q1钢、Q2钢、Q3钢,为了进一步降低航母建造成本,他们往往会在同一艘舰上大量使用不同强度级别的材料;此外,日本也开发了高屈服强度钢NS30,NS46,NSS0和NS90等,并仿制美国HY-80形成NS63钢,用于准航母和各类舰艇的建造。

1.2.3　美国航母维修保障成本费用

航母的作业使用和维持保障费用,也就是用在养护航母方面的费用,往往容易被人们忽视,但这方面的开支却十分巨大,已经远远超过了最初航母建造或采购的费用,这也是世界上只有少数几个经济发达国家才用得起航母的原因。航母的作业维持费用可分为直接作业维持费用(包括人力费用、燃料费用、养护费用等)和间接使用维持费用(包括培训费用、管理费用、核动力装置维持费用等)。美国是世界上独一无二的超级大国,其经济实力最为雄厚,它的航空母舰也是世界上最昂贵的航空母舰。美国海军的现役航母以"尼米兹"级航母为主,据最保守的估计,如果按服役30年计算,平均每艘航母维持费用高达111亿美元,平均每艘航母每小时就花费5万美元,一天就是100多万美金。此外,舰上90架两代舰载机的采购和维护费用为198亿美元,导弹驱逐舰、导弹巡洋舰等护航舰艇的费用为67亿美元,油、水和食物的费用为55亿美元,粗略算下来,一艘"尼米兹"级航母全寿命周期间的费用高达430多亿美元,若按20%的通货膨胀率来计算,接近600亿美元,这还只是一艘航母,而美海军11个航母编队的费用规模就更加惊人了。如此高昂的花费,使得各国海军对航母维持费用的态度慎之又慎。

根据美国GAO(问责署,2004年以前称为审计总署)于1998年的估算,在核动力航母的整个寿命期内,航母的作业和维持费用约为148亿美元,比常规动力航母的111亿美元,要多出近34%。表1.5对比了常规动力航母及核动力航母在全寿命周期内直接作业维持费用和间接作业维持费用。

表 1.5 常规动力航母及核动力航母在全寿命周期内
直接作业维持费用和间接作业维持费用

序号	费用类别	CV 常规动力航母	CVN 核动力航母
直接作业与维持费用	人力费用	4 636	5 206
	化石燃料费用	738	—
	养护费用(包括除中期现代化改装费用以外的常规维护、维修和装修费用)	4 130	5 746
	其他(包括大量的直接单位成本费用,如零部件、储备和定期维护费用)	933	724
	直接作业与维持费用总计	10 436	11 677
间接作业与维持费用	培训费用	161	1107
	化石燃料费用	469	—
	核动力维持费用	—	2 045
	其他(包括大量的直接单位成本费用,如零部件、储备和定期维护费用)	58	53
	直接作业与维持费用总计	11 125	14 882

年度:1997 财年,单位:百万美元

在航母的各项费用中,作业维持费用是最高的。很难想象,在航母的维持保障费用中,母港的建设和配套设施等保障费用竟占到整个费用的四分之一。

以美国海军为例,GAO 的估算结果是,2010 年梅波特港建造一艘核动力航母的一次性费用高达 2.588 亿美元到 3.16 亿美元。经常性费用为每年 900 万美元到 1 760 万美元之间。而海军的一次性费用估计值为 5.376 亿美元,甚至超出了 GAO 的估算范围,经常性费用为每年 1 530 万美元,在 GAO 的估算范围内。导致两方估算值不同的因素主要是对船厂建造新的受控工业厂房和舰船维修设施的一次性工程费用的估算不同。这两个因素与一次性费用的多少息息相关。而建成后航行的成本则决定着经常性费用的数额。为了给航母编队营造一个温馨的家,的确需要很强大的综合国力。在整个航母编队的卫勤保障中,其他各单舰的医疗力量都比较薄弱,仅有 1~2 名看护兵或医助,可执行紧急救援和生命支持任务,而航母上的卫勤保障力量则相对较强,拥有 X 射线室、手术室、检验室和血库等,拥有医务人员 50 名左右,床位 50 多张,医院船拥有 1 000 多张床位,能执行伤病员的救治和舰队医院功能。

航空母舰在设计建造过程当中,动力部分成本占很大比例,而在维修成本上,核动力航母和常规动力航母也有很大区别。一般来说,核动力航母的燃料棒在整个全寿期当中可能换,但更换的次数比较少,但其技术保障的经费比常规的要多,更换一次其成本也比较大,所以核动力航母的维修费要比常规动力高得多。而且,核动力比较娇贵,尤其日本大地震后,核安全成为各个国家重点关注的重点。如法国经营了多年中型核动力航母"戴高乐"号之后,下一代"皮埃尔"级航母却不采用核动力,除了它本身的核动力技术不过关之外,整个运行过程当中也考虑核安全的因素,另外短期内中小国家的航母也不会采用核动力。不过,美国航母占海军总经费的比例还不能说很大,美国海军每年的军费就高达 1 400 多亿美元,其中航母大概占 11% 左右;在维持费用方面,美国海军整个维持费大概 460 多亿美元,航母维持费大概是 42 亿多美元,占 10%,但还在可承受范围内。但其他国家则不然,例如英国对待航母的各项花费支出就有些捉襟见肘,英国本想建两艘"伊丽莎白"级航母,每艘建造成本约 40 亿美元,但建一艘的花费就已经快占到整个国防经费的 8%,如果建两艘就达到 15% 了,这还没有算上舰载机和其他属舰的费用,所以英国肯定承担不了如此高比例的费用支出,最终只能建造一艘。

1.2.4 航空母舰的报废费用

在服役期末,常规核动力航母可以放在备用舰队中,或者仍然作为机动资产。当海军不需要常规航母时,还可以将航母卖给私人企业或外国政府,或者以报废价出售出去。GAO 根据海军 1998 财年数据,得出了 5 260万美元的常规航母报废价。而核动力航母因为核推进系统的限制,其报废起来就没那么容易了。核舰船的核反应舱室内装有核电站。而核电站的组成包括一个高压的反应堆槽、数个热交换装置(蒸汽发电机),还有相连的管路、泵输送系统和阀门。每个核反应堆均容纳一百多吨的铅用于屏蔽放射性,部分铅板因为与辐射物接触也带上了辐射物质。而在有效的服役期将满时,必须处理掉核动力航母和航母上的辐射物。虽然目前还未报废过核动力航母,但其基本步骤与报废核动力潜艇及核动力水面战舰大致相同。第一步,排除核反应堆设备中的存铀。核废料辐射性特别高,美国海军将报废燃料从核反应堆设备中清除掉后还要送往海军核反应堆研究室(Naval Reactor Facility)进行检验和暂时存放。接着将管道系统、反应堆内的放射性物质排除干净;将放射性系统装置密封,然后将核反应堆室密封并用高度安全可靠的钢制外壳封装起来。

根据美国海军提供的数据,报废第一艘尼米兹级核动力航母的费用在8.186亿美元至9.555亿美元之间,费用大部分用于排除铀及核污染设备以及设备的后处理方面。这个数据还不包括核废料的存储费用以及在汉福德(核反应堆埋放地)的维持费用。

在"尼米兹"级航母服役期间,核反应堆内的核废燃料需要清理两次,一次在中期,一次在报废时。核废料的过强辐射性使其必须安安稳稳地埋在地下数千年才行。核废料的存放方法分为干存和湿存两种。"美国海军核推进计划"曾做过一次估算:一艘核动力航母退役后,如果采用干存方法,在最初的一百年里,安全存放核废料的费用约为1 300万美元左右。美国海军后来采用了湿存方法,即将燃料存在特殊的存放池中。池中放入水,可起到屏蔽和散热的双重作用。采用这种湿存方法的话,将"尼米兹"级堆芯放入存放池中的费用约为30.6万美元,此后每年存放堆芯的费用为1.144万美元(以1998年财年为标准)。在最后报废时,要对核废料进行永久性废弃处理,这里的难度也非常大,因为这种燃料的危险性会持续千年之久。

美国建立了强大的工业基础来支撑航母的维修工作。美国海军的诺福克、普吉特湾船厂、亨廷顿英格尔斯公司下属的纽波特纽斯船厂以及其他私营船厂等维修机构构成美军航母维修的工业基础,负责美军航母的主要维修工作。

1.3　美国航母维修保障体系

美军航母维修体现了全寿命周期、全系统的现代舰艇维修理念,这种理念贯穿了航母服役前到航母退役的全过程。关于航母的维修管理工作各级机关、航母上的各部门及人员都有明确分工。美国海军每一艘航母的服役寿命、服役期间进行的定期维修升级以及日常的维护保养,都是在航母服役之前就已制定好的。作为技术最先进的舰艇,航母需要持续维修,以保持其执行任务所需的状态。经过长期的不断发展和完善,目前美国海军已经形成了一套较为完善的三级航母维修保障体系:第一级是舰员级维修,由舰上设备操作人员完成;第二级是中继级维修;第三级是基地级维修,在航母停泊基地修理设施或修理厂内完成。这里需要特别指出的是,美国航母舰载机的维修一般不包含在航母维修保障体系内,舰载机的维修任务一般交给美国海军航空系统司令部下属的航空维修基地完成。

为了更好地反映航母整个生命周期中各个维修层级的作用,本节特地选取舰载机起降设备维修这个典型过程为例进行说明。因为飞机的弹射和回收设备维修是在持续作战的环境中进行的,在此环境下资源和装备几乎在重复循环地持续使用,因此对于设备、航母和飞机都是一个巨大的挑战。

1.3.1　舰员级维修

1. 舰员级 3 - M 系统[①]

航母舰员级维修是由舰长组织全体舰员,为保障航母设备运行而进行的日常保养性质的修复性和预防性维修工作。舰员级维修由舰长管理,副舰长和各部门长具体负责。舰员级维修在航母上进行,按照舰员级 3 - M 系统中计划维修系统规定的内容、方法和步骤进行。美国海军不仅有一系列规范化的程序来实施,而且管理的手段先进,方法科学。该系统是利用计算机来管理维修工作,能及时显示出全舰维修任务的清单。这些任务包括何时检查和维修、怎样检查和维修、需要采用何种工具和设备进行维修

---

① 舰员级 3 - M 系统:舰员级装备维修保障管理系统。

等,从而使维修工作效率大为提高。

航空母舰舰员根据需要进行定期的维修作业,主要工作内容是:设施维修,如清洁和保管;系统和部件的日常预防性维修,如检查、系统操作性测试和诊断、润滑、校准和清洁;修理,如将船机电和电子设备的故障定位到最低可更换单元级,通过更换故障插件板将设备恢复到工作状态的修理等;为较高等级的维修机构提供辅助性工作,对由其他维修机构完成的维修工作的核查和质量保证;对所有未完成和已完成的维修工作的记录等。

2. 舰员培训

为保证舰员级维修质量,除了为每艘航母编制了 3 - M 系统,美国海军还十分重视对舰员的维修培训以提高舰员的维修水平。在《美国海军航母训练与战备手册》中规定,新上舰的舰员必须在上舰后 6 个月内完成 3 - M 系统训练并通过维修考核。训练分核心训练和选训,例如,对负责轮机部门主机的舰员,其核心训练内容包括下列故障的排除:主机轴承发热,主机润滑压力过大,主机滑油严重泄漏,主机进气;选训内容包括:风门阻塞,主机和轴噪音振动。对负责锅炉或锅炉给水的舰员,其核心训练内容包括下列故障的排除:锅炉进气道起火、冒出浓烟,锅炉水位过高、锅炉水位过低、主给水管道破裂,滤筒式除尘器(DFT)水位过低,燃油严重泄漏,冒烟;选训内容包括:锅炉爆炸、锅炉管道破裂、滤筒式除尘器(DFT)管道破裂、控制气体流失。

对新舰员,平时除了由军士长、分队指挥官、部门长、3 - M 协调官、副舰长和舰长对其维修技能进行抽查外,在新舰员首次进行一项维修任务要求前,还必须按保养需求卡对维修人员进行训练,在进行这项维修工作时,还必须安排有经验的人员对其进行指导,指导人员必须在该维修工作方面具有公认的能力。

美国常规动力航母与核动力航母的工作部门不同,因此舰员级维修也有所不同。美国常规动力航空母舰(例如“小鹰”级航母)分为作战、航空兵战斗、航海、武器、轮机、医务、牙医、供应、安全和飞机中继级维修共 10 个部门。核动力航母设航空兵站、飞机中继级维修、战斗系统、损管、甲板、工程和反应堆、医务、导航、作战、供应、武器、安全等 12 个部门。航海(导航)、武器、轮机等部门各负责其装备的使用和维修,供应部门负责购买、接收、储存和发放物品,进行装备统计、零件修理和供应。

1.3.2　中继级维修

中继级维修是由来自特定设备的海军和文职人员使用特别的技能根据定期的计划进行的更广泛的维修作业。美国海军的中继级维修机构由舰队司令管理。航母中继级维修力量主要由航母自身的专业维修力量、编队的供应舰和舰队所属的岸基中继级机构组成。

航母中继级维修机构的维修任务如下:首先是超出了舰员维修能力的船机电和作战装备、系统的维护、修理、翻修、安装、质量保证、校准、测试和其他与之相关的工作;其次是培训舰员,提高装备战备完好性和舰船的自修能力;最后是在战时为前沿部署作战部队提供战损修理和其他应急修理能力。

中继级机构分为岸基中继级维修机构和海上中继级维修机构两个部分。岸基中继级维修手段主要指美国海军各舰队下属的 10 个岸基中继级维修机构、2 个"三叉戟"潜艇修理机构中的设施和设备,主要承担中、小型舰船或单项装备的大修任务。海上中继级维修手段主要指修理(供应)舰、浮船坞和航空母舰上飞机中继级维修等,是随航母在海上进行机动部署的维修手段,任务是负责部署区内航母的器材供应和维修保障。航母本身都有专职的维修人员、维修车间和维修设备,并储存一定数量的器材,以实现对航母自身的中继级维修,以保证海上中继级维修技术人员的数量和技术水平。

近 20 年来,美国海军舰艇数量呈下降状态,作为中继级维修力量的修理船均已退役,补给舰的数量也受到压缩,海上中继级维修能力难以满足需求。但是海上中继级维修在大型装备、系统的维护修理,以及战时为作战海军提供战损修理和其他应急修理方面有着举足轻重的作用。因此,美国海军提出了许多措施来保证中继级维修能力。

1. 提高舰员的维修训练使其具备中继级的维修水平,实行后取得了十分不错的效果

例如,美国海军太平洋舰队制订的"海军海上维修训练策略计划",其主要内容是:根据维修资历和海军士兵专业类型,由具有一定维修经验的中士和上士对舰员进行筛选,根据维修工作需要确定舰员的训练内容,再由具有较高维修技能的人员进行训练,训练合格后发给舰员资格证书。舰员完成维修训练后将被分配到航母战斗群的舰艇上,并被输入"作战部队中继级机构维修专家库"。当航母战斗群的某艘舰艇发生故障后,就可以根据士兵专业类别在本部队找到具有这方面维修技能的人员对其进行维修,而无须耗时等待供应舰维修人员的支援。

2. 美国海军充分利用现代通信技术进行远程技术保障支援

在伊拉克战争中,美国海军"林肯"号航母战斗群通过"远程技术保障系统"与美国圣地亚哥的舰船技术保障中心、弗吉尼亚州诺福克的海军综合呼叫中心保持实时联系,进行了大量的远程维修保障活动。

根据海军作战部长指令,每艘航母均设有由舰载机中继级维修部、工程部、供给部和武器部等组成的中继级维修机构,负责舰载机起降设备中继级维修支持,通常包括维修、测试、检查以及改造舰载机起降设备部件及相关设备,由执行指定设备中继级校准的专业校准机构实施校准,向受支援的机构提供技术援助,合并技术指令与制造选定的和无现货的零件。

1.3.3 基地级维修

美国海军基地级维修是由指定的大修机构,完成超出舰员级和中继级维修能力的更高的工业维修和舰船现代化改装等任务,包括舰船大修、改装、翻新、恢复以及更换核燃料。基地级维修作为航母的关键维修层级,是保持并提升航母作战能力的重要保障。航母的基地级维修属于计划修理,一般在美国本土进行,驻泊国外基地如驻日本横须贺的航母进坞修理和在航保障在驻泊地进行。

美国海军常规动力航母与核动力航母的基地级维修策略不同。常规动力航母的基地级维修主要包括延寿改装(SLEP)、选择有限可用性维修(SRA)和复杂大修(COH)。核动力航母的基地级维修主要包括换料大修(RCOH)、计划增量可用性维修(PIA)、入坞计划增量可用性维修(DPIA)等。其中延寿改装(SLEP)和换料大修(RCOH)又称中期现代化改装,即在航母的服役中期进行全面的大修、系统升级和现代化工作。

1. 常规动力航母基地级维修

常规动力航母,以"小鹰"级航母为例,美国海军对其施行"改进维修"

策略(图1.9),其修理类型主要分为三种:第一种,延寿改装(SLEP),约在航母服役30年后进行,历时约2.5年,在此期间恢复航母的作战能力,进行系统升级、修理和现代化等工作,经过延寿改装后,航母一般可继续服役15年以上;第二种,选择有限可用性维修(SRA),一般每18个月进行一次,在航母全寿期内进行17次,每次历时3个月;第三种,复杂大修(COH),一般每60个月进行一次,在航母全寿期内进行6次,每次历时12个月。

0~18个月	19~21个月	22~39个月	40~42个月	43~60个月	61~72个月
作战部署	SRA	作战部署	SRA	作战部署	COH

图1.9　"小鹰"级航母基地级维修周期图

2. 核动力航母基地级维修

核动力航母,以"尼米兹"级核动力航母为例,从服役至今,其维修周期几经修改:在"尼米兹"级航母服役初期,即1975年,采用的是"设计使用周期"(EOC)模式;之后于1994年,美国海军为"尼米兹"级航母引入"增量维修计划"(IMP),把航母的维修周期调整为24个月;2003年美国海军发布"舰队反应计划",要求把维修周期延长至27个月;随后于2006年8月,海军将维修周期延长至目前的32个月,在一个周期内,航母要经历部署、待命和维修等几个阶段(图1.10)。从1994年开始施行"增量维修计划"(IMP)起,根据维修规模的不同,将"尼米兹"级核动力航母基地级维修分为四种类型:第一种,航母增量维修(CIA),约耗时1个月,1万个工作日,在32个月的运营行动周期内进行两次;第二种,计划增量可用性维修(PIA),约耗时6个月,26.9万个工作日,除非轮到入坞计划增量可用性维修,否则在每32个月的运营周期内进行一次;第三种,入坞计划增量可用性维修(DPIA),每次约耗时10.5个月,44.4万个工作日,每连续两次运营周期进行1次;第四种,换料大修(RCOH),每次约耗时39个月,约326.7万个工作日,在航母寿命周期的中期进行,大约是在航母服役的第23年左右。

航母服役期的前半部分-23.5年																							
PIA	CIA	CIA	PIA	CIA	CIA	DPIA	CIA	CIA	PIA	CIA	CIA	PIA	CIA	CIA	DPIA	CIA	CIA	PIA	CIA	CIA	PIA	CIA	CIA
1	1	2	2	3	4	1	5	6	3	7	8	4	9	10	2	11	12	5	13	14	6	15	16

RCOH
持续39个月

CIA	CIA	PIA	CIA	CIA	PIA	CIA	CIA	DPIA	CIA	CIA	PIA	CIA	CIA	PIA	CIA	CIA	DPIA	CIA	CIA	PIA	CIA	CIA	PIA
17	18	7	19	20	8	21	22	3	23	24	9	25	26	10	27	28	4	29	30	11	31	32	12

航母服役期的后半部分-23.5年																							

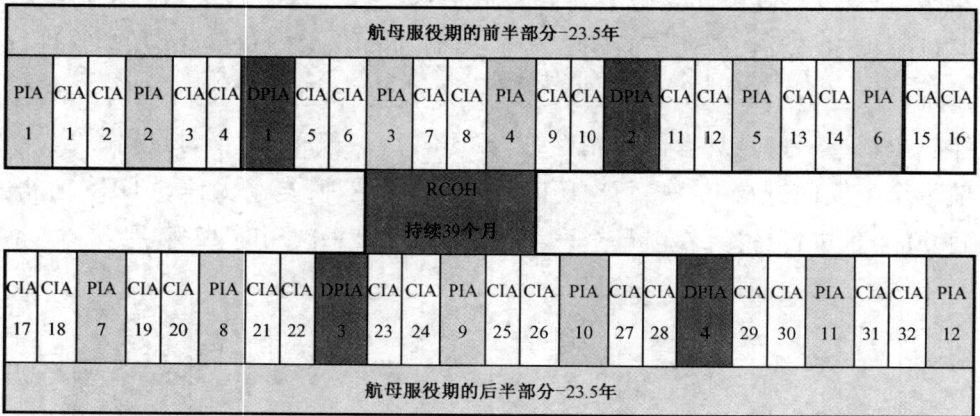

图 1.10 "尼米兹"级航母 32 个月增量维修计划(IMP-32)

在"尼米兹"级核动力航母约 50 年的计划服役期内,总计将经历 32 次航母增量维修、12 次计划增量可用性维修、4 次入坞计划增量可用性维修和 1 次换料大修。

其中,换料大修(RCOH)主要包括航母核动力推进系统维护,航母干舷维护,非核动力推进系统维护,舰体、机械与电气系统维护,适居性维护,作战系统维护,子承包商开展的系统维护,紧急和追加性维护等内容(图 1.11)。

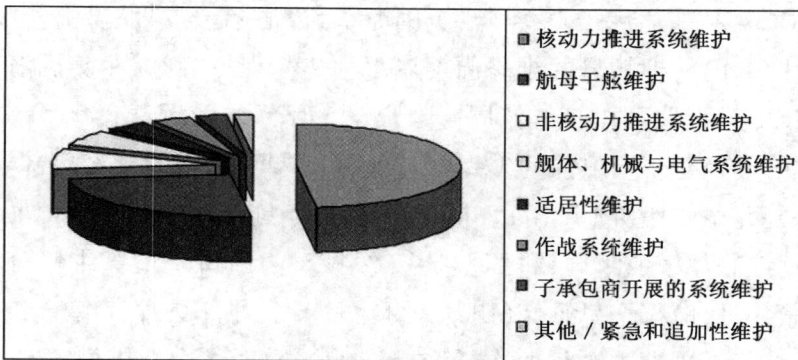

- 核动力推进系统维护
- 航母干舷维护
- 非核动力推进系统维护
- 舰体、机械与电气系统维护
- 适居性维护
- 作战系统维护
- 子承包商开展的系统维护
- 其他/紧急和追加性维护

图 1.11 换料大修的主要内容

(1)核动力推进系统维护主要是完成与航母核反应堆相关的换料、设备维修、升级和改装等工作,它是航母换料大修中最为核心的内容,也是整个大修过程中花费资金最多的工作。为确保核反应堆换料和维护工作的安全性,海军核反应堆办公室(NRO)将全程监督整个核动力推进系统维护过程。

(2)航母干舷维护工作主要包括舰上各种管系的维护、甲板机械装置的维修、舰上辅助系统的维护、飞行甲板 MK-3 型蒸汽弹射装置以及MK-7 型舰载机阻拦装置的系统升级工作等。

(3)非核动力推进系统维护工作主要是对航母上装备的汽轮机、柴油机、推进轴系等系统与装备进行改装和升级工作。

(4)舰体、机械与电气系统维护主要是对航母整个舰体结构、各种设备、平台电力网络的控制与分配系统等进行改装和升级工作。

(5)航母作战系统维护主要是通过对航母指挥、控制、通信、计算机与情报系统进行改装和升级,进一步提高航母武器系统、空中作战、空中管制、防空作战、反潜作战系统的作战性能。

(6)紧急和追加性维修是指在航母换料大修过程中,临时增加的系统维护和升级工作。

此外,为提高航母换料与综合大修的工作效率,进一步降低维护成本,美国海军会将一小部分维护和升级业务委托给一些具有熟练技能或关键设备的团队。

3.常规动力航母与核动力航母基地级维修的区别

美国常规动力航母基地级维修施行"改进维修"策略,核动力航母基地级维修施行的周期为 32 个月的"增量维修计划"。与"改进维修"策略相比,增量维修计划更好地体现了航母"持续维修"的战略,使工作量和预算量实现平缓增长,避免了大修时出现工作量和预算陡然大增的情况,使船厂的维修工作趋于稳定,有助于更好地维持舰船的总体状态。目前,美国在役 10 艘航母均为核动力航母,美国海军的基地级维修已逐渐转变成核动力航母基地级维修实施的"增量维修计划"。

第2章　美国航母维修保障管理制度机制

2.1　美国航母地区性维修

2.1.1　美国航母地区性维修概念与机构组成

"地区性维修"的概念起源于20世纪90年代中期,美国海军舰队规模从600艘减少到350余艘,人员也相应地缩减。因此,美国海军不得不重新审视其在装备全寿命过程中的技术保障,一个重要的问题是对现有的舰船修理基础设施进行重新评估,以便找出"用较少的资源做更多的事"的新方法,"地区性维修"概念因此产生。

这一新概念的中心思想是将全国及海外舰队的修理力量以地区为单位进行划分,并将原来这一地区内的修理机构和设施进行重新组合,进行大幅度的功能合并,将海军原有的8个船厂关闭了4个,岸上中继级维修机构减少了3~5个,最终形成每一个地区有一个维修中心的新格局。在每个维修中心内又有功能齐全、设施配套的专业修理中心,而这些专业修理中心基本是该地区唯一的(甚至是东、西海岸唯一的或全国唯一的专业修理机构,这也与其装备的标准化程度高有关)。各地区维修中心的机构设置简洁、无重复建设,最大限度地发挥每一个修理设施或机构的作用,从而有效地提高修理设施、设备及技术人员的利用率,最终实现以较少的资源完成更多任务的目的。

地区维修中心在组织机构构成上有一个基本模式,各部门有统一的编号。每一个地区维修中心都将形成一个本地的组织机构。图2.1为地区维修中心(诺福克舰船保障机构)组织机构构成及各部门编号框图。表2.1为美国海军独立地区维修中心各标准部门的编号表。地区维修中心组织机构构成及职责见附录C。

诺福克舰船保障机构那不勒斯分部
Code 101

诺福克舰船保障机构巴林分部
Code 102

地区维修中心司令
Code 100

地区维修中心副司令
Code 100A

司令部参谋长
Code 100D

法律办公室
Code 100C

后勤部
Code 500

环境、安全与健康办公室
Code 106

质量保证负责人
Code 130

质量保证军官
Code 131

合同管理质量保证
Code 132

无损检测
Code 135

工程部
Code 200

岸基管理部
Code 300

合同部
Code 400

后勤部
Code 500

财务部
Code 600

生产部
Code 900

指挥保障勤务部
Code 1 100

商务办公室
Code 1 200

信息技术部
Code 1 230

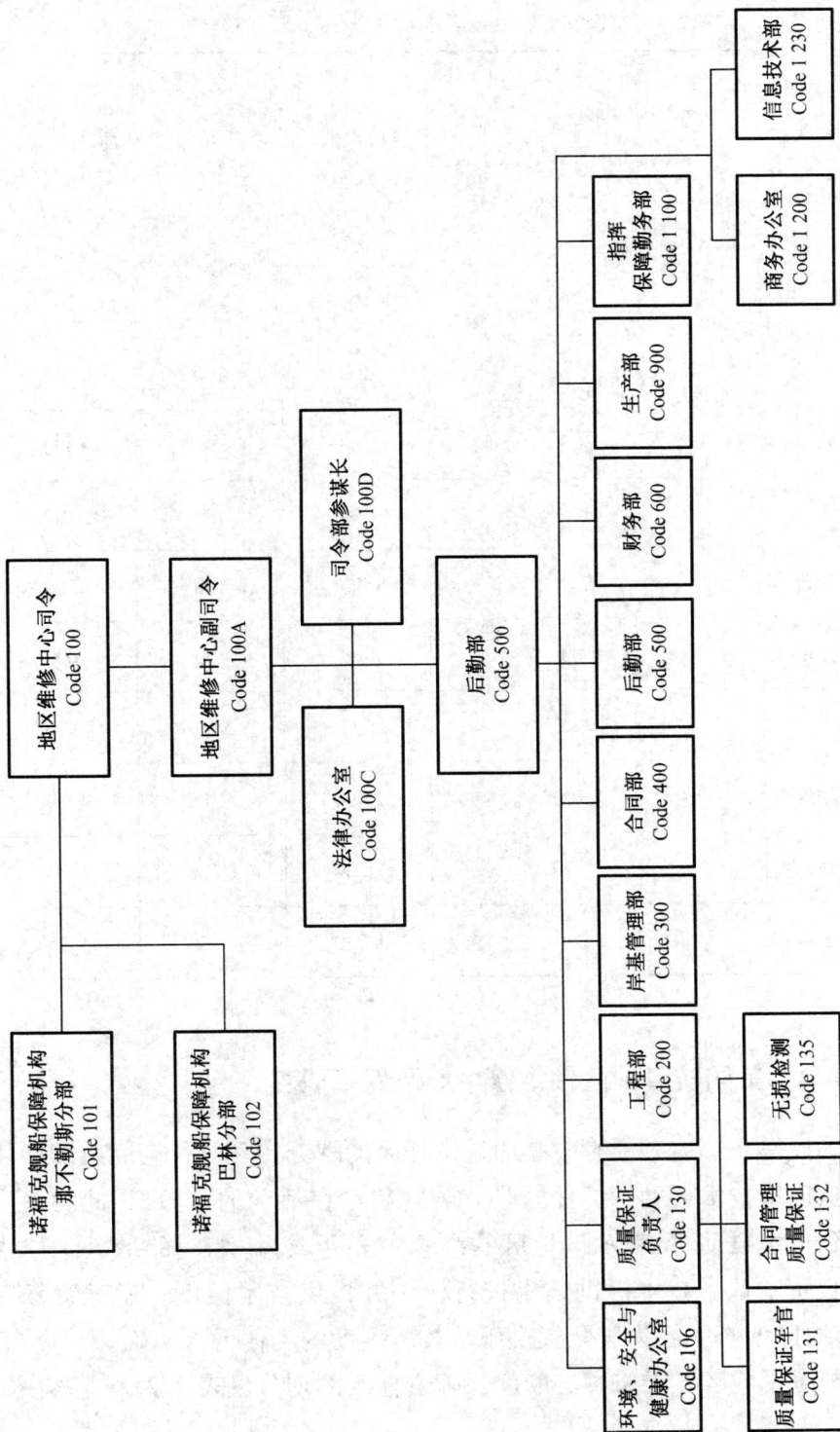

图2.1　地区维修中心组织机构构成及各部门编号框图

表 2.1   美国海军独立地区维修中心各标准部门编号

非船厂地区维修中心部门	海军海上系统司令部指令（NAVSEAINST5450. 14A CH – 2dtd 1/16/98）	珍珠港海军船厂	皮吉特桑德海军船厂	非船厂地区维修中心
司令 & 参谋部	100	100	100	100
工程部	200	200	200	200
岸基管理部	300	300	300	300
合同部	400	400	400	400
后勤部	500	500	500	500
财务部	600	600	600	600
生产部	900	900	900	900
指挥保障勤务部	1 100	1 100	1 100	1 100
商务办公室	1 200	1 200	1 200	1 200
信息技术部	1 230	1 230	1 230	1 230

2.1.2   美国航母地区性维修中心及保障职责

美国海军6个地区维修中心通过责任区的划分实现对所有舰船的保障和为舰队提供技术援助。责任区是一艘舰船正在活动的区域,当此时发生请求舰队技术援助时,表示该地区的维修中心即成为"相应的地区维修中心",应负责对这个技术援助请求进行协调并提供技术援助。通过责任区的划分,地区维修中心为舰队提供舰队技术援助的责任得以明确。

美国海军地区各维修中心舰船保障责任区的划分见表2.2。

表 2.2　美国海军地区各维修中心舰船保障（舰队技术援助）责任区划分表

地区维修中心区域		责任区
西南地区维修中心		由华盛顿州布雷默顿的皮吉特·桑德海军船厂及中继级维修机构负责在港或离开美国西海岸（从旧金山湾地区南部到南美洲南部点）活动的舰船、核动力潜艇*、航母及飞机。港内的水雷战船及世界范围内选定的水雷战系统
西北地区维修中心	皮吉特·桑德海军船厂及中继级维修机构	在港或在太平洋西北地区（从旧金山北部到南太平洋/阿拉斯加地区）活动的舰船、核动力潜艇*、航母及飞机，以及太平洋舰队所有核动力舰队导弹潜艇/核动力导弹潜艇单位的潜艇
夏威夷地区维修中心	珍珠港海军船厂及中继级维修机构	在港或在中太平洋地区活动的舰船、航母、飞机及 SSN 688 和 SSN 774 级潜艇（不含 SSN 21 级）和在第 7 舰队责任区活动的潜艇供应舰
舰船修理设施及日本地区维修中心		在港或在第 7 舰队责任区活动的舰船、航母和飞机
诺福克舰船保障机构	诺福克舰船保障机构	在港或在大西洋地区（从查尔斯顿以北海岸）活动的舰船、航母及飞机。在港潜艇*及所有在大西洋到南美洲尖端活动的 SSN 688 和 SSN 774 级潜艇（不包括在康涅狄格州新伦敦/格罗敦港口或地区水域活动的潜艇）
	诺福克舰船保障机构意大利那不勒斯分部	在第 6 舰队责任区内的港口或海域活动的舰船、航母及飞机；以及 SSN 688 和 SSN 774 级潜艇*
	诺福克舰船保障机构巴林分部 NSSA Det. Bahrain	在第 5 舰队责任区内的港口或海域活动的舰船、航母、飞机以及 SSN 688 和 SSN 774 级潜艇*
	新伦敦地区保障大队	在格罗敦/新伦敦港口或在康涅狄格地区水域活动的 SSN 688 和 SSN 774 级潜艇
东南地区维修中心	金斯湾三叉戟修理设施	大西洋舰队所有核动力舰队导弹潜艇/核动力导弹潜艇单位的潜艇
	东南地区维修中心	查尔斯顿南部（大西洋海岸至南美南部尖端）水域的港口及水域活动的舰船、航母和飞机，以及沿德克萨斯湾海岸活动的水雷战船

注：皮吉特·桑德海军船厂及中继级维修机构对所有的 SSN 21 级潜艇负责，无论其所处位置如何。

2.2 美国航母维修保障组织
管理机构及层次

美军负责武器系统维修保障的最高决策层是国防部维修政策、计划与资源副部长助理办公室。该办公室的主要任务是负责管理美军所有武器系统和军事装备的维修计划及资源,以及制定美军的维修政策。该办公室除向国会阐述国防部的维修要求和计划外,还领导部队和国防机构执行这些要求与计划。

航母维修的执行层是海军作战部下设的海军海上系统司令部,负责美国航母的维修保障工作的具体实施,包括司令部本部、项目执行办公室、海军造船厂、第一航母小组。监管层由海军海上系统司令部下属的舰船修造监管处、司令部直属的项目执行官、水面舰船维修部以及为数众多的现场机构组成(图2.2)。

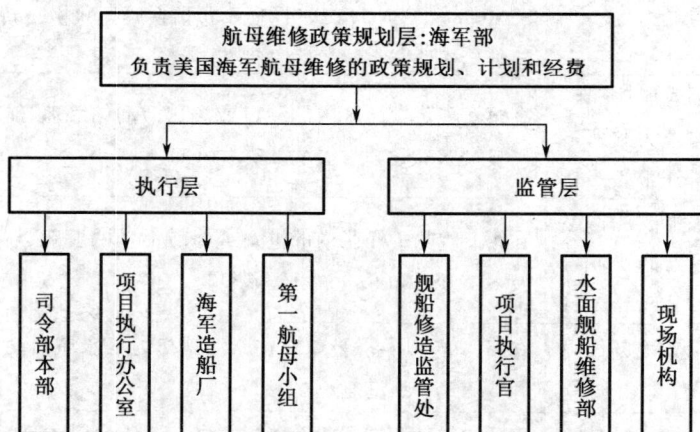

图2.2 美国航母维修保障组织管理机构及运行模式

2.2.1 执行层

海军作战部负责对武器装备维修保障统一管理和实施,由海军作战部一名副部长负责,下设海军海上系统司令部(NAVSEA)、海军航空系统司令部(NAVAIR)、海军航天与作战系统司令部(SPAWAR)三个系统司令部,具体实施海军的武器装备维修保障。

其中,位于克里斯特尔城的海军海上系统司令部是具体负责海军和海军陆战队舰船、舰载武器系统的设计、建造、采办、维修和现代化改装的管理部门,它负责为所有舰船和舰载系统提供设计、工程、规范、政策、经费和项目管理,其装备保障工作面涵盖了战斗系统、海军战术数据系统、动力、导航、电子装置、防护、救援等多个方面;承担为海军舰船维修保障提供人才、经费、设施和组织任务,负责维修保障制度的建立、保障标准的修订、保障人员的培训和技术等级考核等工作。

美国航母维修保障的管理和实施,由海军海上系统司令部负责,具体执行层由司令部本部、项目执行办公室、海军造船厂和第一航母小组组成。

1. 司令部本部

海上系统司令部本部负责为财政管理、合同签订、后勤/维护保养/现代化改造、工程设计、海上作战、协同作战、信息技术、法律支援和安全等方面提供政策、指导、监督与支援服务。

2. 项目执行办公室

海上系统司令部的项目执行办公室由舰艇项目执行办公室、潜艇项目执行办公室、航空母舰项目执行办公室、近岸战斗艇和扫雷舰项目办公室及综合作战系统项目办公室组成,负责海军及海军陆战队作战平台和武器系统的研发与采购工作。其中,航空母舰项目执行办公室负责海军航母的维修保障工作,由美国海军作战部副部长办公室负责,在航母的维修计划和投入使用等行政问题方面由海上系统司令部负责,在合同签订、财政、管理等方面接受海上系统司令部支持。

3. 海军造船厂

海上系统司令部下属的四家造船厂有海军现役和文职人员大约22 700人,这四家造船厂是:新罕布什尔州的朴茨茅斯海军造船厂(主要是维修保障潜艇)、弗吉尼亚州诺福克的诺福克海军船厂(主要维修保障水面战舰)、华盛顿州布雷默顿的普吉特湾海军造船厂(检修海军舰艇,负责退役舰艇的处理作业)以及珍珠港船厂。其中前三家支持航母的基地级维修。

这四家船厂提供航母及其作战系统的维护保养、维修、现代化改造、紧急维修等服务,它们通过标准化程序、资源共享及与私营造船所的合作来优化成本、加快进度并保证质量。

4. 第一航母小组

现代化航母维修和保养作业的技术要求较高、维修工作量大,往往需要多个部门与机构参与完成。为使航母能够更好地得到维护和保养,确保航母在 50 年服役期内有效运行,美国海军海上系统司令部在 1996 年专门设立了航母维修和保养管理机构——第一航母小组(Carrier Team One)。

第一航母小组的主要职责是监督、审查和改进航母维修工作流程(特别是跨部门的业务流程),提高航母的可维修性,减少航母维修成本和所需的维修时间。为确保航母 50 年服役期内具有较高的可维修性,第一航母小组采用了以下三项基本原则。

(1)确定和贯彻核心理念

第一航母小组强调的核心理念是采取各种有效措施和手段,确保航母能够在 50 年服役期内有效运行。这一核心理念最早于 1999 年提出,并于 2007 年被明确作为第一航母小组的核心理念。在实际的工作过程中,第一航母小组执行官要求所有的航母维护和保养工作参与者都必须深入贯彻这一理念。

(2)关注过程控制

第一航母小组制定统一的、跨部门的维修过程控制文件,确保航母维护工作,特别是跨部门的维护工作的协调一致和有序开展。此外,在实施航母维修和保养的控制与审查过程中,第一航母小组还严格遵循以下理念:

第一,明确定义航母的维修过程。为使所有航母维修保养参与机构能够协调一致,第一航母小组通过过程管理计划和指南等文件对每个关键流程(特别是跨部门的维修过程)进行了明确的定义。

第二,设立航母维修过程主管。由于许多航母维修关键流程是跨部门实施的,仅由某个部门或人员来负责整个过程是不合理的,而且容易在管理上出现问题。为解决这个问题,第一航母小组专门设立了关键流程主管,由其负责该航母维修流程的监督和管理,并对航母维修流程进行持续评估和改进。

第三,遵循持续改进的理念。由于航母服役期较长,为满足不断变化的海战需求,航母及舰上系统设备需要持续进行技术更新和升级,因此,第一航母小组在实施和监督航母维修过程中,将持续改进作为一个十分重要的理念。

第四,精选可推广的案例。为进一步提高航母维修工作效率,第一航母小组精选了若干可推广的案例,并在航母维修团队内进行交流,使得一些成功的维修管理经验得到推广应用,从而进一步改进了航母维修工作流程。

(3)高度重视航母维修过程改进的技术评估工作

总地来看,由于过去长期实施的航母维修程序和工作方法已无法有效满足当前的航母维修周期要求,因此需要不断对航母维修过程进行改进。为确保新引入的维修过程和维修技术能够符合航母维修的总体技术要求,第一航母小组高度重视新的维修过程和技术的评估工作,并通过建立维修过程改进小组,对改进后的维修过程和技术进行严格的评估和监督。

例如,在"尼米兹"级航母的维修过程中,航母液体舱维修作业已经成为影响干船坞维修进度的一个"瓶颈"。为改善航母液体舱维修和保养工作流程,第一航母小组与有关船厂共同成立了液体舱维修过程改进小组,对与液体舱维修相关的维护过程进行了审查,并提出了多项改进措施,包括优化液体舱开放和换气系统,调整航母液体舱维修程序,提高航母液体舱涂料基层温度,加速喷涂最外层涂料的干燥速度,在喷涂液体舱最后一层涂料之前,确保其他液体舱设备安装和调试完毕等。

总体来看,第一航母小组通过加强航母维修团队的合作、共享维修经验、加强监督评估等措施和手段,大幅改善了美国海军航母的维修效率,较好地支持了美国航母舰队的作战部署计划。更为重要的是,第一航母小组采取的一些先进的航母维修管理做法,为美国海军改进其他作战舰艇的维护管理流程提供了重要参考。

2.2.2　监管层

美国航母维修的监管层,由海军海上系统司令部下属的舰船修造监管处、司令部直属的项目执行官、水面舰船维修部以及为数众多的现场机构组成。

1. 巴斯舰船修造监管处

巴斯舰船修造监管处负责密苏里州巴斯、亚拉巴马州莫比尔港市、加利福尼亚州的圣迭戈和德克萨斯州的博朗斯维尔等地区的海军舰船修造监管,主要监督新型海军水面舰艇的维修、建造和改装。该监管的范围包括军方船厂与承包商(以巴斯钢铁船厂和通用动力公司为主)的一切行为,并负责退役舰船的拆卸和处理、环境监测以及处理过程的财政责任。

2. 格罗顿舰船修造监管处

格罗顿舰船修造监管处大约有 200 名当地职员和 27 名海军人员,负责康涅狄格州的格罗顿和罗德爱兰州的匡塞特角两地的海军舰船修造监管,主要监督电船公司的新型核动力潜艇的设计、建造以及维修和现代化改装工作,管理所有的合同执行、舰船装配,保证所有的技术和质量达到合同要求,保证生产进度。

3. 墨西哥湾沿岸舰船修造监管处

墨西哥湾沿岸舰船修造监管处共有军方和地方工作人员 400 人,负责管理墨西哥湾沿岸的承包商与海军签订的舰船建造和维修合同,负责提供工程设计、质量保证、合同管理工作。

4. 纽波特港舰船修造监管处

纽波特港舰船修造监管处大约有 380 名地方工作人员和 40 名海军人员,管理纽波特纽斯造船厂和干船坞公司以及其他的承包商与海军签订的舰船建造、设计、改装和维修合同,通过现场质量监管、技术和企业管理以满足海军的要求。

5. 项目执行官

(1)部队维修军官:为每个舰种司令部(海军大西洋水面舰艇部队司令、太平洋海军航空兵司令等)的军官,为完好性保障大队、驻港工程师、中继级维修机构、机动技术小队、装备监测分队等提供指导、经费,并进行监督。

(2)母港区域内的海上支援中心舰队保障军官。

(3)负责的海上维修机构提供当地的专家与技术代表。

(4)完好性保障大队/中继级维修协调员,负责管理与监督每个母港区域内航母的维修工作。

（5）舰船建造、改装和修理监督代表：负责管理航母在私营船厂的建造、修理和现代化改装。

（6）舰船负责人：是来自中继级维修机构、海军船厂或是海军军官，负责代表被维修的航母，是航母和机构内的联络人。

（7）驻港工程师：指派到大多数的完好性保障大队/中继级维修协调员，以代表被维修的航母，是航母与舰种司令部、完好性保障大队/中继级维修协调员之间的联络人，帮助确定工程文件、工程管理、修理计划和维修需求。

在水面舰船维修部中，负责提供政策、计划管理，制定策略与计划，推进 RCM（以可靠性为中心的维修）、CBM（视情况维修）和 AEC（设备状态评估）。

在现场机构中，负责协调舰船备件管理中心和航母维修保障，如位于费城的修理和改装规划工程局，专为系统的现代化改装与修理提供工作服务，制订航母的基地级维修和重要改装的计划，并提交改装与维修文件。

2.3　美国航母维修保障政策

2.3.1　政策目的

（1）根据美国海军相关规定，特制定美国海军舰船的维修政策，明确相关人员的职责。

（2）体现实施"舰队反应计划"（FRP）、执行舰队司令部 4790.3B 号文件和维修程序的部分修订后，与舰船维修工作强化有关的舰队维修机构重组和舰船维修周期改变的相关情况。

（3）本规定删除了一些操作的细节程序，因为这些内容是维修与物资管理系统内容的完整组成部分。

（4）本规定与海军作战部 4900.79B 号文件中"外国舰船的中继级维修"合并，故废除该文件。

美军航母编队如图 2.3 所示。

图 2.3 美军航母编队

2.3.2 废除文件

即日起,废除海军作战部 4700.7K 和 4900.79B 号文件。

2.3.3 政策适用范围

(1)海军舰船的战备维修项目由两个独立部分组成,即舰船维修和舰船现代化改装,虽然两者的预算不同,但密切相关。本文件主要内容为海军舰船的维修政策,以及舰船现代化要求。

制定和实施海军舰船维修政策的目的是在遵守公共法律及相关规定的前提下,以尽可能低的运营成本保持舰船战备水平,同时确保舰员和舰船平台的安全。

实施舰船现代化的目的是在不改变舰船平台结构的前提下,提升舰载系统的性能或增强现有系统的可靠性和可维护性。

(2)本文件适用于美国海军所有的现役和预备役舰、船、艇,以及负责舰船及舰载设备维修的指挥部,以下情况例外:

第一,由军事海运司令部及美国特种作战司令部管辖的舰、船、艇。

第二,海军作战部 4780.6E 号文件中规定的基地勤务船、艇。

第三,海军作战部 4770.5G 号文件中规定的预备舰队中包括的舰、船和基地勤务船。

第四,美国海岸警卫队为海军执行任务时,其所使用的舰船适用本文件。

第五,战略系统项目指挥官负责弹道导弹和战略性武器系统,包括导弹、平台、相关设备的保障性采购和舰队保障,以及相关保障设施的安装和指导。本文件中无任何条款以任何方式剥夺上述职能。因此,所有与战略系统有关或对其产生影响的事项均要向战略系统项目指挥官询问。

第六,海军核动力推进项目主任负责所有与海军核推进装置及其保障设施的维修、修理和改装事宜。在本文件中这些职能与职权不可替代。因此,所有与海军核动力装置或保障设施维修、修理或改装有关的事项均要向海军核动力推进项目主任咨询。

(3)本文件为进行外国舰船的维修提供政策支持。

(4)在本文件中,"舰船"指所有水面舰艇、航母、潜艇和海军作战部4700 号系列通告中所规定的所有小型舰艇。

2.3.4　政策内容

(1)美国海军舰船应保持以下状态:在设计寿命期内,以最小的运营成本确保舰载装备处于最佳的战备状态;舰船平台和舰载武备处于安全状态;符合海军作战部 9640.1A 文件所要求的舰上居住标准;满足环保标准;始终处于较好的维修水平,要考虑到法律适用性、紧急性、优先性、对舰员的影响、装备性能、舰船容量和维修总费用等各方面要求。

(2)海军舰船及相关设备的维修程序和计划将按照海军作战部4790.16A 号文件所规定的"视情维修"原则进行制定和执行,主要目的是当舰载系统或组件出现或可能发生故障时,在确保战备、安全和设备可靠性的情况下,以较高的效费比对其进行维修。这根据海上系统司令部所批准的"以可靠性为中心的维修"准则来决定,并由海军海上系统司令部5400.97C 号文件的技术机构来执行。

首先,按照海军海上系统司令部 4790.8B 号文件的规定,海军舰船 3 - M 系统是美国海军所有常规舰船舰上维修的主要管理程序。除非事先得到海军作战部长的批准,否则不允许使用其他的常规维修管理程序。

其次,维修和现代化项目的资源。舰队维修机构将根据维修需求和维修资源的可用性来决定何时、何地进行维修,即通过中继级或基地级机构进行维修。海军海上系统司令部负责美国海军舰船修理和改装的事项。经海军海上系统司令部批准按照海军海上系统司令部 C9210.30A 号文件的规定,核反应堆及其保障设施的预防性维修由舰员负责。

再次,预防性维修和其他计划内维修工作应在维修需求卡上详细列出,为舰员级维修的完成提供参考,同时为分类维修、中继级维修和基地级维修提供参考;按照 3 - M 系统计划性维修系统的计划编制程序来编制机构级维修的实施计划表,按照分类维修计划编制程序来编制中继级维修和基地级维修的实施计划表;按实施计划表完成维修工作。

最后,修复性维修要求能使系统或设备完全恢复作战能力,以便在规定的技术指标内使用并确保使用安全:修复性维修的决策应基于设备的实际状况;与安全有关的修复性维修必须强制执行,并尽早实施;修复性维修(如修理、更换或改装)应综合考虑费用与可靠性两个因素,其实施应遵照相应的修理与安装标准或特定技术文件要求;依据海军海上系统司令部4790.8B 号文件的要求,当前舰船维修计划应反映舰船当前状况,需要一直保持其信息的完整性和时效性。

(4)每个舰级都应该有一个适宜的维修计划。该计划应规定维修规模、间隔和持续时间,所需的预防性及其他计划性的维修工作和维修周期,其他特殊的维修,维修支援,或基础性需求。

每个舰级的维修计划应提供给项目执行办公室、直接报告项目主管,或舰船项目主管人员,征求其对该舰级的维修计划的总体看法,并应包括该舰级中每艘舰的分级维修计划;根据海军海上系统司令部 4790.27 号文件中规定的"以可靠性为中心的维修"方法,列出与工程周期相一致的所有维修需求,并按照海军作战部 4790.16A 号文件中所规定的"视情维修"原则执行维修;确保每艘舰船的维修需求成为采办和服役期内维修战略的重要部分,从而把舰船在服役期内用于基地维修的时间和全寿命期费用降至最低;提供特殊保障方案的选择(例如保险条款管理,专门的维修管理者,如港口工程师或维修计划主管等),并通过对其技术性和经济性指标的评估来确定其作用;确保舰船在使用过程中,能够在海军关于舰员工作量和相关综合后勤保障要素(例如训练、工具、测试设备等)的政策规定下以及有限的维修需求下,独自完成特定的维修工作。海军应不断推动舰船维修工作朝"标准化"的方向发展,其他的工作方法只有在需要强制执行并获得批准的情况下才能采用。舰船的自我维修不应该被理解为有权独立制定和维护每个舰级的维修程序或信息系统。从这个角度看,维修项目应利用以下资源来提高自行维修能力。

首先,利用可靠的现场或舰上技术决策支持程序,例如小型/微型模块测试与修理程序。

其次,关于系统和设备性能需求、操作程序、维修与修理技术需求和程序应具有精确的技术信息与数据支持。其中的关键是综合后勤保障程序的有效性和该项目被集成到更大的海军维修程序。

最后,还应建立有效的流程和工具,使识别、定位、筛选和应用进行有效信息与数据处理,并且能精确报告工作完成时的数据情况。除非得到了海军作战部(N43)号文件的特许,否则应根据海军作战部 4790.3B 号文件和 4790.8B 号文件的规定管理非核动力装置的维修工作。另外,应按照海军作战部 C9210.30A 号文件的规定管理核反应装置和相关保障设施的预防性维修工作。

(5)舰队维修机构是完成舰员级维修所无法完成的,营运机构承担的舰船维修和现代化工作由海军海上系统司令部的合同管理机构直接或通过地区维修中心授予合同。合同管理与技术监督将由地区维修中心和舰船建造、改装和修理监督处负责。该处是海军海上系统司令部合同授予和主管机构的主要现场,负责维修工作的有效开展、提供技术问题的解决方案,确保维修工作能够满足海军的质量标准。

(6)负责舰船和相关设备维修工作的舰队司令部应当改进、开发、利用现有的和正在形成的技术来提高维修工作的效率和质量,提高舰上的安全性和可居住性,增强环境保护能力,降低成本。舰船系统和设备的维修应该由有资质的人员采用正确的程序和物资,并按照相关技术主管部门提出的技术需求进行,并以客观的需求为依据,以较高性价比的方式进行,满足质量保证标准的要求。

(7)舰队司令部或其所属机构颁布的政策和指导性文件应与技术需求相一致。舰队司令部和海军海上系统司令部应建立流程来解决技术需求调整的问题。这些流程应该首先保证当某机构发现自身不能满足维修所需技术要求时,应将相关任务转交给可胜任该工作的技术主管机构,以确保舰队的维修需求得到满足;其次,对两种不同修理类型进行区分,并明确不同修理类型的技术需求调整所对应的授权主管机构,还要确保得到适当的技术授权之后再进行工作;最后,还应确保相关技术主管机构修改技术需求或记录技术调整情况,以获得维修工作的最终解决方案。

(8)基地维修机构承担那些超出中继级维修机构所能完成的维修和现代化工作。持续整合建制内岸上中继级和基地级维修工作是海军的策略,以提高维修的成本效益。

(9)舰船配置将通过一个正式的程序来控制,这个程序负责升级每个舰船的配置与后勤保障信息系统。配置数据管理员的数据库采用开放式结构,是所有海军舰船和岸上机构舰船配置与后勤保障信息系统的授权数据的来源。舰载设备和系统将由负责安装或更换该设备的司令部录入舰船配置记录当中。该司令部同时还负责政府合同执行和维修训练的实施、提供充分的后勤保障,确保系统处于完好的运行状态。舰船指挥官应确保配置的有效性和监督记录相关工作。

(10)舰船配置的所有更改应按照相关技术机构批准的规格进行。海军的工程、采办、维修机构,各个舰队,各个作战司令部应积极提高舰队设备的标准化。海军舰载设备和部件应最大限度地实现标准化,以把寿命期内的后勤保障成本降至最低。这意味着维修和现代化方案的调整,以及复杂大修、换料大修和新建舰船的技术调整应强调采用联邦供应系统提供的设备和组件,确保设备在寿命期内的低成本、可靠性和可维护性。

(11)每个新舰级维修项目所需的综合后勤系统资源应包括在舰船采购资金之中,同时应在有效时间内编制计划并予以拨付,以便在新船试航后维修期结束之前获得保障。对在役舰船增加的系统,ILS资源应编制计划并予以拨付,以满足舰队需要。

(12)核动力舰船推进装置的修理、维修和现代化涉及特殊的技术与质量控制、舰船安全、确保维修人员健康和安全的辐射控制、信息安全等方面都应予以考虑。因此,超出坞修能力或规模之外的反应装置维修、修理和现代化应由指定的具备核能力维修的舰队机构或私营船厂来承担,同时遵循海军作战部、海上系统司令部的相关规定。并且,对核动力舰船上蒸汽装置系统、电子装置系统和反应装置及相关反应安全系统的辅助系统的基地级修理、维修和现代化工作应仅指定给具备核动力装置维修能力的船厂,并遵照海上系统司令部指挥官和海军作战部长的规定。除此之外,核动力舰船推进装置的改装、修理和维修应严格遵照海军海上系统司令部 N9210.4B 号文件的要求执行。同时,在具备核能力的基地的核保障设施中进行的改装、修理和维修应严格遵照海军海上系统司令部 0989 - 058 - 8000 号通告的要求执行。

(13)干船坞应按照年度发布的海军作战部 4700 号系列通告的要求编列工作计划和进度。水下舰船管理检查、维护或修理应按照海军海上系统司令部 S0600 - AA - PRO - 010 号技术手册(第 7 修订版)的要求编列计划和执行。

如果干船坞维修需要在下个船坞维修计划期之前进行,应由相应的修理机构对当前水下舰船管理能力进行检查,以决定是否需要进行干船坞维修或是否可以通过有资质的潜水员采用经过批准的程序来完成临时的干船坞维修,从而有效降低成本。

具备可行性时,水下舰船管理维修应进行彻底的修理来降低随后的干船坞返工成本。在彻底性修理不可行时,应在技术和成本限制范围之内进行临时性修理,以保证舰船能够使用到下一次干船坞维修计划期。

(14)按照海军作战部 4700.38B 号文件和海军部 5400.15C 号文件,必要时基地级维修也可在部署地进行。在海外进行的基地级维修必须保证效益,不能反过来影响美国工业基础(国营或私营)的核心后勤能力。以下政策适用于海外维修:

第一种是母港在美国或美国领地内的舰船。根据相关文件规定,只有符合《美国法典》第 10 章第 7310 条的情况下,位于美国及领地之外的船厂或修理机构才能承担母港在美国及其领地内的舰船的海上维修任务。

第二种是母港位于海外的舰船。母港位于海外而正准备或正在返回的舰船的基地级维修将最大限度地利用美国的工业能力。在计划和重新部署至位于美国内或领地的港口之前的 15 个月内,用于进行基地级维修的时间应少于 6 个月。

(15)舰船维修任务应结合海军当前及未来维修、现代化和应急舰船修理的需求,考虑工作的复杂性和国营、私营部门的能力和规模。为把对舰队力量的不利影响降至最低,应由私营部门承担的为期 6 个月或少于 6 个月的计划内基地级维修通常在舰船停泊地完成。这种方式不仅支持了海军关于最大程度应用多舰船/多选项合同提高服务质量的战略,同时也符合联邦采办条例要求。另外,国内维修(可能在母港外完成)应在计划开始前120天以上编制和提交计划,以便进行合同授权。最后,在延伸区域完成的维修(也许在母港外完成),应在计划开始前60天以上编制和提交计划,以便进行合同授权。

(16)海军的维修和技术机构将制定与保持全面的装备状况标准,使其能够向海军作战部和各舰队司令部提供一个测评舰船装备状况的客观标准。这个标准将在执行之前由海军作战部、海军海上系统司令部和各舰队司令部一致通过。这个标准将向资源拥有者和维修主管人员提供利用装备状况信息来保障计划与执行维修项目的能力。这些努力的目的是为了确保获得批准的维修计划得到恰当地执行,发现维修计划潜在的改进空间,提供预测不同水平的维修费用未来对舰船装备状况和战备的影响,确保舰船装备处于最佳的维护保养水平,并与舰船遂行作战任务及行动的要求相适应。

(17)海军的舰船维修和技术机构将检查与调查委员会联合制定并保持舰队的标准化评估程序和标准,以明确舰船系统和设备器械的战备标准。海军作战部、海军海上系统司令部、舰队司令部和舰种司令部将把这些检查结果应用于战备评估和维修计划及预算当中。检调委员会将审核并确认报告的装备状况标准的有效性,与海上系统司令部联合制定通用评估程序。

(18)对舰队战备影响最大并需要海军高级领导关注解决的舰船维修项目和技术将由"顶级管理关注/顶级管理"(TMA/TMI)项目组进行管理与跟踪,直到圆满完成任务。在舰队维修人员优先参与下,海上系统司令部将代表所有系统司令部与TMA/TMI项目组进行协调。

(19)舰船维修的确认、筛选、谈判、计划、规划和执行都将通过通用的程序来完成,这个通用程序适用于所有企业。各舰队和系统司令部将制定标准的工作流程来执行这些程序。当前及未来管理信息系统的变化应有助于及时检索合同中的维修费用、劳力数量和舰员级维修,用以支持年度公/私各占50%工作量分配的数据要求。

(20)计划性保养维修期的食宿是关系到生活质量的重要问题。在维修期内,将宣布舰船内不可居住的规定,那些还没有领到基本租房津贴的舰员将被安排到岸上的固定住所。

（21）舰队维修机构将为外国舰船提供维修服务,同时也要求相关国家为美国海军舰船和军用飞机提供类似的保障与服务。对外国舰船的维修必须在不受干扰和可补偿的基础上进行,并在维修开始之前得到海军作战部的批准。

（22）海军维修计划编制机构将尽可能提供高标准和可重复使用的计划文件。

第3章 美国航母维修保障 技术与管理

3.1 美国航母舰员级维修保障技术与管理

3.1.1 美国航母舰员级维修内容概述

1. 美国航母舰员级维修工作内容

航空母舰舰员根据需要进行定期的维修作业,主要工作内容是:设施维修,如清洁和保管;系统和部件的日常预防性维修,如检查、系统操作性测试和诊断、润滑、校准和清洁;修理,如船机电和电子设备的故障定位到最低可更换单元级,通过更换故障插件板将设备恢复到工作状态的修理等;为较高等级维修机构提供辅助性工作,对由其他维修机构完成的维修工作的核查和质量保证;对所有未完成和已完成的维修工作的记录等。

2. 美国航母舰载机起降设备维修内容

舰载机起降设备的舰员级维修通常由舰载机起降设备部门(V-2)维修或设备操作人员完成,特殊情况下由中继级或基地级维修机构完成。维修通常包括以下内容:

(1)根据计划维修系统的定义和要求进行检查、操作和维修;

(2)修复性维修和预防性维修,包括对运转设备的修理和拆除或更换有缺陷的部件;

(3)在规定的限度内合并技术指令(TD3);

(4)保存记录和编写报告。

为保证舰员级维修质量,除了为每艘航母编制了3-M系统,美军还十分重视舰员的维修培训,提高舰员的维修水平。在《美国海军航母训练与战备手册》中规定,新上舰的舰员必须在上舰后 6 个月内完成 3 - M 系统训练并通过维修考核。训练分核心训练和选训,例如,对负责轮机部门主机的舰员,其核心训练内容包括下列故障的排除:主机轴承发热,主机润滑压力过大,主机滑油严重泄漏,主机进气;其选训内容包括风门阻塞,主机/轴噪音振动。对负责锅炉/锅炉给水的舰员,其核心训练内容包括下列故障的排除:锅炉进气道起火、冒出浓烟,锅炉水位过高、锅炉水位过低、主给水管道破裂,滤筒式除尘器(DFT)水位过低,燃油严重泄漏,冒出白烟;其选训内容包括锅炉爆炸、锅炉管道破裂、滤筒式除尘器(DFT)管道破裂、控制气体流失。

对新舰员,平时除了由军士长、分队指挥官、部门长、3 - M 协调官、副舰长和舰长对维修技能进行抽查外,在新舰员首次进行一项维修要求前,还必须按保养需求卡对维修人员进行训练,在进行这项维修工作时,还必须安排有经验的人员对其进行指导,指导人员必须在该维修工作方面具有公认的能力。

3.1.2　美国航母舰员级维修管理

1. 美国航母舰员级维修管理组织

美国常规动力航母与核动力航母的部门不同,因此舰员级维修也有所不同。美国常规动力航空母舰(例如"小鹰"级航母)上分作战、航空兵战斗、航海、武器、轮机、医务、牙医、供应、安全和飞机中继级维修共 10 个部门。核动力航母设航空兵站、飞机中继级维修、战斗系统、损管、甲板、工程和反应堆、医务、导航、作战、供应、武器、安全 12 个部门。航海(导航)、武器、轮机等部门各负责其装备的使用和维修,供应部门负责购买、接收、储存和发放物品,进行装备统计、零件修理和供应。

2. 美国航母舰员级维修管理实施

与普通水面舰艇相比,航母在部门设置上的独特之处是有航空联队,有更大的航空部门和其他职能部门。在舰员级维修体系上,航母与一般水面舰艇之间的差别主要体现在航空部门和航空联队上。

美国航母将航空部门分为 5 个中队,分别称为 V - 1 ~ V - 5 中队(图3.1):V - 1 中队为飞行甲板中队,负责飞机在飞行甲板上的起降和调度,并进行事故救援；V－2 中队为飞机弹射与回收设备（ALRE）中队，主要负责飞机的弹射和回收，并维护相关弹射和回收设备；V－3 中队为机库甲板中队，负责机库甲板所有飞机的安全和调度；V－4 中队为航空燃油中队，负责航空燃油的接收和净化，并为舰上 70 多架飞机及临时停靠的飞机加注 JP－5 航空燃油；V－5 中队为主飞行控制中队，由航空部门长直接管理，负责主飞行控制室和航空部门行政工作，如记录每架飞机弹射和回收情况。

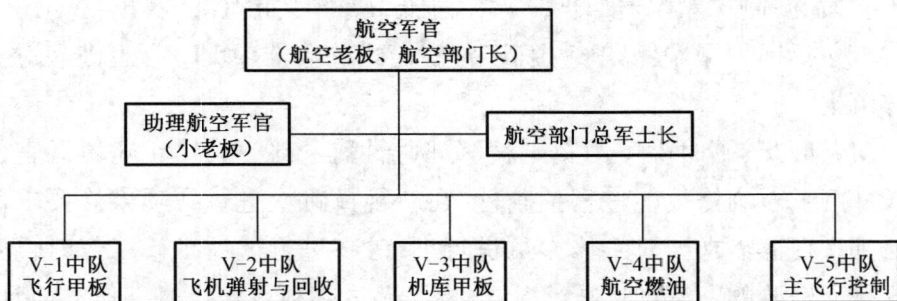

图 3.1　"肯尼迪"号航母航空部门组织结构图

　　航母上的航空联队一般由联队总部、若干飞行中队和分遣队组成，图 3.2 为美国海军第 7 航空联队的组织结构。在航空联队内，承担舰员级维修任务的人员设在各飞行中队内，每个飞行中队的最高长官为中队长，由副中队长协助，二者均为中校军衔，典型飞行中队的组织结构如图 3.3 所示；每个飞行中队都设有维修部门，负责飞行中队飞机的维修与管理、物资保障、质量保证等，他们是飞行中队内舰员级保障的骨干力量。

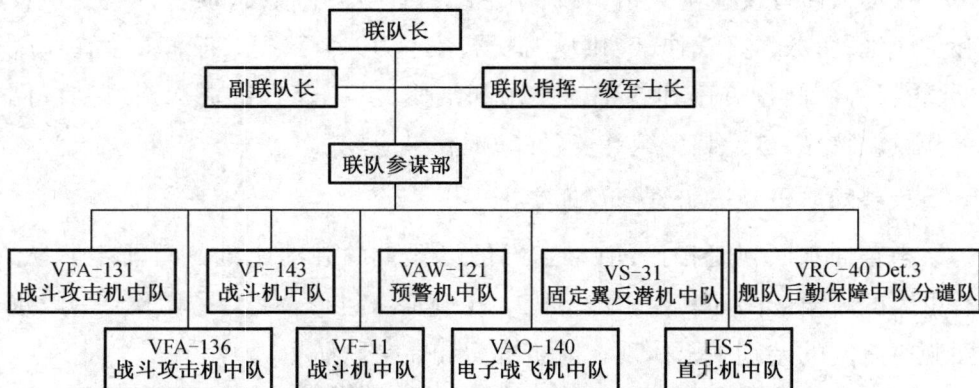

图 3.2　第 7 航空联队组织结构图

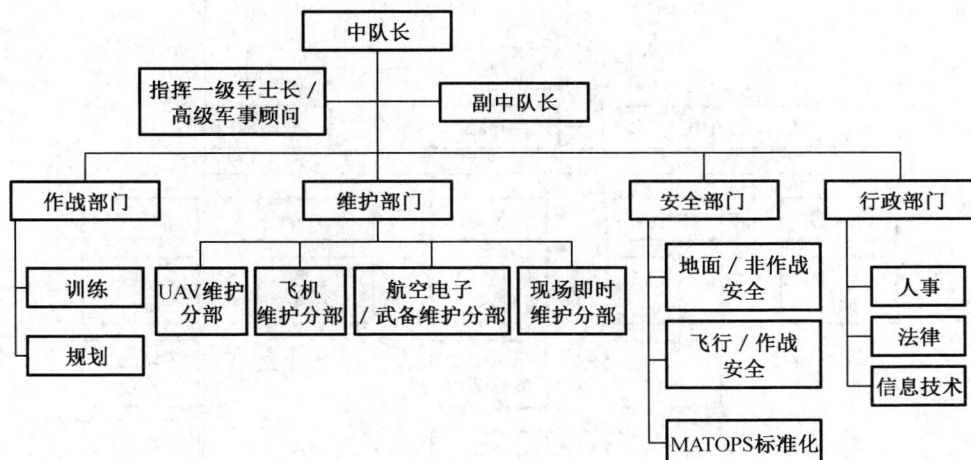

图 3.3　典型飞行中队组织结构

美国航母作战系统部门负责舰上指挥、控制、通信、计算机、作战系统和情报（C5I）设备的维修。

英国"无敌"级航母上设有航空工程部门，负责为舰载机提供全方位保障，目的是为舰载机中队在飞行任务中发挥最大作战效能提供支持。该部门人员包括工程服务人员、维修人员和工程小队等，其职责是确保飞机保持正常的工程状态，安全、高效地为飞机准备和挂载武器，协调"特混航空编队"与维修保养人员的协同作业等。航空工程部门下设 10 个分队，即管理分队、电气分队、机载武器维护分队、机械维护分队、无线电维护分队、武器供应分队、生存设备分队、机库分队、仓库分队和飞行甲板作业分队。

美国航母的组织结构如图 3.4 所示。

3. 为舰员级维修提供资源保障

（1）计划维修系统

按照美国海军的规定，航母在海试前就应该安装计划维修系统（PMS），使航母拥有相应系统的维修文档，为航母系统/设备的控制移交（从船厂移交给海军官兵）提供基础。计划维修系统的及早装载将使舰员更加熟悉维修程序，有利于官兵们在舰艇正式交付使用前发现维修需求卡（MRC）①中存在的问题。对于核动力航母，计划维修系统应至少提前 6 个

---

①　维修需求卡记录了该系统或设备的维修需求、检修工具、安全注意事项等，可帮助舰员对系统或装备进行日常的检查和修理。

```
                              ┌─────────┐
                              │  舰长   │ ─ ─ ─ ─ ┐
                              └─────────┘         │
         ┌───────────────┐    ┌─────────┐    ┌─────────┐
         │ 航母上的作战指挥 │ ── │  副舰长  │    │ 安全部门 │
         └───────────────┘    └─────────┘    └─────────┘
```

图中组织结构：

航空联	航空部	工程部门	医疗部	供应部
作战部门	武器部门	轮机部门/反应堆部门	牙医部门	宗教部门
	航海部门	飞机中继维修部门		司法部门
		作战系统部		治安部门
		甲板部门		

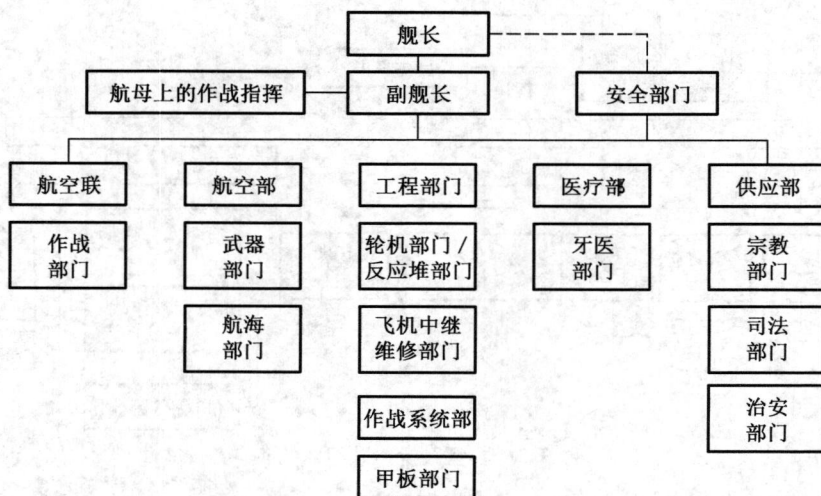

图3.4　美国航母的组织结构图

月安装,而常规动力航母需要至少提前3个月。计划维修系统通常在以下两个阶段安装:第一个阶段工作的主要成果是建立航母的有效页列表(LOEP)[①],约两个月后进入第二阶段;第二阶段将实质性地装载计划维修系统,最终确认有效页列表,第二阶段通常要持续四天左右。

　　计划维修系统安装完毕后,舰员应立即开始利用技术反馈报告反映计划维修系统中存在的问题,建立技术反馈报告记录,将技术反馈报告提交地区维修中心等待进一步处理。

　　(2)通用测试设备

　　航母的通用测试设备(GPETE)应在航母的建造阶段到达船厂,由船厂保存起来,直至装载到航母上。手动工具和重物处理设备也应装载到航母上,使得装备保障开始时就有相应的保障资源。美国海军航母每个负责系统和设备维修的工作人员都有必要的工具,航母上应该预备哪些工具都有相应的规定,如"飞机弹射与回收设备计划"对V2中队(负责航母上弹射器和阻拦装置的运行与维护)使用的工具有统一规定,这些工具从护目镜、手套、扳手、弯脚规、游标卡尺、千分计到磨砂机、锉子等金属加工工具。

---

　　① 有效页列表(List of effective pages)是一些用户指南性的页面,插入技术文档中的相应页面。

（3）准备专用的维修检测工具

航母上有很多其他舰艇上没有的装备和系统,典型的如弹射器、阻拦装置、光学助降系统等,这些系统的检修需要用到专用的检修工具,如外脚千分计、千分尺、校形管、弯管器。此外,国外航母机库甲板两侧和艉部有许多专用的车间,用于对舰载机及其部件的检测和维修,这些车间需要专用的修理加工设备,在维修资源建设时也要仔细考虑。

（4）技术手册和图纸

船厂撰写、绘制所有"承包商供应设备"（CFE）[①]的技术手册和图纸,包括更下级承包商提供设备的技术手册和图纸,然后一并提供给军代表。如果存在"政府供应设备"（GFE）[②],船厂应经过分析,通过军代表和舰艇计划经理,向位于华盛顿的海军服务手册出版与印刷办公室提出相关手册和图纸的要求,海军服务手册出版与印刷办公室将根据要求将相关手册和图纸发送给船厂。对于首制舰,海军服务手册出版与印刷办公室可能还没有新研"政府供应设备"的相关装备手册,这些装备的手册将由承制方在供货时一并提交。船厂应储存并保管好这些文件,直到实际装舰。为确保所有的技术手册和图纸到位,文档初步点验应采用随机抽样的方法来检验其完整性,抽样检查的重点应放在不易引起人注意的文档类型上,如电力供应、二级电子系统相关的手册等,而最终的点验在装舰时进行。每艘舰的计划主管都肩负着装载技术手册和图纸的责任。

技术手册和图纸包括舰载系统手册,这些手册不提供详细的维修信息,但指出维修、试验、故障排查、安装和卸载系统及装备的参考信息源。另外,技术手册和图纸还包括工程图纸（包括建造图纸和设备图纸）和其他类型的图纸（包括系统图、布置图、安装图、装配图、外形图、细部图、电路图等）、技术变更文件（说明本舰与该级舰原始设计的区别）、舰上图纸格式说明（很少有纸版的复制图纸,大部分是缩微胶片或光盘）、舰上图纸索引。

对于航母而言,弹射器、阻拦装置、助降系统等特种装置和系统是其他舰艇没有的,配备齐全相关的技术手册也是航母保障资源建设的重要内容之一。

---

① 由主承包商通过招标选出的供货商。
② 由政府指定供应商或由政府直接供货的设备和系统。

3.2 美国航母基地级维修保障技术与管理

3.2.1 美国航母基地级维修基础设施技术

1. 美国航母基地级维修基础设施技术概述

基地级维修(Depot Lever Maintenance,简称 D 级)是美国海军维修体制的最高等级,一般是要求较大工业能力支援的维修,其维修手段主要配置在私营及海军船厂、海军水面战中心、海军水下战中心、海军空战中心和海军军械中心。维修任务包括重要的大修、改装,以及部件、组件、分组件和成品的翻新,此外,还可以为舰员级和中继级维修提供技术援助。基地级维修任务见表 3.1。

表 3.1 基地级维修任务

维修单位	总部位置	任务
私营及海军船厂		具有综合维修、建造和现代化改装的能力
海军水面战中心	阿灵顿	海军武器及作战系统的研制和技术保障
海军水下战中心	纽波特和基波特	修理潜艇、独立水下系统或与水下战有关的装备
海军空战中心		修理海军飞行器和相关的航空设备
海军军械中心		修理各种军械装备

美国航母基地级维修基础设施建设必须建立在较准确地估计维修需求的前提下,美国总审计署在有关关岛维修设施建设的报告中指出,应按照美国国防部的指导性文件要求,首先明确维修计划,在此基础上进行维修设施的规划。按照国外维修需求估算方法,海军应根据之前的舰艇维修记录和其他的有关信息,推算出舰艇的维修需求。海军拥有舰艇维修的历史数据,并能够根据兵力结构调整规划估计母港将容纳以及可能在附近活动的舰艇数量,在此基础上,结合附近其他区域已有的维修能力,估计出母港应具备的维修能力,并在若干种方案中挑选出一种效费比最高的方案。

在考虑航母母港的维修设施建设时,应从航母舰载装备和系统的"基地级维修"需求出发,如美国海军在考虑将梅波特港转为核动力航母母港时就明确提出其不足之一是,梅波特港现在还缺乏为核动力航母推进装置系统和部件提供基地级维修的设施。

2. 一般性维修技术

由于航母本身的特殊性,其航母编队出航时间长,海外维修保障能力弱。为保证航母的战备完好性,美国海军制定了一系列的管理条例。

一是组建航母工程维修指导分队。成员主要由舰艇部队、舰种司令部、海军水面作战中心和工业承包商代表组成,负责对码头保障、修理计划、部署准备、维修资金使用等进行检查和监督,通过检查,发现存在的问题、确定原因、进行训练,并对过程进行整理记录。通常,航母工程维修指导分队对一艘舰的检查时间为 2～3 周,并在航母海外预部署期之前完成。在这期间,航母工程维修指导分队的技术和后勤代表与舰艇部队一起工作,按照适用的舰船指南和程序,完成以下工作:在各装备和系统使用前进行检查;根据需要,校正与调整装备和系统;进行系统运行试验,发现是否存在故障;找出故障原因,并尽可能修复;确定下一次计划修理的装备修理内容;指导舰艇部队采用正确程序维修辅助机械和系统;提供后勤支援;记录战备存在的问题;完成紧急修理等。

二是制订航母维修保障考核与奖励计划。航母的安全性、效率和可靠性、真实环境与仿真环境下的危机控制能力、应急修理能力等,都是判断一个部门维修训练和日常战斗准备状况是否良好的基础。美国海军每年进行航母作战效能竞赛,并为竞赛制定了详细的考核办法,例如对轮机部门,通常分为管理效能、装备完好性、训练、作战、消防 5 个方面,内容包括全船动力试验、月度战备管理、点火评估、航行训练和舰种司令部成绩评估。在每一方面都有评价标准,通过计算,给出一个部门的考核成绩。竞赛成绩分若干个等级,优胜者将由舰种司令给予奖励。

3.2.2　美国航母基地级维修的管理实施

1. 国有船厂与私营船厂结合

在基地级维修方面,美军采用的是以海军拥有的国有船厂为主,结合36 个持有"主要舰船修理协议"和 116 个持有"船艇修理协议"的私营船厂的维修体制。原始建造船厂一般不直接介入航母的维修业务,但需要为重要武器系统和装备提供技术保障。

2.维持基地级维修核心能力

美军对基地级维修能力进行宏观管理的第一条措施就是维持基地级维修核心能力。所谓核心能力包括维护、修理由助理国防部长在咨询参联会主席后确定下来的满足国防紧急事务所必需的武器系统和设备的能力。

3.引入竞争

引入竞争是美军航母维修领域的一个重要战略目标,美军甚至将该目标作为一条原则写进了装备维修管理指令。国防部指令4151.18中,第五条就明确规定"作为经济而高效地完成军事装备维修的一种手段,应当在国防部基地级维修机构和私营企业以及基地级维修机构之间展开竞争",并通过竞争使劳动力发展成高度灵活的资源。

美国国防工业的主体是私营企业,国家不是军工企业的所有者。国防部一般不直接干预其经营,主要通过间接的方式进行引导和支持。

4.制度改革

20世纪90年代初,冷战结束后美国海军因部队规模和经费大幅度削减,对其装备保障建设进行了前所未有的改革。其中最重要的一点就是实施采办改革及外购装备保障策略。海军从修船成本方面考虑,在允许的情况下改变拨款法案中关于海军与私营企业承担工作的分配比例,将更多的修理工作交给私营商业船厂,实现美国军民维修一体化。

军、地双方承担的工作比例发生了较大的改变:在20世纪80年代初私营船厂的工作份额定为30%;1983年,众议院武装力量委员会曾建议海军考虑将这一比例改为60:40或50:50;1998年国防授权法案允许国防部把50%的基地级维修资金用于与第三方签订合同;2003年,海军与多家私营承包商共同承担"肯尼迪"号航母的修理,在此次修理中私营船厂承担份额达总工作量的75%。图3.5为美国私有船厂2008年10月至2012年9月修船工作量,可以明显看出,随着海军基地级维修制度的改革,由私营企业承担更多的修理工作份额已成趋势。

由上述美国海军舰船维修体制特点可以看出,进入21世纪以来,美国海军在国家战略调整的环境下,为了适应新的作战需求,加大了私营企业承担装备技术保障的工作量及工作范围。

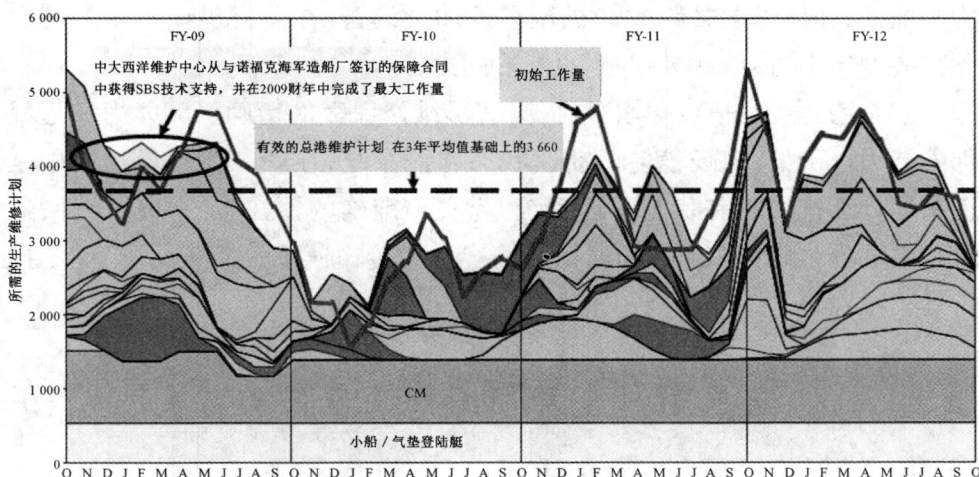

图 3.5　私有船厂 2008 年 10 月—2012 年 9 月修船工作量

例如,作为美国规模最大的私营造船厂,纽波特纽斯船厂参与了众多的美军航母建造与维修工作。2013 年 4 月,美国海军授予纽波特纽斯船厂高达 26 亿美元的成本和酬金合同,将对"尼米兹"级核动力航母"林肯"号进行换料大修,包括更换核反应堆以及航母上 2 300 多个隔间、600 个液舱和数百个系统的全面现代化升级工作。此外,还涉及联合攻击战斗机的检修,航母飞行甲板、弹射器、作战系统的现代化升级以及舰桥的改装。

3.2.3　美国航母基地级维修基础设施技术发展趋势

21 世纪初,美国海军开始进行军事转型,海军也颁布了转型路线图。"美国海军 2020 年作战构想",明确了海军"由海向陆"战略提出的作战要求,并指出,实现海上力量投送的关键是通过海洋这个媒体实现前沿存在和通过计算机这个媒体实现对敌方的知识优势。力量投送既包括了作战部队的投送,也包括了技术保障能力的投送。而技术保障能力投送的实现,也同样依赖于技术保障能力的前沿存在和通过计算机实现的高效率的技术保障能力。航母作为美国海军的中坚力量,其维修保障能力的发展同样依赖于这两个能力的实现。

一是为保证技术保障能力的前沿存在,努力提高航母国外驻泊基地和远离本土的保障基地的维修能力,并提高前沿预置器材水平和战略海运能力。此外,在航母上升级改造机械零件加工设备,在器材供应不足的情况下提高舰艇本身复杂配件的应急制造能力等。

二是通过提高信息化水平,提高航母维修保障的精确保障能力和远程保障能力。例如,为现役航母研制状态检测系统,在新一代航母建造中全面采用计算机诊断和状态管理系统,为实现准确的预知维修创造条件;通过解决远程维修保障遇到的通信传输容量和传输速率等瓶颈问题,广泛推广远程维修等。

3.3 美国航母全寿期维修管理任务与流程

美国航母在使用过程中曾出现设备状况逐渐下降的趋势,这种趋势引起了美国海军和工业部门的高度重视。为了阻止这种趋势,美国海军引入了全寿期维修管理的概念。全寿期维修管理是指在航母寿命周期内对各类维修任务开展持续的管理过程。应用全寿期维修管理,可以增加航母维修的效率和效果,最终使设备状况达到舰队标准,同时减少维修费用。美国航母全寿期维修管理包括以下工作:

(1)制订全寿期维修管理方案;

(2)建立舰队器材状况及维修标准;

(3)对照标准,通过测试、检查、测量或评估,定期对各航母的器材状况进行评价;

(4)对各维修阶段的工作进行规划,制定标准化工作包,最大限度提高工作效率;

(5)在综合大修、中继级维修、舰员级维修中完成维修工作;

(6)进行维修数据的收集和分析工作,包括3-M报告、离厂报告、事故报告,以及其他与航母维修有关的数据,并进行反馈,根据反馈数据对维修管理方案和舰队设备状况标准进行修改。

全寿期维修管理工作内容如图3.6所示。

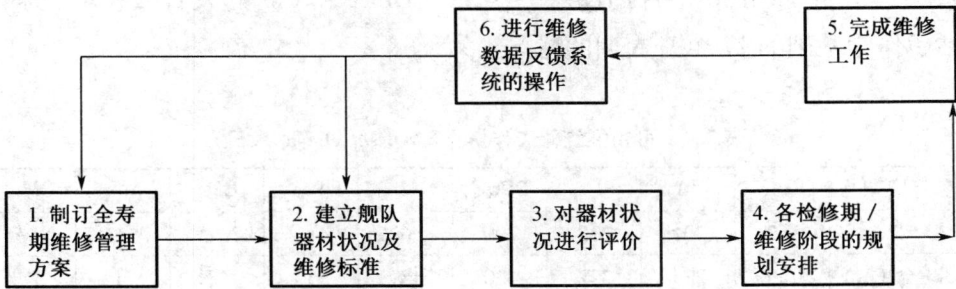

图 3.6　全寿期维修管理工作内容

3.3.1　美国航母全寿期维修管理的关键部门

（1）职能司令部（TYCOM）。职能司令部负责除航母换料大修之外的大部分全寿期维护保障工作。

（2）项目执行办公室（PEO）。项目执行办公室承担所有航母需求和全寿期管理的顶层职能。对于海军舰船建造资助项目，如换料大修，项目执行办公室向海军部长助理汇报研究、开发和采购等事项。同时项目执行办公室就服务保障等事项通过海军海上系统司令部向海军作战部长汇报。

项目执行办公室下设的航母项目办公室（PMS 312）承担航母设计、建造和维护相关的所有职能。其中，换料大修的授权管理（包括预算）由 PMS 312 下设的 PMS 312D 办公室负责。PMS 312D 办公室除了不负责由海军核动力推进项目办公室承担的工作外，既直接开展或管理航母换料大修的预算、计划编制和实施，同时又负责经验教训的累积等工作。

3.3.2　美国航母全寿期维修管理方案

假设长周期下 PIA 与 DPIA 的工作内容不确定，我们也考虑在一艘航母的全寿期内，总的维修工作量是固定的、独立于周期长度这种情况。[①] 那就是，在 27 个月周期时间表下，对 PIA 和 DPIA 的所有维护与修理工作的人日数进行合计；对固定寿期维护（FLM）情况[②]，将这一较高的人日数按 32 个月和 36 个月两种周期分配到时间表中的 PIA 和 DPIA。表 3.1 给出了 FLM

---

① 这种工作量选项近似一艘航母全寿期维修过程中持续的厂级维修。
② 现代化的人日数被假设为连续的、独立于各次维修间的时间增长。这种假设可能不真实。

情况下 32 个月和 36 个月周期每一次 PIA,DPIA 和 CM 的人日数构成,也包括了作为基础的 27 个月周期的情况。

表 3.1　可用性维修工作量:FLM 情况(1 000 人日)

月周期	PIA_1	PIA_2	PIA_3	$DPIA_1$	$DPIA_2$	$DPIA_3$	CM_1	CM_2	CM_3
27	169	201	232	299	360	415	N/A	N/A	N/A
32(含 CM)	239	275	322	430	489	550	18	21	24
36(含 CM)	275	316	370	494	553	621	18	21	24

注:N/A 表示不包括。

图 3.7 给出了 NNSY 支持的航母在 32 个月周期下,FLM 情况如何影响船厂中的需求。这种情形下,理论上的需求在 2014 年达到峰值,超过10 000 工人,与不超过 5 000 工人可用相比,2007 年和 2008 年也暂时性地超过了 8 000。

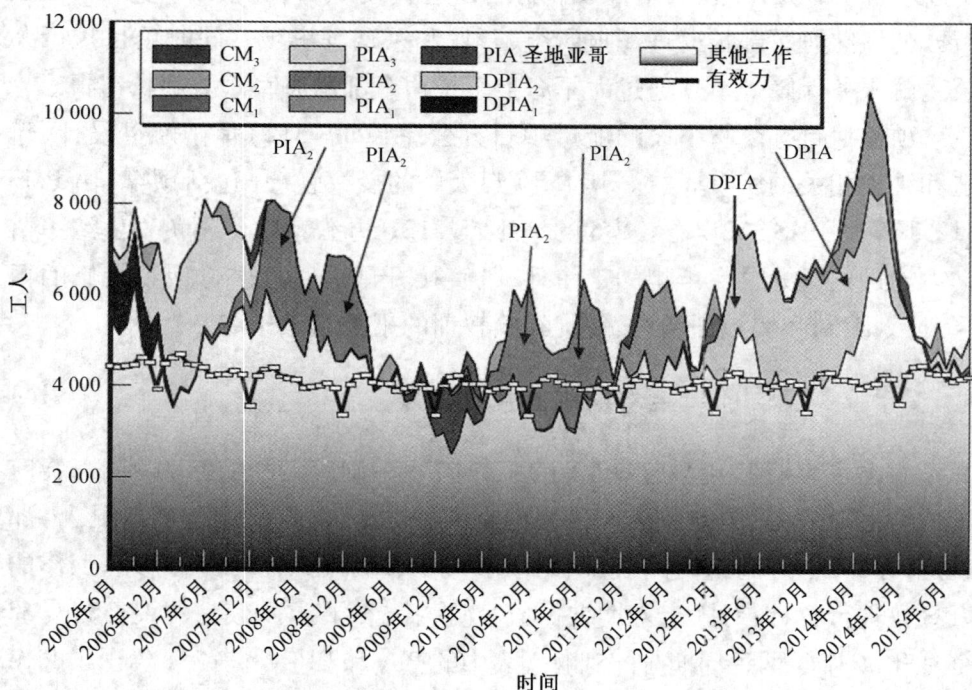

图 3.7　NNSY 的 32 个月周期:FLM 情况

注:CM 表示持续维修,PIA 表示计划增量可用性维修,DPIA 表示入坞计划增量可用性维修。

图 3.8 给出了 NNSY 支持的航母在 36 个月周期下,FLM 情况如何影响船厂中的需求。这种情形下,峰值需求在接下来的 10 年有几次超过 8 000 工人,包括 2014 年和 2015 年的大多数时间。

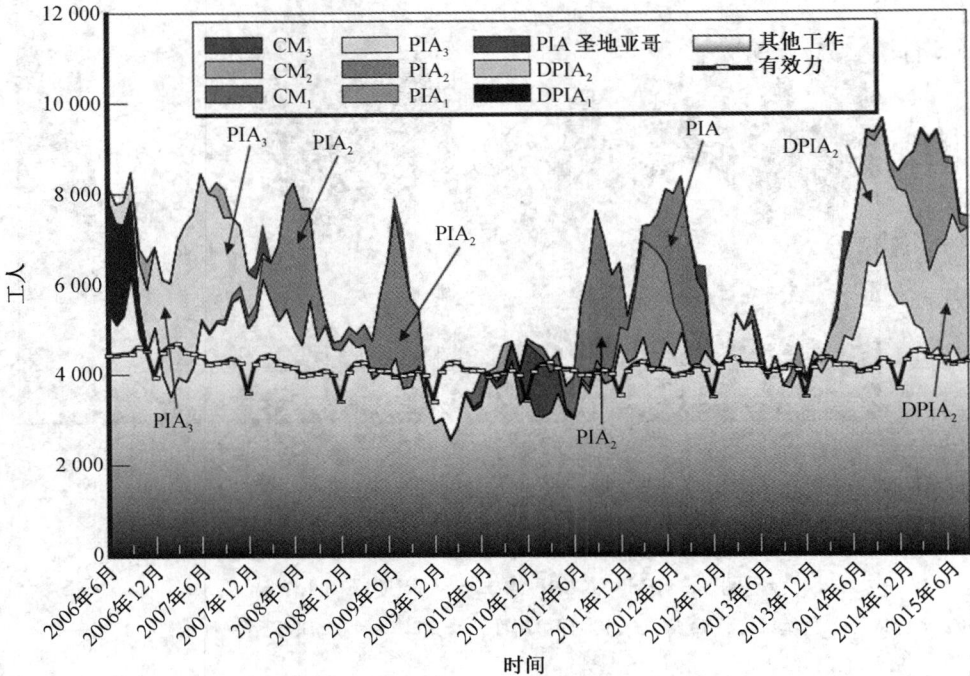

图 3.8　NNSY 的 36 个月周期:FLM 情况

注:CM 表示持续维修,PIA 表示计划增量可用性维修,DPIA 表示入坞计划增量可用性维修。

图 3.9 给出了 PSNS&IMF 支持的航母在 32 个月周期下,FLM 情况如何影响船厂需求的情况。这种情形下,与计划的大约 6 000 工人可用供给相比,峰值需求超过 10 000 工人,在 2012 年,还有其他几次超过 8 000 工人。

图 3.10 给出了 PSNS&IMF 支持的航母在 36 个月周期下,FLM 情况如何影响船厂中的需求。这种情形下,峰值需求在 2012 年达到接近 10 000 工人,并且还有几次超过 8 000 工人。然而也有几次短暂的需求低于供给,包括 2010 年,2012 年和 2013 年的大部分时间。

在上文提到的所有 FLM 情况中,船厂工人的需求超过供给占到 50%,接下来 10 年间还有多次,船厂可能无法处理这种需求峰值。

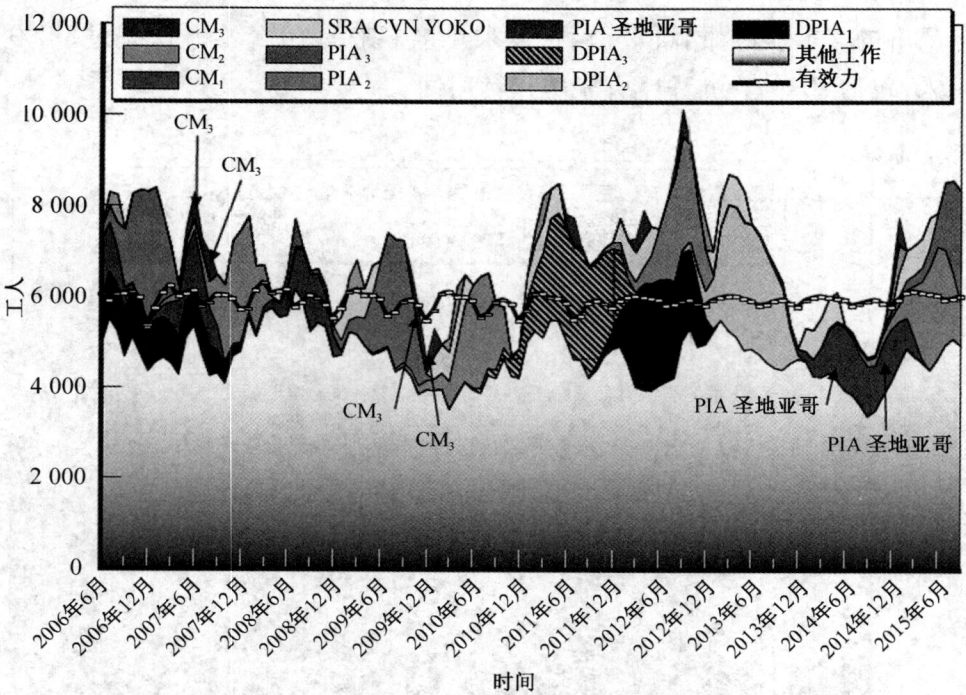

图 3.9 PSNS&IMF 的 32 个月周期：FLM 情况

注：CM 表示持续维修，SRA 表示选定有限可用性维修，PIA 表示计划增量可用性维修，DPIA 表示入坞计划增量可用性维修。

3.3.3 美国航母全寿期维修模型概述

1. 可用性的阶段

理论上，维修可用性，例如 PIA，DPIA 和 CM 周期，只是一个时间概念，反映了舰船在何时进行维修。从船厂的角度看，可用性非常长，包括的时间范围从开始计划到结束试航和可用性的反馈。例如，预算和日程安排、提前规划以及进行设计至少要在理论上的可用性开始之前 12 个月启动。另一方面，反馈阶段作为船厂可用性工作的一部分，标志着工作的实际完成，由此可以规划下一个周期的工作。下面，我们按劳动力技能的需要，按航母 PIA，DPIA 以及 CM 周期以及这些船厂支持其他舰船的工作分别地讨论船厂工作的全部时长。

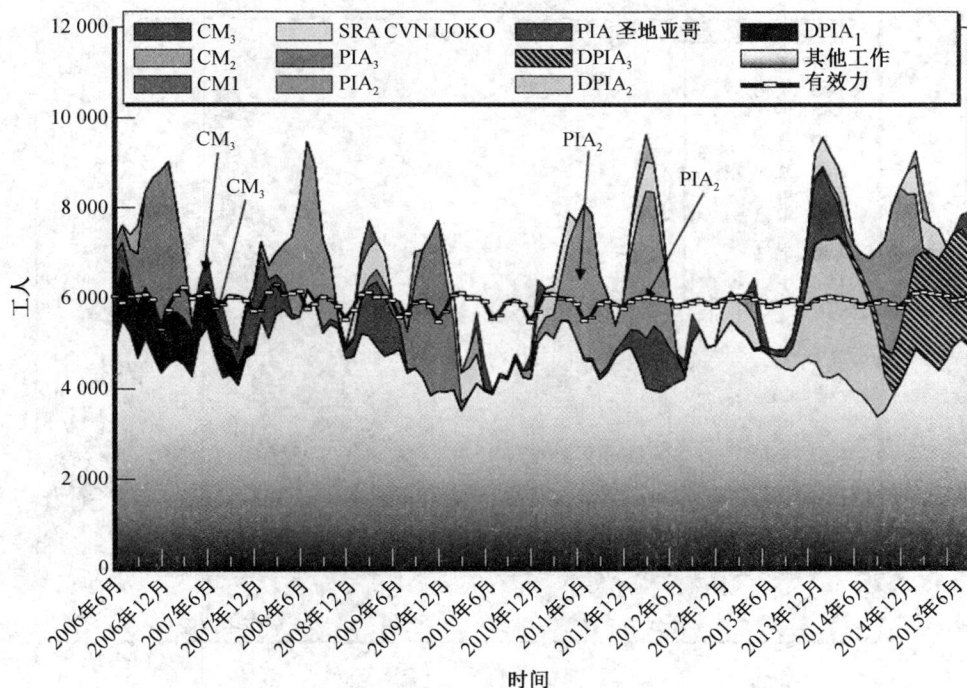

图 3.10　PSNS&IMF 的 36 个月周期:FLM 情况

注:CM 表示持续维修,SRA 表示选定有限可用性维修,PIA 表示计划增量可用性维修,DPIA 表示入坞计划增量可用性维修。

2.计划增加可用性维修(PIA)

如前文提到的,PIA 在理论上有 6 个月时间,即舰船在船厂中的实际时间。然而,PIA 也包括先前的计划和配件预先制造时间,以及后续的可用性检修结束时的测试、评估和检查时间。计划/配件预先制造时期可能提前 12 个月,测试、评估和检查则根据设备进行的维修而有所不同。因此,从船厂工作量规划的角度,PIA 的总时长为 17 ~ 20 个月。

图 3.11 给出了一个在 27 个月维修周期中理论上 6 个月的 PIA 工作量特征实例。理论的 PIA——例如,舰船实际上在船厂中的时间——从 2006 年 12 月到 2007 年 6 月。然而,在这段时间之前和之后,我们界定的每个熟练工人小组都要安排一些工作日,同时一些建造支持工人需要在 2006 年 2 月就开始为这项 PIA 工作。

PIA 的特征按 27 个月、32 个月和 36 个月的周期分类。如上一章提到

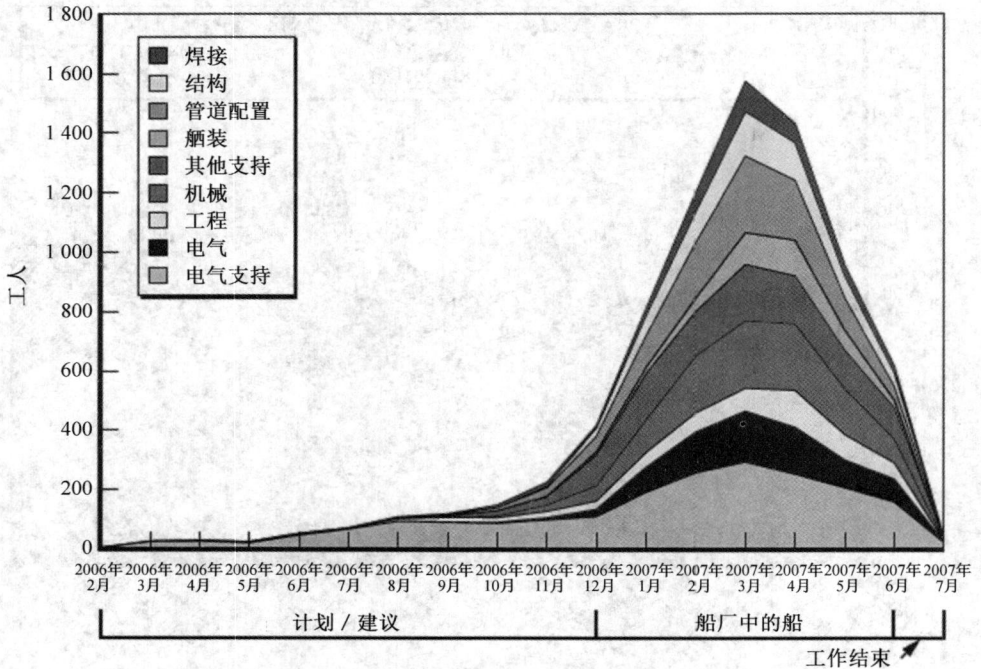

图 3.11　理论上的 PIA 特性,按照职业技能

的,可用性检修之间的间隔越长,检修工作量就越多,每个可用性检修所用
的人工数量也就越大。在单个周期内,我们的模型显示出 PIA 和 DPIA 按
技能领域需要的工作日特征在航母处于船厂内的整个时期有着相似的图
形。DPIA 特征与 PIA 有很大的区别。

3. 入坞计划增加可用性维修(DPIA)

入坞计划增加可用性维修理论上规划为 10.5 个月。然而,由于在模型
中最小的时间单位是一个月,所以在分析中我们假设 DPIA 是 11 个月。
DPIA 需要航母在干船坞中停留大约 7.5 个月。之后,船坞内的工作结束,
航母移至码头完成修理、维护、现代化和测试。DPIA 允许维修工人进行船
体漂浮完成以前无法完成的水下船体检查和其他维修评估。[1] 在 DPIA 期
间,更多的时间被用于进行必要的现代化升级。

---

① 海军系统司令部(NAVSEA),Aircraft Carrier Class Maintenance Plan,Washington, D. C.,2005 年 12
月。

如 PIA 一样,DPIA 也需要一个计划/配件预先制造时期和一个工作测试期。图 3.12 给出了一个按照职业技能、理论上的 DPIA 工作特征的实例。在这项 DPIA 中,舰船实际在船厂时间为 2007 年 1 月到 11 月。然而,与 PIA 一样,从 2006 年 8 月到 2007 年 12 月,熟练工人小组也需要在这段时间之前和之后安排一些工作日。

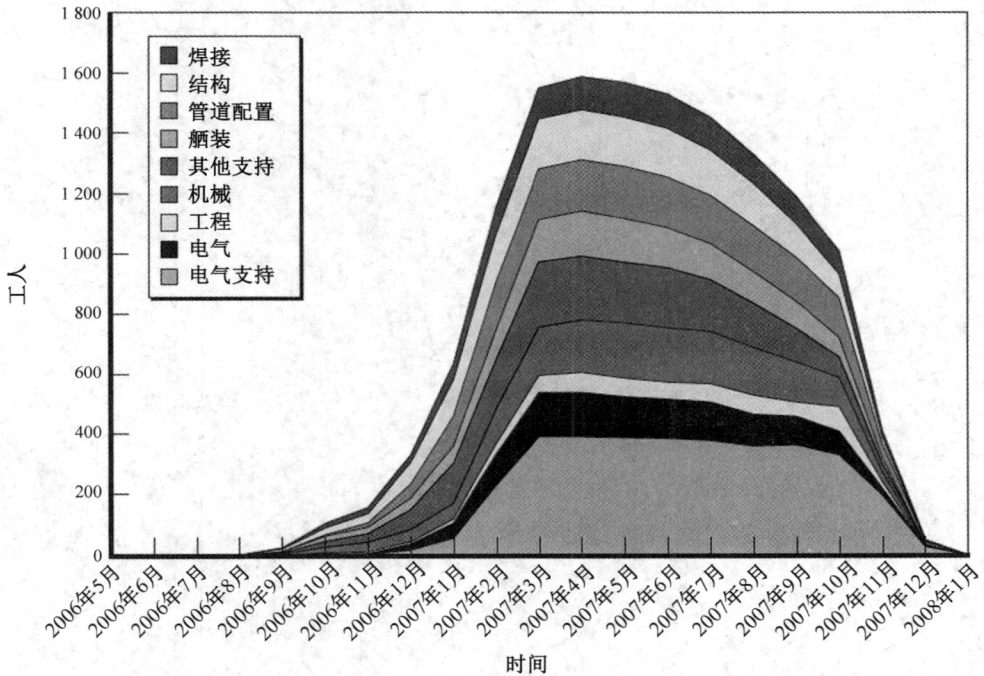

图 3.12　理论上的 DPIA 特性,按职业技能分,周期为 32 个月

4. 连续维护可用性维修(CMA)

如之前提到的,CM 是一个发展变化的概念。CMA 是在舰船母港之外进行的基地级维修工作。更特殊地,CM 发生在一艘航母结束训练之后、准备部署之前,在母港中处于主要作战任务(MCO)高峰/准备的时期。进行了初步的 PIA 之后,CM 在舰船较长维护周期(例如,32 ~ 36 个月)中的补给可用性维修之间进行。正如在下一章中讨论的,CM 的准确时间将有赖于舰船的维修周期。

之前可用性维修中延缓的以及新出现的工作,可以在 CM 期间进行。

一个 CM 周期很可能会持续 30～45 天。每艘航母一个 CM 周期的工作量是随着其优先的维修需求、可用时间和补给的可用性,以及其他类似的情况而变化的。为进行建模,我们假设 CM 与 PIA 的工作量中有相同职业技能构成和比例。也就是说,我们假设在 6 个月的 PIA 中按技能进行的工作日分配比例与 30～45 天的 CM 中的分配情况相同,尽管这两者之间实际上是有显著区别的。

第4章　美国航母战略母港及维修设施

4.1　美国航母战略母港概述

航母母港是航母和平与战时正常运作的重要保障,兼有航母驻泊休整,日常维护、保养,补充弹药、物资以备战时出击的多项功能,对航母战斗力的维系具有不可或缺的重要意义。

通常按航母驻泊、行动需要和港口各类设施的完善程度,航母母港通常分为战略母港、前沿母港和机动母港三类。

战略母港是航母最主要的依托,是航母在非行动期间长期驻泊的港口,也被称为常驻母港。除美军设在日本的横须贺外,航母战略母港均设在航母拥有国的本国境内,气候条件适宜,水域、地质条件良好。常驻母港基础配套设施完善,拥有全面、系统、可靠的弹药、物资保障体系;具有或尽量靠近拥有制造与修理大型舰艇设施和能力的区域,以便航母进行各种规模的维修、保养。同时,为满足航母上技术装备的维修、保养以及舰上人员休整需要,战略母港一般设在或邻近工商业较为发达的城市或地区,交通便利,周边商业和服务业较为发达;战略母港一般都在大型保障性军港基础上全面建设、发展起来的海军基地甚至"海军城"。此外,战略母港周围通常部署大量的防空、反潜、扫雷等防卫力量,可获得较为有力的陆军和空军支援。目前,美国海军的诺福克、圣迭戈,英国海军的朴茨茅斯,法国海军的土伦等都是全球著名的航母战略母港。

前沿母港主要是满足航母平时战略需求,战时快速抵达作战区域的一类母港,通常也是大型深水港,水深、航道条件是最基本的要求,基础设施虽不及战略母港完善,但也具备为航母提供一定的休整、补给能力,并可满足简单的维修、保养工作。在战时战略母港遭到破坏时,前沿母港也可为航母提供驻泊需要。根据航母拥有国的军事战略,以及国力和外交关系,前沿母港既可设于本土也可设于海外他国,如位于美国的珍珠港、太平洋上的关岛,法国的布雷斯特。

相对于战略母港和前沿母港,机动母港具有很大的随意性,只要能够满足航母的临时停靠即可,事实上也可视作航母的经停港。机动母港基本不具备航母维修保障能力,满足保障和人员修整能力都很弱。除军港外,大型现代化的民用港口有时也可作为机动母港供航母临时停靠,但通常需要提前进行相关准备。

航母母港的设置和规模取决于其所处战略方向的重要程度,担负的任务和兵力编成,以及海区的地理环境条件等。从世界现有航母国家的情况看,航母一般都部署于最重要的战略方向,同时战略母港所在地往往也是海军最重要的机构或舰队司令部所在地,往往以母港为基础形成大型海军基地。

国外航母战略母港一般以一个大型港口为主体,码头、泊位众多,具有驻泊较多舰艇的能力,综合保障设施较为集中,各方面保障能力强大,同时,具有较为完善的防御体系,防御兵力充足。

4.1.1 战略位置重要

航母战略母港作为航母作战、训练、维修和后勤保障的主要依托,其位置的选择首先要符合国家战略利益和安全的要求,一般部署于最重要的战略方向和战略要冲。

美国海军是当今唯一的全球性海军,现役航母数量众多,设置充分考虑战略和战术需求。最大的航母战略母港诺福克母港位于美国东海岸中部,捍卫美国的东大门。西海岸最大的航母母港圣迭戈港是美国西南部的海上门户,也是美海军控制东太平洋和巴拿马运河区域的主要据点。横须贺母港位于扼守东京湾进出口通道的重要位置,是美军在西太平洋地区最重要的前沿阵地。

印度在可见的短期内,拥有航母数量将仅次于美国。印度未来3座航母母港将面向东、西海岸战略方向展开,控制印度洋、马六甲海峡等战略要地。

英国的朴茨茅斯港是英国海军三大母港之一,位居英国南疆中部,东扼多佛尔海峡,西控英吉利海峡出口,侧后是英国最重要的政治经济区——伦敦,素称"首都南大门",同时也是英国南部的造船和航空工业中心,具有重要的战略地位。

此外,俄罗斯、法国、意大利等国的航母战略母港也均部署在最重要的战略方向上。

4.1.2　自然条件优越

航母是当今最大的海军舰艇,舰体庞大,吃水深,对码头和泊位要求高。组成航母战斗群的其他舰艇往往也与航母同驻一港,因而需要母港具有足够的规模,能够充分满足驻泊条件。

国外现有和在建的航母母港均力求选择水域宽阔,航道通畅、水深条件良好的天然良港,或在原有港口基础上大规模扩建。

港区尽量选择风雨少、海浪小的地区,以低山环抱,能够抵抗或减少狂风影响为佳。为减少海浪和潮汐的影响,普遍筑有防波堤;在其环绕的港池内,水域宽阔,从而为航母提供充足的机动空间并减少对其他靠泊舰艇的影响。

进出港航道尽量宽阔、顺直,水深足够,以便航母顺畅、快速通过,同时也可避免轻易被敌方封锁。此外,尽量避免江河出海口,从而减少冲积泥沙淤积而带来的过多疏浚要求。

目前国外航母母港大多满足这些综合条件。例如,横须贺母港位于日本三浦半岛北部,东京湾湾口内侧,东部有横须贺半岛,西部有吾妻岛,周围有 50～100 m 高的起伏丘陵,地势隐蔽,沿岸曲折多港湾,水域宽阔,避风较好,为天然良港。横须贺海军母港主要分布在横须贺的"本港"内,水域面积 1.88 km²,陆域面积 2.3 km²,水深 7～20 m。梅波特海军母港地处美国东南部沿海平原,地势平坦,起伏不大,在其周围约 50 km 范围内,海拔高度多在 25 m 以下,附近港湾和岛屿甚多,树木繁茂,母港水深浪静,地理环境优越。巴西里约热内卢港位于巴西东南部,濒临大西洋,港口呈"凹"字形,港阔水深,是巴西第二大港。

4.1.3　驻泊驻屯容量大

当前,各航母拥有国几乎所有航母所在母港均为综合型舰艇母港,既可停靠航母,也可停靠其他水面舰艇,甚至潜艇。如美国的诺福克和圣迭戈母港,是多艘航母同时驻泊的母港,需要足够的规模容纳其战斗群内所有舰艇。而英国海军朴茨茅斯母港驻泊了包括"卓越"号航母在内的英国海军近三分之二的水面舰艇。

航母及其战斗群舰艇停靠的码头泊位充沛,条件许可时,应尽量为航母提供多个后备泊位。美国海军诺福克母港供航母停靠的数个码头均具备同时停靠 2 艘航母的能力,其码头泊位水深足够,特别是低潮时也能充分保证航母行动的安全。

美国最大的诺福克海军母港港区水域面积 36 km^2,陆域面积 68 km^2,舰艇总容量可达 320 余艘,建有大型突堤码头 13 座,总长 10.6 km。

圣迭戈海军母港南北长 24 km,东西宽约 6 km,水域面积 57 km^2,建有码头 56 座,总长 16.5 km,其中最长一座长 1 100 m,可同时停泊 3 艘航母。

日本横须贺港共有码头 50 座,总长 6 000 m,可同时停泊 4 艘航母及其他各型舰艇 300 余艘,军械设施和岸上生活区占地 344 hm^2。

印度孟买海军母港共有 4 个码头区和 10 座码头,最长一座长 680 m。港区有约 50 个泊位,可停靠 7×10^4 t 级以下舰艇 100 余艘。

4.1.4　配套设施充足齐全

航母及其战斗群本身是一个庞大的作战体系,保障其作战和日常运营需要一个庞大的保障体系,各类物资消耗巨大,因此相应的配套设施必须充足、齐全。

航母战略母港保障体系最主要的保障对象是航母编队。为了给多舰种、多机种的航母编队提供综合全面的后勤保障,国外航母战略母港建有综合配套的保障设施和完善齐全的保障装备,其保障设施主要有海军站、海军航空站、指挥中心、海军通信中心、供应中心、公共工程中心、训练中心、海军船厂、消磁站、军械库、油库、弹药库、医院、基地营区以及衔接各种设施的公路、铁路、管道等交通运输线,可为其海军兵力提供分区靠泊、物资补给、舰船维修、医疗卫生等全方位的后勤保障。例如,美国海军诺福克母港不仅建有供舰艇驻泊的码头和为大西洋舰队提供指挥、通信、训练等保障的设施,而且还建有配套的物资储存、技术检测、装备修理、雷弹技术保障等设施,有水、电、气、燃料、主副食品等供应设施,有俱乐部、体能训练和健身等活动场所,有军官、士兵宿舍和家属住房,有餐厅、军人服务社、招待所、医疗门诊部、邮电局、学校、幼儿园和旅游服务等机构,整个基地俨然是一座功能齐备的中等城市。

除了综合配套的保障设施,国外航母战略母港还配备了大量机械化、系列化、标准化的保障装备,主要包括港口水上勤务装备,包括浮吊、起重船、浮船坞、拖船、修理船、消防船、放射性调查艇以及交通艇、垃圾处理艇、污水处理艇和污油艇等;港口装卸机械,国外航母战略母港物资装卸大量采用民用设备,并根据需要编配一些海军专用的装卸机械,包括轨道式、轮胎式和汽车式起重机、系列化的叉车和传送机以及"叉骨"式集装箱装卸机等;水电保障装备,包括航母在内的各型舰艇靠泊母港后接用的岸电,港区水电供应绝大部分来自市区自来水和市电;垃圾处理装备,包括固体废物处理装置、舰船油污水处理装置以及军港废水废物处理装置。这些装备为战略母港的环境保护提供了重要保障。

以美国海军为例,其在本土和海外的航母母港建立了世界上最为庞大的保障体系,包括维修、物资储存、供应及其他辅助设施,能够全方位地满足航母及其战斗群组成的舰艇维修和物资、弹药补给及兵员休整等。

驻泊航母最多的诺福克母港有船坞和船台 12 座、大型露天油库 21 个、小型油库 19 个,以及大量地下油库,总储油量 250 余万桶。补给中心共有大型仓库 66 座,储有 62 万种物资。

圣迭戈母港主要建有海军站、海军航空兵航站、海军补给中心、海军通信站、海军训练中心和舰艇修理厂等。

法国土伦港母港也建有海军站、营区、物资仓库和海航站等,印度孟买港设有舰艇修理区、办公生活区、油库、弹药库、仓库等。这些母港均有强大的综合保障能力。

4.1.5　保障体制规范高效

国外航母发展历程较长,在航母母港的运作方面也积累了丰富的经验,形成了规范性的保障体制,能够提供全方位周到、高效的服务。

例如,美国海军战略母港的各保障机构能在统一的组织计划下对舰艇提供全面的后勤保障。航母进港前三天,先与海军港口作业部下设的港口服务部门联系,提出进港后的保障需求,港口服务部门负责通知公共工程中心和供应中心等相关部门做好各项保障准备。到了预定进港日期,港口服务部门安排好泊位,并派出拖轮和引水员。航母靠泊码头后,公共工程中心马上安放舷梯,接上码头设施,输送淡水、电力、燃料油、高压气体等,并提供车辆出租服务。码头服务队的机械小组负责水、气保障,电器小组负责发电和供电工作。供应中心平时通过后勤信息系统对舰艇消耗情况进行实时查询,对其所需物资的品种、数量进行准确预测,并据此采购、入库、保管物资,当接到物资供应申请后,马上将舰艇所需物资领取并分箱包装,然后通过传送设备,将包装好的物资传送到集装车间,经过集装后运送到码头,再由公共工程中心的装卸部门负责将物资装载舰艇。航母舰载机所需物资申请方式代号为"自由流",由航母向母港的海军航空站提出,海军航空站数据处理勤务中心通知供应中心,经审核后由供应中心将所需物资运上航母。

当前,为了适应信息化条件下海上作战的需要,美国海军战略母港保障体系以"聚焦后勤""感知与反应后勤"等理论为指导进行信息化建设,并加强与全军以及全海军后勤信息系统的融合,使战略母港保障体系成为信息化程度很高的物流配送中心,为海军作战力量体系提供及时、持续、高效的后勤保障。在进港数天前,航母编队指挥中心通过与 C4ISR 系统紧密衔接的"全球作战保障系统——海军"系统向战略母港提出保障需求,同时将通用物资的需求通过"全球作战保障系统"反馈给国防后勤局。战略母港物资供应中心迅速通过"库存物资信息快速查询系统"查询母港库存情况。三军通用物资不足时马上通过"联合全资产可视性系统"反馈给国防后勤局,国防后勤局通过"联合全资产可视性系统"和"全球运输网"将储存于国防补给中心的所需通用物资以及其他军种与海军通用的物资就近配送到战略母港;海军专用物资不足的情况应通报海军供应司令部,海军供应司令部通过"海军全资产可视性系统"协调物资控制站(包括舰船器材控制中心和航空器材供应处)和海军油料处下辖的海军补给中心就近将物资配送给战略母港;库存不足的军地通用物资以及生产周期较短的物资由海军物资控制站通过"联邦采购计算机网络"或"虚拟电子投标室",利用电子业务系统直接向供应商订购,供应商利用地方高效的物流系统将物资配送到战略母港。

4.1.6　社会依托有力

航母作为当今最为复杂的海军装备,在满足作战需求的同时,航母众多舰员的日常生活使航母本身如同一座海上城市。而航母及其战斗群舰艇驻泊港口更需要相对完备的社会体系来保障舰员的各方面生活需求,同时也需相关的工业体系保障航母的运作。因此,航母母港对社会具有很高的依托性。

目前,国外航母母港几乎都依托工商业较为发达的城市,公路、铁路、航空客货运输便捷,交通便利。

以当今最为庞大的美国海军航母战斗群为例,其 3 艘航母驻泊的圣迭戈港在舰只全部到港时,在港人数多达 5 万人,单纯依靠海军的力量显然无法保障舰员的正常的生活需求。

美国诺福克港所在的诺福克市,是美国弗吉尼亚州最大的工商业城市和物资集散地,周围遍布大型工厂和交通设施,共有 8 条铁路干线、50 余条公路和 10 余个机场。圣迭戈市是美国太平洋沿岸第二大城市,工业门类齐全,该市南北方向铁路和高速公路发达,市西北建有大型国际机场。

其他如横须贺地处日本经济最为发达的东京湾地区,邻近大型城市较为密集。孟买是印度的第二大城市和最大的海港城市,工商业发达,人口密布。里约热内卢是巴西仅次于圣保罗的第二大工业、商业、文化、科技和金融中心,聚集了全国约 98% 的船舶工业基础。

在充分依托社会资源支持庞大的航母母港运作的同时,各国也非常重视母港对周围自然和社会环境的影响,特别是发达国家对此更为重视。

以美国为例,早在 1999 年 7 月,美国海军就完成了《最终环境影响声明》(*Final Environmental Impact Statement*)作为国家环境保护政策法要求的环境影响声明的一部分,以此作为指定核动力航母停靠港口的依据。2000 年 1 月,根据综合分析结果,在检测了华盛顿州的布雷默顿、埃弗雷特,加州的圣迭戈和珍珠港后,海军最后决定将 3 艘"尼米兹"级航母中的 2 艘驻泊在圣迭戈母港,埃弗雷特母港仍然驻泊 1 艘航母。而在决定将东海岸地区 1 艘航母移至梅波特母港的过程中,环境影响评价也是非常重要的一个环节。

4.1.7 全方位防护力量强大

航母作为国家战略性武器装备,其驻泊的母港及周边防护能力远高于一般的海军基地。各国航母母港普遍驻有足够的陆上防护兵力,核动力航母母港还配备防核特种部队。母港周围通过部署岸基航空兵和地对空武器阵地保障母港具有充足的防空能力。而在对海防护能力方面情况稍有不同,有些国家的母港周边设置了岸舰导弹阵地。对于水下防护,虽然公开报道甚少,但据推测,有能力的国家大多部署了水下固定声呐阵,以防止地方潜艇的渗透和袭击。此外,随着近年来恐怖袭击事件的增多,美、英等国母港都在针对这种非战争形势的打击方面有所准备。

同时,出于母港防御和战略安全的考虑,并不是所有的母港在功能上都追求大而全,一些保障功能被合理地分散在周边配套港口和军事设施上,包括海军航空站、船厂、油料和武器仓库等,特别是油库和弹药库是母港最大的安全隐患,因此它们相对较分散。

4.2 各航母战略母港维修设施

4.2.1 诺福克母港

1. 概况

诺福克港是目前全球最大的航母战略母港,现为美海军"艾森豪威尔"号、"罗斯福"号、"林肯"号、"杜鲁门"号和"布什"号5艘航母的常驻母港。该港常驻兵力占美国海军总兵力的16%,常驻舰艇分别占大西洋舰队的50%和美国海军舰艇总量的28%,是美国东海岸上海军的最大活动集中地,也是美国和世界上最大的海军母港,每年有3 100多艘舰艇进出。

诺福克港始建于1917年,隶属于美国海军大西洋舰队,为大西洋舰队的舰艇提供全方位的保障,也是美国海军在东海岸的指挥中枢和综合保障母港。该港驻扎大西洋舰队司令部、第2舰队司令部和北约大西洋盟军最高司令部。所在地还设有海军造船厂等完善的后勤、维修和支援设施。诺福克海军母港驻泊的航母大修和改装均在诺福克海军船厂或者纽波特纽斯造船厂完成。

1999 年 2 月,诺福克的海军航空站(Naval Air Station)和海军站(Nava Station)合并,合并改称为诺福克海军母港(Naval Station Norfolk)(图 4.1),占地面积 1.741×10^7 m^2,是美国最大的军港。该港常年驻泊约 75 艘舰艇,包括 5 艘航母,同时具备支持 E – 2C 预警机、C – 2 运输机和 CH – 46 直升机的能力。

图 4.1　诺福克海军母港

2. 基础设施与保障能力

诺福克海军母港充分利用了有利地形和水域,舰艇驻泊水域设置在汉普顿水道的入海口,出港向东 33.3 km 可驶入大西洋,受切萨皮克湾海浪影响较小,因此仅在最北段修筑了一小段防波堤,用以保护停靠在母港最北端码头北侧的舰艇。

诺福克港区与大西洋相连的航道条件经疏浚后相对较好。"尼米兹"级航母吃水 11.3 m,其对航道要求最低水深为 12.5 m。1969—1970 年,美国陆军工兵团对诺福克港的港池和航道进行了疏浚,使该地区的水深达到了 13.7 m;在后来的"弗吉尼亚诺福克港口和水道"工程项目中,又拓深至目前的 16.7 m。略有不足的是,进出诺福克港的航道较为狭长,因而海军航道管理部门在航道边缘设置了大量的浮标等指示性标志,间隔 0.46 ~ 1.85 km,以确保航母出入航行安全。

诺福克港内几乎都采用突堤式码头,以便尽可能保护航道的水流动力,避免港区泥沙淤积造成港口疏浚困难。

诺福克港码头数量为 15 座,包括 11.26 km 的凸堤式码头和顺岸码头。一般情况下,靠北的 2 座大型码头专供航母驻泊,另有 3 座仓库储运码头用于舰艇物资装卸载,剩下的 10 座用于各型舰艇的靠泊。2001 年 11 月,码头按照顺序重新编号,以消除重组后给人造成的迷惑;如果在现行编号的两个码头之间新建码头,新建的码头将在其前一个码头的编号后加上字母"A"等,以避免混淆。

2001 年以后,美国海军逐步开展了诺福克港的码头改造工作,将 2 号、6 号、7 号码头大规模改造成双层式码头,上、下层间高 2.7 m,上层码头距水面约 6.4 m,以更适于航母靠泊。

诺福克港的各类设施沿超过 6.44 km 的海岸线分布。

消磁设施包括 3 个消磁场,主要为舰艇提供消磁服务并进行备案,同时也为政府船只和友好国家的舰艇提供消磁服务及所需的技术支持与技术培训。

驻泊在诺福克的航母物资供应主要来自诺福克舰队和工业品供应中心(FISCN),主要职能是为大西洋舰队和进入该地区的海军部队及其他军方客户提供各种后勤保障服务。中心占地面积超过百万平方米,共有 899 座建筑物和 10 座码头,露天储存场 18×10^4 m^2,掩蔽库房 74×10^4 m^2,散装油料库储存能力为 55×10^4 t,每年物资发放量占全美海军物资总发放量的 43%。

诺福克港的油料保障由舰队与工业品供应中心油料部下属的 4 个国防油料补给点(DF - SP)负责,它们分别位于朴次茅斯的克拉奈岛上、诺福克海军母港、约克城和小克里克母港。克拉奈岛补给点是美国海军本土最大的国防燃料支援站,提供 F - 76 柴油和 JP - 5 舰载机航油等油料,内设油料补给码头,航母编队大型补给舰是这里的常客。

油料部的主要工作包括燃料油和润滑油的卸载和运输、燃料油回收、含油废物和废油的卸载和处理、油溢反应互助、油料回收装置保障等。该部油料供应齐全,除提供 F - 76 柴油和 JP - 5 舰载机航油外,还提供 JP - 8 通用航油、9250(L - 06)润滑油和 2190(LTL)润滑油等,年均分发油料 1 500 万桶,设施包括 83 个存储油罐和 160 km 以上的输油管线。

约克城海军武器站位于诺福克港西北 56 km 约克城附近,负责大西洋舰队舰用武器的存储保管、技术维护、后勤管理以及相关服务,在 1990 年前曾作为战术核武器存储母港储存了 120 枚战斧巡航导弹 W - 80 - 0 型核战斗部和 160 枚供海军舰载机使用的空投核弹。该站拥有两座武器转运码头,为舰艇编队补给军火。

诺福克母港还向舰队提供其他各种物品补给服务,同时为海军和海军陆战队训练提供方便,包括训练预备役人员、诸兵种联合训练和演习,并在后勤保障中心提供进行训练的项目所需设施;为海军膳食管理小组(NFMT)和海军交流舰队援助小组(FAT)提供舰队抵达日程信息;提供潮水区域训练日程安排信息以及相关的训练信息,并提供联络点,帮助各单位安排训练。

为了便于航母机动,诺福克母港配备了数艘大型港作拖船,负责将航母拖至泊位,通常情况下 2~4 艘拖船顶推就能够满足航母进出港口需要。此外还有 15 个机库供飞机保养、维修和改装。诺福克母港码头没有安装固定的港口机械,取而代之的是大型吊车和起重驳船,可配合航母上的升降机共同完成舰载机上下舰作业。

3. 周边船厂

诺福克母港周边的三座大型船厂可为航母提供维修、升级、改装等技术服务。

(1)诺福克海军船厂

诺福克海军船厂(图 4.2)是美国海军最古老的船厂,1767 年就已经开始船舶修理业务,目前是东海岸最大的船厂。该船厂位于伊丽莎白河南岸,靠近切萨皮克湾出口,距朴茨茅斯海军医院 1 600 m,距诺福克海军母港 22.22 km,总共占地 516.4×10⁴ m²,有 17 个生产车间,全部设施(包括附属设施)价值超过 20 亿美元。

图 4.2　诺福克海军船厂

诺福克海军船厂能够修理和现代化改装美海军全部类型舰艇,包括航母、潜艇、驱逐舰、两栖舰等。船厂现有约6 750名文职雇员和军事人员,雇员大都来自周边地区,其中70%的雇员为高级技能人才。

诺福克海军船厂最近一次航母大规模保障工程是历经13个月于2011年8月完成的"杜鲁门"号航母主桅换装及其他工程。新的主桅质量为5.08×10^4 kg,较拆除的旧桅质量增加1.04×10^4 kg,通过一台起重能力达450 t的起重机完成了吊装工作。

(2)诺福克造船与干船坞公司

诺福克造船与干船坞公司(NORSHIPCO)成立于1915年,位于汉普顿港;1970年进行现代化升级,投建了289.56 m×48.76 m的干船坞,并建设了相应的配套设施。1998年,诺福克造船与干船坞公司被凯雷投资集团(Carlyle Group)美国海洋修理公司(USMR)收购,成为美国东海岸最大的私人舰船修理企业,占地约445 500 m^2,航道深13.7 m。凯雷投资集团是华盛顿特区的一家私人投资公司,目前经营五家位于美国东、西海岸以及墨西哥湾沿岸的船厂。

美国政府始终是诺福克造船与干船坞公司的主要客户。在1992年3月出版的"政府承包商"目录中,诺福克造船与干船坞公司是位列前100强的国防承包商,公司现可修理美海军除核动力舰艇外的各种舰艇。

(3)纽波特纽斯船厂

纽波特纽斯船厂是美国当今唯一的航母建造厂,占地220多万平方米,有7座干船坞,最大船坞长662 m,是全美国最大的船坞;此外还有1座浮船坞和6个舾装码头。船坞和码头共配备吊车26台,其中包括起重能力超过1 000 t的龙门吊。该公司的船体车间面积44 540 m^2,设有全天候的自动生产设施,各类焊接、切割和成型设备50多台,可加工厚度3~150 mm、长18 m的钢板。舾装车间面积11 150 m^2,高达10层楼房的舱室舾装设施内有空调设备,可满足精密电子仪器对环境的要求,并备有自动输送和液压定位设备,可全天候作业。铸造车间最大铸造能力达65.9 t;机械加工车间有150多台机床,可制造各种机械如大型螺旋桨等。

1998年,纽波特纽斯船厂开始建立弗吉尼亚先进造船与航母集成中心(VASCIC),并于2001年6月正式运行,从事航母设计、系统集成与试验、新技术植入研究等工作,成为美国航母的主要管理与集成中心。弗吉尼亚先进造船与航母集成中心（VASCIC）汇集了与航母技术相关的 700 多名专家,分别来自纽波特纽斯船厂、系统开发商、海军相关项目管理机构和海军舰上人员,进行航母作战系统测试、训练和实验室研究。

为更好地建造"福特"级航母,纽波特纽斯船厂近年来新建了重型弯板车间、室内模块装配车间、室内模块舾装车间以及室内设备组装车间,这些车间均配备技术先进的机械设备,活动屋顶设计使工人既可以不受天气干扰工作,又可以方便地将装配好的模块吊出。

4.2.2 圣迭戈母港

1. 概况

圣迭戈海军母港(图 4.3)是美国本土第二大军港,位于加利福尼亚州与墨西哥交界处北纬 32°45′,西经 117°10′的圣迭戈。西临太平洋圣迭戈湾,扼控太平洋东部海域,地理位置十分重要,港外有半岛掩护。圣迭戈湾长约 22.5 km,入口处水深 16.7 m。自航母驻泊圣迭戈港后,航道入口大幅加宽,圣迭戈湾北部航道包括航母转弯区域的水深疏浚至 12.8 m;进入航道 4.8 km 处后,疏浚航道宽度缩小到 183 米,并保持这一宽度,直到航母转弯区(克罗纳多岛的北部);航道中央(进入航道后 11.4 km 到 14.2 km 处)水深 12.2 m 左右,圣迭戈湾南部(进入航道后 14.2 km 到 19 km)水深 10.7 m。

图 4.3 圣迭戈海军母港

美军最早于1919年将圣迭戈港开辟为军港。从1922年至1943年,该港的主要任务是负责维修第一次世界大战中退役的驱逐舰。1943年,圣迭戈更名为美国海军维修母港,其职能也扩大到维修和保养海军现役战舰。直到1946年,该母港才被正式命名为"圣迭戈海军母港",其主要任务是为太平洋舰队提供后勤补给。冷战结束后,为应对亚太地区的整体崛起,美国已将圣迭戈打造成为美国海军在本土的第二大母港,常驻兵力达到3.5万人,文职人员7 000多名。

目前,圣迭戈母港中驻有美太平洋舰队总部、第三舰队司令部和太平洋舰队主要下属水面舰艇司令部、航空兵司令部、训练司令部等重要指挥机关。港口西岸的科罗纳多设有两栖作战母港,设有北岛海军航空站,周围还建有潜艇母港、舰队反潜母港、勒摩尔海军航空站、巴尔博亚海军医疗中心、埃尔森特罗海军航空设施、锡尔滩海军武器站等。

圣迭戈母港分为两大区,通常称为"湿"区和"干"区。"湿"区内有70个岸上中级维修站(SIMA)和海军母港行政大楼,中级维修站附近有便利店、娱乐中心和餐饮店等;"干"区内有舰队训练中心(FTC)、医院和牙科诊所、健身房、剧场和生活区。

从总体功能划分看,圣迭戈港主要由航母停泊码头区、航母码头工业区、行政管理办公与军事营区三部分组成。

2. 主要设施

(1)港口与码头设施

庞大的圣迭戈港目前已发展为一座城中之城,一部分位于圣迭戈市,一部分位于纳雄耐尔城,是美国海军72艘舰艇和2艘美国海岸警卫队巡防舰的常驻母港。设有120多家军事机构,其中较大的有公共工程中心、舰艇快速维修站、舰队训练中心、太平洋海上训练大队圣迭戈队、美国海军西南区维护中心、国防物资局国防物资配送中心、舰队工业供应中心舰队后勤部、舰队和家庭支援中心、近海战斗舰中队、海军商业区海军西南法律服务所、海军罪案调查处(NCIS)、美国公共工程中心以及培训中心等。

圣迭戈海军公共工程中心成立于1963年7月1日,主要是为圣迭戈港的海军机构提供公共工程服务和产品管理。如今海军公共工程中心还包括新成立的海军陆战队密拉玛(Miramar)航空站、康科特海军武器站等单位。

　　航母停泊码头区主要由 3 个核航母码头和 1 个常规航母码头组成,是美国历史上第一座航母码头,美海军第一艘航母"兰利"号曾首先部署在此。该码头区由最初的一个常规航母码头扩建成 4 个常规航母码头,后随美国核动力航母的增多又改建和扩建成 3 个核航母码头外加 1 个常规航母码头。由于核航母码头相对于常规航母码头有着更高的电力供应和码头水深等苛刻要求,因此,所有常规航母码头必须经过大规模扩建和改建后才能供核航母使用。

　　目前 4 个航母码头均建在圣迭戈湾北部西岸的深水港内,深水港自身构成航母转向港池,其中,3 座码头沿西北至东南走向与圣迭戈湾内航道平行,另一码头与圣迭戈湾内航道横切。3 座核航母码头的基本技术规格大致相同,每个码头设计全长约 396 m、宽 27.4 m;水深超过 15 m;平台高 15~21 m,采用钢筋混凝土建造。除建筑材料和设计规格方面的差异外,常规航母码头与核航母码头的外形尺寸基本相同。

　　3 座核航母码头建造在码头区北面,由北向南依次连接,常规航母码头位于最南侧。通常情况下,航母驻港停泊按照由北至南的顺序,最先到来的航母停泊到北部的泊位上,之后依次向南排列。因此,一般情况下南部的航母码头都处于空闲状态,用来停泊巡洋舰、驱逐舰和补给舰等大型水面舰艇。4 个码头同时停泊航母的情况极少发生。

　　按照设计要求,降落到 4 个码头的雨水经过处理后再被排放到圣迭戈湾内,此举不会影响码头的正常工作。码头上的每个排水口都安装了一套水涡状 TM 型集中器,并按大小顺序排列,可高效地排放雨水和各种沉积物以及飘浮的油污和垃圾。

　　航母码头工业区分为三大部分,分别是南部工业区、北部岸基码头工业区和西部工业区。南部工业区位于常规航母码头和最南侧核航母码头的西侧,北部岸基码头工业区位于 3 个核航母码头的北部岸基区内,西部工业区位于北部岸基码头工业区的西侧。

　　南部工业区以 3 座大型工业车间大楼为核心,由于靠近常规航母码头,因此,其支援对象主要面向巡洋舰、驱逐舰、补给舰等大型水面舰艇,可提供完善的军舰后勤保障与支援服务。

　　北部岸基码头工业区靠近 3 个核航母码头,因此,其工业支援均以核航母为主要对象。该工业区内有超过 10 座各类工业车间大楼,主要包括改装车间、维修车间、大型备件储存仓库、装备分级储存库等,可对核航母提供全方位的保障。

西部工业区主要由 6 栋大型工业车间大楼组成,位于东北角的 1 栋为航母码头工业区内最大的工业车间大楼,为核航母停泊提供各方面的后勤保障服务。

行政管理办公与军事营区位于北岛的东北角,是第 1、第 7 和第 11 三大航母打击群司令部驻地,第 1 巡洋舰与驱逐舰大队、第 7 驱逐舰大队和第 21 驱逐舰中队三大作战舰队司令部驻地;军事营区则是各舰队和作战舰队官兵的居住与生活区。

（2）维修设施

圣迭戈港的舰艇修理母港位于港口南部,分为北部母港和南部母港。一座钢筋水泥码头将舰艇修理母港与圣迭戈湾隔开,目前改建成为停车场。

除了圣迭戈港的主要维修设施和岸上中级维修站外,1999 年 4 月起,还在诺马角(PointLoma)潜艇母港处设立了中级维修站和潜艇维修部。

圣迭戈港的西岸设有北岛海军航空站,周围还有潜艇母港、巴尔博亚海军医疗中心、埃尔森特罗海军航空设施、国家钢铁与造船公司等。

美国国家钢铁与造船公司位于圣迭戈湾,是美国西海岸唯一的大型舰船建造与修理厂。1959 年起开始造船,擅长于军辅船(包括海军特种舰艇和补给舰)和大型商船(如油轮、干货船)的设计与建造,现有员工 4 700余人。

美国国家钢铁与造船公司因其特殊的地理位置和强大的修造船能力,现已成为美国海军的主要舰艇维修商、太平洋舰队的主要维修地。公司可为海军舰艇提供全面服务,如大型结构和管路改造、机械设备维修改装、作战系统和电子设备升级、紧急维修等。大型浮船坞主要用于各型两栖战舰的维修、保养服务。

3. 北岛海军航空兵基地

海军航空站是航母战略母港配套设施中不可或缺、地位突出的重要组成部分。位于圣迭戈市的北岛海军航空兵基地(海军航空站)是美国西海岸地区最大同时也是太平洋地区最大的海军航空工业设施群。

北岛海军航空兵基地占地约20.23 km²,目前驻扎着23 个飞行中队,另有80 多个海军部队司令部分布在北起圣迭戈湾入口处的科罗纳多市,南至美国与墨西哥边界线之间的国土上。

北岛航空兵基地位于加利福尼亚州圣迭戈湾西部科罗纳多半岛的北端,三面环海,是科罗纳多海军基地的一部分。为避免和邻近的圣迭戈林德伯格机场产生干扰,大多数飞行操作被安排到机场南部区域。

目前,部署在北岛航空兵基地内航母上的舰载机主要包括 S-3 反潜H-46 直升机和 H-60 直升机,而 E-2 预警机则重新部署到穆古角海军航空兵基地,性能更好的 F-18E/F 等战斗机则搬迁到飞行限制较少的地区,如米拉马海军陆战队一级航空基地和勒莫尔海军航空兵基地。尽管如此,北岛海军航空兵基地依旧占据着十分重要的地位,尤其是随着阿拉米达海军航空兵基地的关闭,北岛已经成为美海军在西海岸唯一一处可停泊核动力航母的海军航空兵基地。

基地主飞行跑道与飞机滑行道区以两条交叉式主跑道为核心。其中,一条跑道长2 286 m、宽91 m,跑道表面为 PEM 材料(部分混凝土、沥青或沥青碎石),跑道西北部建有长183 m、宽91 m 的缓冲区;另一条跑道长2 438 m、宽61 m,表面同样为 PEM 材料,跑道南北两侧均建有181 m 长、61 m 宽的缓冲区。两条主跑道附近分别设有直升机清洗区、危险物处理区、机载武器装卸区、加油区等各种功能支援区,并通过众多的滑行道与停机坪相连。

北岛海军航空仓库位于北岛西北部,1919 年起就作为北岛海军航空兵基地的装配和维修部投入使用,1969 年还曾经作为一个独立的司令部存在,即美海军航空改装处,1987 年改称现有名称。该仓库目前编制为390人,专业领域主要集中在飞行器、发动机和相关航空组件方面,但也正在不断提高对美海军两栖部队、水面舰艇部队和潜艇部队的支援力度。该仓库可为 F-18,E-2,S-3 等战机提供工程、校准和检修等服务。此外,还负责向前沿部署的美舰和前沿基地派遣维修小组,这些小组可维修各种航空飞行器的结构和组件、航母的蒸汽弹射器和拦阻索,以及大多数舰载航空设备。

北岛海军航空兵基地在加州设有两处分机场,一处是圣克利门蒂岛海军辅助机场,位于圣迭戈市西北 112.6 km 处海峡群岛的最南端;另一处是帝国海岸海军机场,位于北岛海军航空兵基地以南 16 km 处。

(1)圣克利门蒂岛海军辅助机场

圣克利门蒂岛海军机场即当地所称的弗雷德里克－谢尔曼机场,位于美国加州洛杉矶的圣克利门蒂岛。圣克利门蒂岛由美海军负责管理和操作,地表总面积 50 km²,全岛由西北向东南延伸,南北全长约 39 km,东西最宽处约 8 km,是美海军唯一的舰岸实弹射击靶场。岛上设有圣克利门蒂岛美国陆海空三军协同作战训练中心靶场基础设施群,占地总面积 8.99 km²。

目前,圣克利门蒂岛主要承担两方面的军事任务,一是负责全面支援美太平洋舰队的海军航空兵战术训练,二是继续作为美海军武器系统研发的重要后勤保障基地。该岛是美海军和海军陆战队共用的训练场,美海军大部分非常重要的军事训练都在位于圣克利门蒂岛岸基海滨区内的圣克利门蒂岛综合靶场进行。该靶场由 72 处靶场和作战区组成,其中,最重要的一处训练场占地总面积超过 0.386 km²,是美海军最繁忙的一处舰队航空训练场。

(2)帝国海岸海军机场

帝国海岸海军机场是一处主要用于直升机后勤综合保障的基础设施群,位于圣迭戈市南部大约 23 km 处的加州帝国海岸市内,占地总面积为 5 km²,是美国西海岸唯一一座专用的舰载直升机机场,是世界最大的直升机基地。该机场配备一条长 1 524 m 的飞行跑道和 5 个直升机着陆场,可进行大多数隶属于太平洋舰队管理的直升机的训练,特别是直升机性能评估报告和起落航线训练。该机场主要承担太平洋舰队舰载直升机的训练任务,共有 11 个作战和巡逻直升机中队使用该机场。按照惯例,驻扎在北岛海军航空兵基地内的舰载直升机都要到该机场训练。

4.2.3　吉特萨普母港

1. 概况

吉特萨普(Kitsap)母港(图 4.4)位于北纬 47°33′,西经 122°38′的华盛顿州吉特萨普半岛。2004 年 6 月 4 日,由班戈(Bangor)潜艇母港和布雷默顿(Bremerton)海军站合并而成,是美国西北部最大的海军机构。2005 年,该港获得"美国最佳海军母港"称号。

图 4.4　吉特萨普母港

吉特萨普港位于普吉特湾中部,与在其东北方向相距很近的埃弗雷特海军母港同属太平洋舰队,周围还设有普吉特海军船厂、基波特(Keyport)水下作战中心、太平洋战略武器设施和印第安岛海军军火库,惠德贝岛上设有海军航空站。

2.母港周边设施

（1）布雷默顿海军站

布雷默顿海军站固定舰艇维护设施坐落于普吉特海军船厂边,最初负责管理封存的等待向国外出售的舰艇。鉴于往来、驻泊的舰艇越来越多,布雷默顿海军站因此成立,其目的是为了给在普吉特停靠的舰艇提供集中保障。

布雷默顿海军站建于 1998 年 10 月 1 日,杰克森公园住宅区是专为布雷默顿海军站的工作人员建设。1999 年 7 月,海军制定了《最终环境影响报告书》,为太平洋舰队的 3 艘尼米兹级核动力航母选定合适的母港,当时比较倾向于在加利福尼亚州北岛海军航空站建设保障设施驻泊两艘,而将另一艘驻泊在华盛顿州埃弗雷特海军站或华盛顿州普吉特海军船厂。

布雷默顿海军站成立前,普吉特地区有多个指挥部,运营保障服务分别由不同部门提供,每个部门都有管辖范围和责任划分,采购、维护和所有装备设施修理的基金依各部门的财政预算而定。普吉特地区海港运营保障服务的主要部门是埃弗雷特海军站、班戈潜艇母港、哈洛克港（Hadlock）希尔海滩分遣武器保障设施、基波特水下作战中心、普吉特海军船厂和惠德贝岛海军航空站。

布雷默顿海军站成立后，港口运行活动直接受海军站指挥，部门之间合并，最终形成了三个较大的部门，即埃弗雷特海军站、班戈潜艇母港和布雷默顿海军站。基波特和哈洛克港的港口运营隶属于班戈潜艇母港，惠德贝岛海军航空站的港口运营隶属于埃弗雷特海军站，"三叉戟"核潜艇改装设施和普吉特海军船厂为班戈潜艇母港和布雷默顿海军站提供服务。

（2）普吉特海军船厂

普吉特海军船厂位于普吉特湾西部，与布雷默顿相邻，是美国西海岸最大、功能最多样化的海军船厂，无论是从企业规模还是雇佣员工的人数上来说，普吉特海军船厂在华盛顿州的所有工业企业里都位居第二。该厂陆地面积 $132 \times 10^4 \ m^2$，382 座建筑物总面积 $56 \times 10^4 \ m^2$，总资产计 4.33 亿美元；船厂水域面积约 $137 \times 10^4 \ m^2$，共有 9 个码头，深水岸线总计 3.8 km。普吉特海军船厂所在地气候温和，常年不冻，可以停泊各种吨位的海军舰艇。船厂共有 6 个干船坞，其中 6 号干船坞是西海岸最大的船坞，可满足航母进坞需要；3 号船坞可用于舰艇建造，并由坞门一分为二，配有重型起吊设备。

4.2.4 埃弗雷特母港

1. 概况

埃弗雷特母港（图 4.5）位于西雅图以北 46.3 km 的埃弗雷特市码头区域。1994 年 9 月埃弗雷特军港开始驻泊美军第一批舰艇；1997 年 1 月"林肯"号航母驻泊埃弗雷特港。1999 年 7 月美国海军完成了最终环境影响声明（Final Environmental Impact Statement）。因此，海军花费了 18 个月来检查港口，以考察它们是否满足航母驻泊的客观条件和要求，如训练和军事行动，服务设施和基础条件、维护和生活质量。研究也分析了在其他备选港口驻泊航母对这些港口潜在的环境影响，最终将该港正式确定为"尼米兹"级航母的常驻港。

图 4.5 埃弗雷特母港

2. 母港设施

埃弗雷特母港的海军联合保障中心位于港口以北 20.75 km 处。埃弗雷特母港主要的舰艇停靠设施为 Alpha 码头，该码头长 494 m，宽 36.6 m，两侧都能停靠船只。码头呈东北 – 西南走向，水深逐步加深，东北端深 8.8 m，西南端深 19.8 m。另一座 Bravo 码头位于 Alpha 码头东侧，单侧停靠舰艇，长度比 Alpha 码头稍短，宽度相似。1996 年的一次调查显示，Alpha 码头与 Bravo 码头之间的水深在 13.1～13.7 m。

埃弗雷特母港无专用的军方拖船，舰艇进出港一般使用商用拖船。海军拖船都停泊在距埃弗雷特约 63 km 的班戈潜艇母港。必要使用时，须提前 72 小时向普吉特桑德（Pugetsound）海湾的港内最高指挥官预约。

3. 周边设施

埃弗雷特母港周边有普吉特海军船厂、惠德贝岛航空站、奥尔特海军航空站、华盛顿库珀维尔外围机场和一些生活保障设施。

普吉特船厂是美国西海岸最大的船厂，也是美国海军最好的船厂之一，1991 年曾获美军总司令（总统）颁发的优秀企业奖。同时也是西北地区最大的海军岸上活动区。不论是从设备投资还是从员工数量上看普吉特船厂都是华盛顿州的第二大工业企业，业务多元化显著。船厂拥有检修各种类型和吨位的海军舰艇能力，厂区庞大，可同时停泊一艘核动力航母、两艘核动力巡洋舰和三艘军辅船（两艘大型战斗支援舰和一艘补给油船）。

普吉特船厂重要的功能包括改装、建造、封存和坞修各种类舰艇。船厂拥有多支修理队,可赴舰艇驻泊港完成需要的修理工作。

4.2.5 横须贺母港(日本)

1. 概况

1951 年 4 月,横须贺母港内(图 4.6)的舰艇修理部升级成为一个下属司令部,被指定为舰艇修理厂,在朝鲜战争和越战期间为美国海军第 7 舰队修理了大量舰艇,是美国在西太平洋最大的战略母港。该厂能够修理美国海军内的任何舰艇,包括常规动力航母,几乎能够进行任何级别的维修工作。横须贺舰艇修理厂拥有出众的舰艇修理能力,不但使"中途岛"号、"小鹰"号等航母的出航率一直名列前茅,而且为其一再延长服役期提供了保证。

图 4.6 横须贺母港

横须贺母港位于日本三浦半岛的中部,神奈川县的东南,地理坐标北纬 35°17′,东经 139°40′;东临东京湾,距东京 65 km,距横滨 30 km。横须贺港水域面积约 30 km^2,水深 7 ~ 30 m;第一区被划为军事禁区,面积约 230×10^4 m^2,禁止一般船舶驶入。港内设有舰艇停泊、修船、油料和弹药储存及兵员休整等设施,是美国在远东地区最大、功能最全的军港,也是美国在海外最大、最具战略意义的军港,共驻有 27 000 名军事和非军事人员。

依据美海军的"全球战略",横须贺是其必须依靠的母港,也是美军在西太平洋上的重要根据地,尤其是针对第7舰队而言。自1973年"中途岛"号航母战斗群进驻后,横须贺成为美军在海外唯一的航母战略母港。

横须贺是美国东北亚基地群中最大的海军基地,也是美军在西太平洋最大的海军舰船维修基地。横须贺是美海军第7舰队司令部和驻日海军司令部所在地。该基地是连接佐世堡、吴港、镇海、釜山、仁川、浦项、群山、那霸、中城湾、横滨等海军基地和港口的中心。横须贺基地不仅是美海军第7舰队的指挥、通信中枢,也是美海军兵力在远东的主要战略集结地和出发地,对保持美军在西太平洋海上作战的快速性、机动性和持久性具有重要作用。同时,横须贺还是美军位于西太平洋的军事后勤供应和维修中心。当舰队兵力在基地驻泊时,负责泊地的警戒,为舰艇补充油料、食品、弹药和其他物资,检查和修理舰艇及其武器装备,为官兵提供医疗、居住、休息和娱乐条件,以及财务管理等。横须贺基地是保障美军应付各种现代海上战争而进行战斗准备的主要依托,对加强海上防御纵深、提高远洋作战能力具有重大作用。横须贺基地控制着宗谷、津轻、对马三个海峡和印度洋中部的海、空航道要冲,是"岛链"的首要环节,既可支援朝鲜半岛的陆上作战和西太平洋的海上作战,又可支援中东、波斯湾地区的作战,还可监视和控制印度洋的广大海域,战略地位十分重要。

2005年11月,美国海军宣布在驻扎横须贺的"小鹰"号常规动力航母退役后,核动力航母"华盛顿"号替代进驻横须贺,这是二战后美军首次以日本领土作为核动力航母的常驻港。"华盛顿"号航母进驻之前,完成了相关基础设施改建工作,其中,疏浚航道和泊位是各项配套工程中较大的项目。

"华盛顿"号总长333 m,较"小鹰"号长出10 m,吃水多出0.5 m,达到11.9 m。因此,对水深12~14 m的12号码头附近水域必须深挖2 m,才能保证"华盛顿"号进出港的安全。为此,从2007年5月到2008年8月,利用疏浚船、起重船、运沙船等大型工程船连续作业,对大约30 hm^{2}的海底进行挖掘,共计运走约60×10^4 m的泥沙,整个工程耗资64亿日元。

"华盛顿"号进驻横须贺面临的另一个重要问题是如何修理和维护核反应堆。横须贺港此前缺乏核反应堆的维护条件,新建相关设施面临政治和财政的困难。不过,美国海军核反应堆可靠性较好,以前虽然出现过因为操纵失误造成一回路冷却水泄漏的事故,但并没有反应堆本身发生问题的公开案例。可以推测,即使在横须贺部署核动力航母,应该也不会出现在这里修理反应堆的需要,而且两座核反应堆同时出现问题的概率很低。如果确有维修必要,航母可以返回夏威夷或者美国本土进行修理。

此外,核动力推进系统以外包括汽轮机在内的机械系统与以前的常规动力航母并没有太大区别,这部分的维修依靠横须贺港的技术人员是可以完成的。

横须贺的小海港区自1966年以来核潜艇经常停靠,设有放射性监测柱。随着"华盛顿"号进驻横须贺,该港进行了扩建工程,主要是码头扩建和增加核保障设施。

2. 母港设施

(1)基础设施

战后美军正式进驻横须贺港后,对各种设施进行了一系列的修缮和扩建。为了能够停靠长达170 m的斯普鲁恩斯级大型驱逐舰,1985年4月至11月间对原有6号和7号驱逐舰维修码头进行扩建,将码头的长度由原来的118 m增加到172 m;并在距码头54 m处的水域内,建造了一个混凝土桩基的系船岛(形状像突出的堤码头),"岛"与码头之间由铁桥相连。同时,疏浚了海湾入口处周围约28×10^4 m^2的水域,并利用这些疏浚沙土填海造地7×10^4 m^2,不但提高了舰艇停泊能力,也为住宅建设和其他军事设施提供了人造土地。经常停靠航母、核潜艇的12号码头和第7潜艇群司令部附近的新仓库,也是通过凿岩平地后新建的。

目前,美军在横须贺港共有各种码头18座,总长度近3 km,分为19个泊位,2座分别长255 m和280 m的码头可供航母停靠。随着"华盛顿"号的进驻,280 m码头的长度延长到414 m,宽度也增加5 m。

此外,横须贺港还新配备了大型吊车,兴建了高压输变电、冷却水供应、放射性废物储存等设施。

(2)辅助设施

横须贺港内设有驻日美国海军司令部、横须贺舰队母港指挥部、第7潜艇群司令部、舰艇修理部、补给站、工程中心和地区医疗中心等机构。

横须贺港补给由横须贺海军补给站负责,舰艇和飞机用的燃油主要储存在港对岸港区内的吾妻岛上,岛上储油设施面积约 $84 \times 10^4 \text{ m}^2$,有大小油罐 37 个,储油能力约 $40 \times 10^4 \text{ m}^3$,包括舰艇燃油、航空燃油等 8 种油料。此外,在 30 km 外的横滨还有一座柴油库,占地约 $52 \times 10^4 \text{ m}^2$,并有 26 个储油罐,可储油约 $42 \times 10^4 \text{ m}^2$,设有两座长达 708 m 和 138 m 的栈桥码头,可供油轮直接停靠装卸燃油。

在距横须贺港不远的浦乡设有弹药库,设施面积约 $18 \times 10^4 \text{ m}^2$,有地下洞库 19 座,地面库房 5 座,储弹量 $2 \times 10^4 \text{ t}$,并有完善的码头装卸设备。

横须贺港拥有美军在西太平洋唯一的一个消磁场,并与日本海上自卫队共用。

美国海军进驻横须贺后,与日本海上自卫队共用水雷调试所,并将其迁到吾妻岛,场地较原来扩大 10 倍以上,面积达 $21 \times 10^4 \text{ m}^2$,并改名为水雷维修所。

横须贺港生活设施齐全,设有小型购物中心、舰员休息场所、健身房、理发店、海外电话服务中心以及滚轴溜冰场、网吧等娱乐设施。

横须贺港原本还拥有气象和海洋观测设施,1999 年 4 月拆除,原因是 1999 年 1 月美国海军已将联合台风预警中心转移至夏威夷珍珠港。

为保障核动力航母和潜艇的驻泊,横须贺港还修建了热力发电站、淡水工厂等相应的支援保障设施。核动力航母和核潜艇进港后,通常要关闭反应堆,停止供热,舰上的发电设备和淡水制造设备均停止工作。为了满足"华盛顿"号驻泊,在 12 号码头右侧的岸上修建了装机功率 39 MW 的燃气轮机发电厂,其中 20~30 MW 供航母和潜艇停泊时用电。横须贺港原有为在港舰艇供电的发电厂,此次扩建增加了装机容量,今后的运营由日本电业公司负责,所以建造费用也由厂方承担,美军则支付电费。

航母停靠码头后,舰上的反应堆虽然停止工作,但其堆芯仍然保持着很高的温度,内部积聚的热量一时无法消散,所以需要大量高纯度淡水进行冷却,而这时舰上的淡水制造设备已经停止工作,只能依靠岸上设备供水。横须贺港原有一座淡水制造厂,为了满足"华盛顿"号驻泊,在 12 号码头附近又新建一座。

3. 舰艇修理设施

横须贺美国海军舰艇修理厂(SRF)是美国本土以外西太平洋地区最大

的海军舰艇修理厂,基本能够修理核动力航母以外的任一类型舰艇。该厂前身是德川幕府时代的"横须贺制铁所"。第二次世界大战期间,该厂是当时日本海军最大的舰艇修造地,雇用员工约40 000人,建造了100多艘战舰。

美军在1947年4月28日重新启用该厂,作为横须贺舰队的"舰艇修理部",当时船厂占地291 370 m²,大约是第二次世界大战前的四分之一。1951年8月15日,该厂被美国海军正式命名为"美国海军舰艇修理厂"。

横须贺海军舰艇修理厂拥有6座干船坞,建于1869—1940年,其中1~5号船坞可进坞舰艇排水量分别为4 000 t,6 000 t,1 000 t,5 000 t和8 000 t,目前与日本海上自卫队共同使用,最大容积22×10⁴ m³的6号船坞则由美海军单独使用。该船坞最初是为建造第3艘"大和"级战列舰"信浓"号建设,并从事过"大和"级战列舰的维修工作,现主要用于维修航母,是美国在夏威夷以西海区能容纳航母的唯一船坞,也正因为如此,美军将港内的1~5号船坞交给日本,唯独保留了6号船坞的专门控制权。像这样规模且美军可以随时自由使用的船坞,从夏威夷向西一直到印度洋、东非海岸,都没有第二处,这也是美军把航母母港设在横须贺的重要原因。

为了保障"华盛顿"号航母进驻后的维修需要,在12号码头附近原10号、11号码头的地方,新建了用于停泊2艘修理船和1艘住宿泊船的码头。航母大修时将有超过600名的技术人员从美国来到日本,届时大部分人将住在船上。

4.2.6 梅波特母港

1. 概况

位于佛罗里达州的梅波特母港(图4.7)自从1942年12月建立以来,现已发展成为东海岸第二大、美国第三大海军舰队聚集区,高峰时常驻舰艇曾达到30多艘,1987年起作为2艘常规动力航母的母港。自2007年"肯尼迪"号航母退役后,美军开始该港的改建论证,未来有计划部署1艘核动力航母。

2. 周边船厂

梅波特母港附近有3家舰艇修理企业,分别是BAE系统杰克逊维尔东

图 4.7　梅波特母港

南船厂、伯爵工业公司和北佛罗里达船厂,3 家企业都获得了美国海军的认证,可以承担海军舰艇的非核维修和现代化改造。

(1)BAE 系统杰克逊维尔东南船厂

该厂是佛罗里达州东北部 3 家修船厂中最大的一家,拥有现代化的船舶修理设施,毗邻梅波特海军母港 F 码头(被提议为核动力航母在可用性维修期间停靠的码头)。BAE 系统在梅波特港设有一个行政机构,可以执行招标、执行规划和项目管理等,位于港区的设施主要包括管件车间、焊接车间、电气车间、索具车间、喷漆车间、泵车间、钢板车间、绝缘和保温材料车间与仓库。

除位于梅波特港的设施外,港口圣约翰河对面的船厂硬件设施也具备一定能力,主要包括 1 座 4 000 t 级的滑道和一座 1.35×10^4 t 级的干船坞,可以为海军舰艇和商船提供维修服务。

(2)伯爵工业公司

伯爵工业公司位于梅波特港的船厂是专门为海军舰艇维修设计的,占地面积 8 093.71 m^2,毗邻 F 码头,包括设备齐全的机械车间和船体车间、电气维修车间、钢板车间和管件车间;此外,2007 财年建造了设备齐全的 2 787.09 m^2 厂房,距离码头 457.2 m,具有将维修工具和设备通过集装箱运送到码头作业现场的能力。同时,该厂还长期租借一个 929.03 m^2 的仓库和 8 093.71 m^2 的临时储存区。伯爵工业公司梅波特,港船厂的全职员工约 120 名。此外,公司在诺福克地区有雇员约 570 人,可以在需要时对梅波特港船厂提供支持。

目前,伯爵工业公司主业是海军舰艇的修理和改装,是美海军核动力航母多舰多选项合同(MSMO)的主承包商,为航母指定母港的所有同级舰提供维护和修理服务。

2012年,通用动力公司签署协议购买了此时拥有雇员500余人的伯爵工业公司的修船和涂装部门,此举加强了通用动力公司向美国海军提供高费效比维护和修理服务的能力。

(3)北佛罗里达船厂

北佛罗里达船厂位于梅波特港的船厂占地 10 117.14 m^2,厂区面积约 5 574.18 m^2,毗邻梅波特港 F 码头。船厂有船体车间、管件车间、机械车间、电气车间、索具车间、涂装车间和材料储存仓库。此外,北佛罗里达船厂在杰克逊维尔还有一家可以对梅波特港船厂提供支持的民船船厂。两家船厂共拥有 235 名全职员工。

第5章 美国"尼米兹"级航母维修案例分析

所有的"尼米兹"级航母在服役第23年的时候都要计划进行换料复合大修。1998年5月,美国海军"尼米兹"(CVN68)号航母进入纽波特纽斯造船厂开始进行换料复合大修。在换料复合大修中,核反应堆重新加注燃料,舰船的结构、系统和子系统经过了修理和新技术升级,使航母适应未来战争理论和国防政策变化的需要。截至目前,美国海军已进行了5艘核动力航母的换料复合大修,其中"尼米兹"号是该级舰第一艘进行换料复合大修的航母。这个复杂项目的海军造船预算总计约22亿美元,历时5年规划和3年执行之后完成。

由于大修期间预算和工作需求的多种变化,以及历时4个月的工会罢工,该项目完成的时间推后了几个月,而且费用也超出了合同确定的数据。因为该级舰未来还有9艘需要进行换料复合大修,所以航母项目执行官要求兰德公司对"尼米兹"号航母换料复合大修的计划和执行情况进行评估,指导今后航母换料复合大修更加合理化。预算总量的增加是如何做解释的?这种增长的源头是什么?在哪些方面规划和执行管理达不到理想的状态?这些问题的答案将有助于管理未来的航母换料复合大修,未来的换料复合大修将不得不面对更多严格的预算限制。

本案例分析有三个主要目标:确定与量化"尼米兹"号航母换料复合大修最初的费用、进度期间和最终结果之间的差别;理解影响成本和进度差异的各种因素;确认可以提高未来"尼米兹"级航母换料复合大修表现的计划和执行的变化。本章介绍了这些任务的研究成果。这些建议和过程的改进大多已经实施,并取得了积极的成果。

5.1 "尼米兹"级航母维修案例简介

为航母提供动力的核反应堆的燃料总会在某个时候耗尽,这些核燃料是在建造之初注入的。对于当前的"尼米兹"级航母而言,燃料耗尽会出现在约第23年。因为航母的服役寿命在40年以上,所以在当燃料耗尽的时候就要重新加注燃料。在舰船重新加注的同时,也是进行一次复合大修的时候,更换或者维修破损的部分,对系统进行现代化改进。现代化的重点有两个:第一,各级舰船的作战系统和作战能力,达到换料复合大修之后部署所需要的标准;第二,对其分配系统(如饮用水、航空燃油、配电和空调系统)进行重大的调整,使分配系统确保在该舰剩下的服役寿命生涯中可以进行进一步的升级。

1998年5月29日,美国海军"尼米兹"号("尼米兹"级的首舰)航母进入美国海军航母建造商纽波特纽斯造船厂进行换料复合大修。鉴于航母的大小和它的系统及子系统的数量,换料复合大修极为复杂、昂贵且耗时。当"尼米兹"号航母2001年离开造船厂的时候,换料复合大修规划和执行的总费用达到了22亿美元以上。

该项目的运行情况并不让人意外,但是进度确实后延了几个月,执行合同的非核部分的费用和协议合同价格相比上涨约20%,一些希望进行的大修也没有获得批准,一些工作被移到了后续的试航后有效性维修(Post-Shakedown Availability,PSA)/有选择的限制有效性维修(Selected Restricted Availability,SRA)中去,紧随换料复合大修之后。

"尼米兹"级航母最后一艘即第10艘的建造工作已经开始。因此,根据目前的计划,9艘"尼米兹"级航母将接受寿命中期换料复合大修。每个换料复合大修计划耗费近三年时间,所以未来25年中会持续有1艘航母处于换料复合大修。该级舰第二艘,"艾森豪威尔"号已经进入船厂,而"卡尔文森"号的换料复合大修的计划工作也在推进当中。海军需要抑制成本增长和减少未来换料复合大修进度延期的情况,这些超出了预算安排和行动时间表。成本和进度的增长可以使获得预算或完成一些任务变得困难甚至不可能,最终的结果是1艘战舰的能力至少暂时作战能力达不到要求。

在这章案例中,我们分析了"尼米兹"号航母换料复合大修规划和执行情况。我们研究了成本数据,以更加精确地确定成本增长的因素,我们设法确定政策、程序、方法和技术的变化,这些变化将有助于海军更有效地管理剩下的换料复合大修。

我们的分析集中于换料复合大修的非核部分。"尼米兹"号航母换料复合大修的核心部分已经在最初的合同费用之内或者之下完成。

经过研究得出,最后换料复合大修成本的评估是在不断变化和更新的,以反映测试结果、不断变化的技术以及获得授权的增长。我们对于成本增长的评估,是以海军和纽波特纽斯造船厂的最新数据(截稿时止)为基础的,并结合了多次采访内容。在完成试航后有效性维修/有选择的限制有效性维修之前,"尼米兹"号航母换料复合大修的费用是不能最终确定下来的,因为那个时候许多作战系统现代化工作才真正完成。然而,已经有足够的信息来支持对关键问题进行有效分析。

在提供一些涉及其中的议题和机构的背景知识之后,我们将评估"尼米兹"号航母换料复合大修的预算、规划和合同程序;我们分析换料复合大修的成本,以确定其主要构成和增长的原因。然后,我们确定换料复合大修规划和执行的管理在哪些方面没有做好,导致了更高的成本和较长的时间。并以建议结尾,希望未来的换料复合大修有更高的效率。

5.2　背　景

一艘航母的换料复合大修可能是由任何组织在任何一个地方进行的最具挑战性的工程和工业任务。不但是舰上的反应堆要更换燃料,还必须进行一些系列维护和修理工作,整个战舰都要进行现代化更新。现代化包括升级舰船的作战系统和其他作战能力,升级饮用水、电力、航空燃油、空调设备等分配系统。在"尼米兹"号航母换料复合大修开始前,海军已经认识到了摆在面前的困难和挑战:

(1)规划工作因换料复合大修进行期间预算的波动而复杂化。而且由于舰船将继续行动,哪些系统需要拆解和检查,维修需求到底如何,都会对海军的评估造成较大的影响。

(2)紧急防卫需要也可将换料复合大修预算转移到其他项目上。

(3)换料复合大修管理人员少,在换料复合大修长时间的规划和执行过程中将体现到这种反复。此外,参与航母有效性维修的主要机构,航母维修与改建规划和工程机构(PERA – CV)在规划开始之后,在基地调整和关闭(BRAC)的行动中已经解散。

(4)承包商更习惯于可预测的新建设项目。

(5)凡参与换料复合大修过程的机构都会获得相关利益。

在本节中,我们将建立一个有助于理解本案例内容的文本环境。我们首先描述的是体制框架,即"尼米兹"号航母换料复合大修中的参与各方。然后,我们会评估这些在规划进行过程中面对的挑战。

5.2.1 体制框架

海军管理一次换料复合大修的职责是在 5 个机构中分配的,即航母项目执行办公室、海军核推进计划机构(NNPP)、海军海上系统司令部领导下纽波特纽斯船厂造船、改装和维修的监督者(SUPSHIP NN)、纽波特纽斯船厂以及舰船部队。

1. 项目执行官

项目执行官负责航母采购和寿命周期管理总部级的责任。对如换料复合大修这样的海军造船和改装预算计划而言,项目执行办公室向海军负责研究、发展和采购的副部长报告。项目执行办公室还通过海军海上系统司令部司令就提供军种内支援的事务向海军作战部长报告。

在项目执行办公室之下,航母项目办公室项目经理(PMS 312)负责所有与"尼米兹"级航母相关的工作,包括设计、建造和维修。同时这位项目经理还负责与换料复合大修相关的所有工作,从最初的预算编制、工作规划再到执行及经验的积累,当然那些确定属于海军核推进计划机构的职责除外。

在"尼米兹"号航母换料复合大修的规划过程中,项目执行办公室结构正在进行大的调整。航母规划机构是濒海以及辅助项目执行办公室(PEO CLA)的一个组成部分。"尼米兹"号航母换料复合大修规划初期阶段,重点是"圣安东尼奥"级两栖船坞运输舰(LPD 17)计划以及未来一级航母(CVN 77)计划带来的挑战。海军"所有航母职责应归一个独立的新的项目执行办公室"的认知,对"尼米兹"号航母换料复合大修规划最初产生了一些影响。

2. 海军核推进计划机构

海军核推进计划机构通过三个部门职位来履行其职责,即海军作战部长办公室之下的海军核推进计划机构主任;海军海上系统司令部负责核推进的副司令,主要负责核推进的技术方面,他还负有整体计划管理职责,包括确认换料复合大修过程核工作的预算需求;能源部负责海军反应堆的副部长,负责反应堆安全。

海军核推进计划机构有其工程技术和管理人员,进行其项目部分的全面管理。海军核推进计划机构服务于换料复合大修的其他关键设施包括以下方面:

(1)两个国有民营(GOCO)的能源部实验室,提供大部分工程能力的方式专门为海军核推进计划服务。

(2)一个国有民营的采购机构,致力于采购换料复合大修所需的海军核推进材料,海军供应系统司令部内一个特别的办公室采购和供应维修海军核推进计划机构硬件所需的消耗性材料。

(3)"航母反应堆规划船坞(RPPY)"的规划能力,执行换料复合大修核工作规划的大部分,包括发展核工作包,也就是航母反应堆大修工作包(CARPOP)。该机构还支持核动力航母增量维修计划有效性维修的规划。航母的"航母反应堆规划船坞"由纽波特纽斯造船厂负责,在航母的核规划方面已经有几十年的经验。

为了执行其安全职责,海军核推进计划机构在能源部设有外派办公室,叫作设在核动力船厂的海军反应堆代表办公室(NRRO)。在纽波特纽斯造船厂,这个办公室对进行换料复合大修的舰船以及这个船坞的其他地方进行监测,以确保持续安全的维护、修理方式,确保后继舰船核装置运行的安全。

海军核推进计划机构还可以访问所有海军海上系统司令部办事处,那里核与非核之间的责任是交叉的。它还可以间接通过 PMS 312D 和直接通过其自己技术人员的方式,访问纽波特纽斯造船厂了解技术问题。就保密问题而言,它可以通过海军反应堆代表办公室的方式进入船坞。

3. 海军海上系统司令部

海军海上系统司令部负责换料复合大修执行阶段的日常管理和合同

管理工作。日常管理工作是由一家外派办公室 SUPSHIP NN 来负责的。该办公室主要负责确保船厂遵守合同，及时发现问题并迅速解决。该办公室主要的代表就是 SUPSHIP NN Code 152（这也属于 PMS 312D）。其他的 SUPSHIP NN 办公室在被赋予任务时，也可以向主管本人或者 PMS 312D 提供服务。这些服务包括工作规划、财务报告审查、无核工程、设计审查、质量保证、政府提供的物资采购和管理以及财务管理。

SUPSHIP NN 中的 Code 1800 团队还监督换料复合大修的规划。Code 1800 团队的一些人员来自以前的航母维修与改建规划和工程机构。原航母维修与改建规划和工程机构是航母项目执行办公室的一个外派机构，提供生命周期支持、承包服务、后勤援助以及管理，来支持航母大修的规划和执行。在这些支持功能中，它跟踪了所有航母的有效性维修，维持有效性维修任务和工作量的数据库。航母维修与改建规划和工程机构因为基地调整及关闭而解散，机构的人员或者退休，或者分散到其他机构中，如 SUPSHIP NN 下的 Code 1800。正如后面我们讨论的那样，航母维修与改建规划和工程机构的工作人员的不确定性，造成了"尼米兹"号航母换料复合大修早期规划阶段的问题。

4. 纽波特纽斯造船厂

无论在造船设施和就业方面，纽波特纽斯造船厂都是美国最大的造船商，也是美国唯一一家具备建造和修理核动力航母能力的船厂。除了"尼米兹"号航母换料复合大修外，纽波特纽斯造船厂还进行了"企业"号航母的换料复合大修，并做了许多其他航母的有效性维修，包括"尼米兹"号和"艾森豪威尔"号的换料复合大修。

纽波特纽斯造船厂也是换料复合大修中核部分的规划部门。在"尼米兹"换料复合大修的非核部分，纽波特纽斯造船厂主要以海军组织所确定的任务执行的详细规划为基础来提供成本估算。它与海军谈判，确定合同工作的成本和范围，确定执行工作包的整个核和大部分非核部分的成本及范围。

5. 舰船的部队

"尼米兹"号航母换料复合大修期间，舰上大约有 2 500 名招募的舰员和 150 名军官。由于舰船不能在换料复合大修期间容纳所有人员住下，所以海军必须提供临时住房和其他支持功能。纽波特纽斯造船厂根据与海军签署的合同,提供了这些支持功能的一部分。由于"尼米兹"号航母是 1 艘母港位于西海岸的舰船,海军需向人员家属提供运输(在军事人员海军预算部分)预算和向单身人员提供舰上宿舍(不处于大修时期)。这些舰上人员在换料复合大修期间执行不同的功能,包括以下几个方面:

(1)对舰上各类舱室与空间进行一般的监控和监督;

(2)安全方面的工作,包括关于阀门和断路器;

(3)舰船安全;

(4)舰上设备的操作;

(5)即时回应水灾或火灾;

(6)支持交付过程中舰员认证的训练;

(7)维护舰船的清洁度;

(8)包括记录更新在内的后勤保障;

(9)舰船管理。

这些舰员还负责舰船部队工作包的管理和执行,包括修理舰船系统和翻新舰上数百个生活空间。

6. 类型指挥官

太平洋海军航空部队司令是"尼米兹"号的类型指挥官 。因此太平洋海军航空部队司令对该舰拥有管理控制权,负责换料复合大修之外舰船上进行寿命周期维修的大部分工作,负责确保舰船部署的全面培训,为作战行动做好准备。太平洋海军航空部队司令参与了"尼米兹"号航母换料复合大修维修和现代化部分的决策。

5.2.2　参与各方面临的挑战

由于换料复合大修规划正在进行中,航母项目执行办公室与其他组织都面临着挑战和不确定因素,威胁着换料大修能否及时按预算完成。换料复合大修的过程既有成功,也有不足,从某种程度上反映了海军(和承包商)在面对这些挑战时的能力和水平。

1. 预算的不确定性

"尼米兹"号是该级舰中第 1 艘进行换料复合大修的,也是在"企业"号

103

之后所有级别航母第 2 艘进行换料复合大修的。"企业"级航母仅有 1 艘，这和其核推进装置有关。因此，其维修经验并不完全适用于"尼米兹"级。那么海军用来评估费用和进度的基础是什么呢？什么样的工作类型和量应该包括在这些评估里呢？

其中有理由乐观的是，在舰船的大部分需求中，这些问题可能都可以得到相应的答案。"尼米兹"号是美国海军自 1995 年"弗莱斯特（Forrestal）"号以来建造和使用的第 9 艘大甲板航母。所有大甲板航母有很多相似之处，包括几乎相当的尺寸和动力、相类似的水箱和空隙、类似的电力分配和通风系统、类似的舰员和居住系统、几乎相当的喷涂和保护需求。这些相似之处有助于为这些共同区域的维修规划提供指导。然而，毕竟有很多方面存在不确定性，使得费用评估较为困难，比如说，这是"尼米兹"级航母核反应堆第一次更换燃料，作战系统进行现代化。

虽然这些不确定性带来的任务需求和费用的评估的困难是自下而上的，另外一些不确定性则是自上而下的。大规模项目往往会受到预算的限制，而预算名义反映的是必须要完成的工作量，而不能受到多种外部因素的干扰。因此工作范围必须被设定在预算之内，而不是相反（如在商业项目的典型）。这种方法的困难在于它很难满足所有利益相关者的期待。当预算受限时，有些工作必须放弃。规划者如何确定工作的优先次序，如何进行沟通协调，是项目成功的关键。此外，规划者从一开始就知道，预算限制是随时都可能出现的。一次可行未必未来也可行。

2. 舰船和船坞不确定的来源

即使有过去类似舰船的经验，也不可能以高度的信心来充分定义和划定现役舰船大修具体所必需的所有工作的范围。"尼米兹"号航母的某些部分在运作期间是进不去的，或者在拆解之前是不能检查的。鉴于这种不确定性以及随之而来的预算和进度风险，航母项目执行办公室面临的是在执行过程中有效规划和管理紧急工作的挑战。

在执行启动之前，规划工作已经开始了近 5 年的时间，换料复合大修一般来说持续 33 个月。这个 5 年规划期足够长，船厂的情况可能也发生了明显变化。船厂的总工作量，服务于不同计划的工人的组合和技术水平都可能发生变化，所以可能存在劳工问题。这些都可能是由换料复合大修之外的事情造成的。事实上,纽波特纽斯造船厂就经历了一次重大的罢工,影响到了"尼米兹"号航母的换料复合大修。此外,纽波特纽斯造船厂在换料复合大修开始之后两次重组其航母大修管理队伍。

航母项目执行办公室在灵活管理其与承包商的关系上也面临着挑战。举例来说,纽波特纽斯造船厂的工作大部分都是海军的单位对单位的大型贵重资产的管理工作,海军对此有着大量的可预见的工作量,而且比较稳定,很长一段时间里才能完成。该造船厂的内部程序、承包指标和劳工管理的做法是可以为该类型的工作进行优化的。这种业务态势限制了船厂应对航母大修更快的节奏和变化的特征做出回应的灵活性。

纽波特纽斯造船厂也是目前唯一能够建造航母的船厂,已建成了所有"尼米兹"级航母,以及过去 40 年里服役的所有其他航母。诺福克海军造船厂、普吉特海湾海军造船厂可以为核动力舰船加注核燃料,有巨大的干船坞足以容纳航母。然而,它们目前还没有一个可以为"尼米兹"级航母加注核燃料的设施,也没有劳动力来完成大部分非核方面的维修工作。因此,纽波特纽斯造船厂被指定为所有航母更换核燃料的船厂。

航母项目执行办公室在这方面没有与纽波特纽斯造船厂展开竞争的其他选项。让多家船厂既能够建造核动力航母又可以更换核燃料,这是不现实或者不可能的。因此,纽波特纽斯造船厂只能是海军这条"生产线"上的唯一来源。通过合同安排来进行绩效激励也是有限的。由于换料复合大修的不确定性较强,固定价格(也称总价)合同战略是不适用的。一份固定价格把所有风险推给承包商,然而承包商会被迫将风险转移到合同价格中,使换料复合大修的费用超出海军的承受力。因此,合理的合同应该是成本型合同,采取对可降低成本进行的激励的措施。

3. 来自参与各方数量的挑战

除了项目执行办公室外,换料复合大修还牵涉大量的利益相关者。这些利益相关者包括海军海上系统司令部、海军核推进计划机构、类型司令部的相关机构以及舰船的部分人员和机构。这些机构有着不同的有时候甚至可能是冲突性的目标,需要进行平衡和管理。

协调纽波特纽斯造船厂和舰船部队将涉及特别的挑战。舰船部队将负责执行由项目执行办公室(作为可能适合他们的)配属给他们的工作包。

然而,无论是项目执行办公室还是海军海上系统司令部都不会直接控制这些人员。相反,他们将受舰船的命令。此外,现在还不清楚舰船部队是否能够切实做好其他准备工作(也就是说,他们是否具备足够的技能和资格完成这项工作)。最后,舰员也有个人和单位训练需求,这对时间和有效性都是限制。

4. 内部人员编制挑战

项目执行办公室和其他海军机构肯定会面对的另一个问题是,近 7 年规划和执行过程中出现的频繁人事变动。海军现有的政策和程序不太可能使那些负责该计划的军官会终其军旅生涯负责到底(或者用其一半时间)。而人员流动可能会导致返工、重新定位、重新发现等,所有这些都可能导致低效率。

如前所述,航母项目执行办公室之下的外派机构航母维修与改建规划和工程机构,负责跟踪所有航母基地级有效性维修,并维持与该维修相关的劳力和材料费用的历史维修任务数据库,但是这个机构根据基地调整和关闭已经被解散。航母维修与改建规划和工程机构的人员理所应当参与,甚至可能在换料复合大修规划工作扮演领导角色。其中的不确定性在于,原航母维修与改建规划和工程机构的人员可能会配属给承担规划过程领导责任的 PMS312D。一旦原航母维修与改建规划和工程机构人员配给了 SUPSHIP NN Code 1800,他们将会更积极地参与到"尼米兹"号航母换料复合大修的计划工作中,在为后续换料复合大修服务的工作包发展上将发挥领导作用。然而,这种在规划过程之中出现的延误,会带来难以克服的困难。

另外一个与人员有关的挑战,在海军海上系统司令部的指令中就可以预测到。在 20 世纪 90 年代中期,尽管已经很认真地进行换料复合大修的规划工作,海军中的支持机构不多,所以导致能力和经验的损失。这种情况对海军海上系统司令部来说是麻烦的。海军失去的一项核心能力是对其工程机构分析承包商的费用评估的能力。理想情况下,海军将能够独立工作估计。不过,在预算限制下,保持这样一种能力所需的人员和投入都会减少。但是海军海上系统司令部至少应该保持一个成本分析部门,能够对来自承包商的建议进行审查和评估。

在纽波特纽斯造船厂执行"尼米兹"号航母换料复合大修的过程中,人员变化也会发生。一个重要的变化是换料复合大修的项目总监。在"尼米兹"号航母换料复合大修计划开始出现问题的时候,纽波特纽斯造船厂公司应该有一位具有在航空母舰建造和维修相关的核心问题上的丰富经验的管理者来担当领导角色。

5. 挑战性的维修和管理环境

美国海军"尼米兹"号及其他核动力航母都是在船厂中进行维修(也就是不同类型的"有效性"维修,海军中所有的常规动力航母也一样)。然而,当"尼米兹"号服役数年之后,航母持续维修计划管理了这些维修行动。该级舰转换到了新的增量维修计划中。"尼米兹"号航母新计划下的首次有效性维修就是换料复合大修。向新的维修计划成功过渡,需要去除积累多年积压的维修工作量。但不幸的是,预算限制导致一些积压剩了下来,导致"尼米兹"号开始换料复合大修的时候物质状态比应有的要差。

"尼米兹"号航母换料复合大修也不同于该级战舰以往的大型有效性维修,过去预算是通过海军造船和改装预算提供的,而这次是通过海军作战和维修(Operations and Maintenance Navy,O&MN)的形式来提供的(上次"企业"号的换料复合大修也是通过海军造船和改装提供预算的)。不同的预算涉及不同的管理机构和程序。

5.3　换料复合大修的预算、规划和合同

5.3.1　换料复合大修

在这一节中,我们回顾了形成协议工作包的事件的顺序以及承包合同修改的结果。这一切始于海军在 1992 年确立的预算总额。这在过去十年的海军年度预算部分都进行了修改。同时海军也在规划换料复合大修的工作。纽波特纽斯造船厂提交了一份提案评估这项工作的成本,海军和纽波特纽斯造船厂之间的谈判产生了合同,而随后也进行了必要的修改。

5.3.2　预算编列

有几年,"尼米兹"号航母换料复合大修的预算被列入海军造船和改装

预算中。每一项预算案不仅仅要求现有年度的拨款,还要求未来几年内计划拨款申请,这些都会与年度的预算调整一同变化。因此,在 1995 财政年度的预算案中,包括用于 1995 财年的 3 830 万美元,以及未来年度需要估算额:1996 财年 2.901 亿美元;1997 财年 1.859 亿美元;1998 财年 20.206亿美元。1998 财年之所以出现这么大笔的预算,完全是因为向换料复合大修执行提供经费的原因。1998 年之前财政年度预算主要用于工程和规划、工作包发展、舰船检查、喷涂发展、费用评估以及交货期较长的装备的先期采购,特别是更换核燃料和修理核反应堆所需的装备。预算编制过程以及规划和执行的其他方面,都在"尼米兹"号航母的换料复合大修的项目管理计划(Program Management Plan, PMP)中得以阐述。举例来说,该计划规定,在开始大修 4 年之前也就是 1994 财年,预算必须包括具体费用(需要现代化的舰船项目)以保证装备可以及时购买。不过,项目管理计划在换料复合大修预算安排的很多内容都是保密的。

如果拨付的钱没有完全用掉,那么预算就可能会出现永久下调的可能;这就是 1995 财年出现的预算在接下来预算年度中下调 20 万美元的情况。在执行过程中成本的增长可能需要更多的钱能够提前拨款,而且可以追溯到预算全额拨款的那一年,就像 2001 财年发生的事情那样。

工作包确认和事后的调整不是表 3.1 中显示的总预算变化的唯一原因,外部因素也发挥了作用。举例来说,从 1995 财年到 1997 财年,预算总额从 26 亿美元减少到 21 亿美元。这不仅体现在核工作包的预计成本降低上,而且体现在将一些预算重新分配到国防企业经营基金(Defense Business Operating Fund)、波斯尼亚军事行动、其他计划应对通用预算调整上。当然,这种重新分配并不是"确定什么需或者要费多少钱"的过程的一部分,但它们是确定"什么可以做"的过程的一个部分。由于预算总额减少,换料复合大修工作内容也在原有计划的基础上进行削减,某些部分从纽波特纽斯造船厂移交到舰船部队手里。随后几年持续变化使预算总额削减到了20.2 亿美元(2000 财年)。执行过程中的费用增长和超支,使 2001 财年的总金额约达到 21.8 亿美元。这增加的费用包括以下内容:

(1)6 310 万美元的舰船费用调整(Ship Cost Adjustment, SCP)

(2)8 750 万美元的临界重新规划(Above – Threshold Reprogramming, ATR),以支持与纽波特纽斯造船厂罢工和工作从舰船部队移回纽波特纽斯造船厂所需的费用。

（3）另外 9 700 万美元的增加额通过一份特别移交授权（Special Transfer Authority,STA）来实放,以支付强制性的应急工作和日程安排的延伸。

5.3.3　规划

根据项目管理计划中的集中管理的理念,PMS 312D 主要负责规划任务并由各办事处协助。规划是一个复杂的过程,因为它合并了三个不同的会争夺预算的竞争性目标:

（1）更换燃料、维修与升级的反应堆和相关系统（如设定在核工作包）;

（2）安装新的（如传感器、通信系统和武器系统）更加现代化设备;

（3）维修和更换其他现有的系统和装备,以确保其功能（维修工作包）。

根据项目管理计划,所要完成工作的早期评估,来自于核和现代化工作包的草案,并与相应的维修工作包相结合。这些评估形成了早期预算评估的基础。在换料复合大修执行开始之前的四年基本有效性维修工作包（Availability Work Package,AWP）完成之后,合同工作包的准备才会开始。之后才会在相应的 36 个月、12 个月、8 个月的执行时间点上有"初步""建议"和"授权"的有效性维修工作包出现。获授权的有效性维修工作包成了合同谈判的重点,最终形成了协商而成的承包商工作包（纽波特纽斯造船厂的工作）和舰船部队工作包（舰船部队所要估的工作）。

规划多因以下三种因素而复杂化。第一,换料复合大修执行的预算"打击"到了海军其他的预算,由之而来的预算波动引起了规划过程的不确定性;第二,在规划进行的过程中,舰船不得不继续工作,这制约了哪个系统可以拆卸、维修检查以评估需求程度;第三,海军希望尽可能推迟设计决策,以便纳入最新的战力。

5.3.4　核工作

纽波特纽斯造船厂和海军海上系统司令部发展了航母反应堆大修工作包,指明了在换料复合大修需要完成的所有工作。航母反应堆大修工作包主要来自于水面舰船通用反应堆装置大修和修理说明书（Commissioned Surface Ship General Reactor Plant Overhaul and Repair Specification）中的需求,以及其他技术文件(规定核反应堆及相关系统的运作和维护)中的标准维修需求。详细的工作包需要一些测试。此类潜在核工作的测试是由SUPSHIP NN Code 1800 按照航母有效性维修规划系统(Carrier - Availability Planning System,CAPS)的规定进行协调的。由此产生的航母有效性维修规划系统计划由舰船部队及其他部门来执行。

5.3.5　非核现代化

现代化舰船设计管理计划(Modernization Ship - Design Management Plan,MMP)管理着(无核部分)的现代化工作包的开发。工作包的开发和执行就是海军海上系统司令部将新发展引入舰船的过程。在这一过程中,舰船设计经理(Ship Design Managers,SDM)通常会负责以下方面:

(1)为新系统和装备开发安装工作包;

(2)从相应机构获得批准和预算;

(3)确保安装与其他建造活动相协调。

"尼米兹"号航母换料复合大修的舰船设计经理,在航母工程团队的辅助下负责现代化工作包中的所有规划事务。

现代化舰船设计管理计划认为,通常可以安装到舰船上的新项目,比预算覆盖的要多得多。因此该计划制定了一个筛选候选者并发展现代化工作包的程序。

诺福克海军造船厂原本就是"尼米兹"级航母的舰队规划船厂,提供支持现代化工作包的首席设计服务,其他技术专家团队也支持工作包的发展。在这方面,发展过程有些类似于被海军海上系统司令部用于开发核工作包的程序。然而,现代化工作包是在没有配置控制、供应支持、设计支持以及由单一活动和机动管理规范更严格的情况下开发的。

5.3.6　非核维修

在执行之前非核维修工作包是最难以界定的,因为可能有最多的未知数。许多机构都参与了维修工作包的发展,包括 PMS 312D、类型司令部、SUPSHIP NN 以及纽波特纽斯造船厂和舰船部队。项目管理计划对所有这些组织的具体作用还不清楚。我们建议,在规划过程开始的时候,类型司令部确定最基本的维修工作包,但是它的责任是随着时间的推移减少。纽波特纽斯造船厂并不负责工作包内任务的发展。而是主要负责执行舰船检查(多为配置管理)以及修复过程,并为维修过程、工作包中包含任务的劳动力和原材料成本发展总结文件。

值得注意的是单个船厂或者类似于负责核工作的航母反应堆规划船坞,以及以中心控制方式负责现代化工作包的首要设计的船厂却缺乏维修工作包的发展。项目管理计划中,预算发展、工作包发展和政府费用评估之间还缺乏清晰的联系。这些活动之间的协调程度不够,互动是临时性的,需要有关各方积极推动。

5.3.7 合同

"尼米兹"号航母换料复合大修合同最初于 1994 年 4 月 22 日被授予纽波特纽斯造船厂。最初的合同总额为 285 万美元,包括 8 个合同基本项目(从 CLIN 0001 一直到 CLIN 0008),主要用于换料复合大修先期规划的启动和支持。随着更多的先期规划资金在后续财年逐渐被拨付,基本合同也被多次修改,加入了额外的任务和资金。到规划阶段结束时,纽波特纽斯造船厂被授予规划和支持换料复合大修的合同总金额已经达到 4 亿美元。

1997 年 8 月,随着换料复合大修规划阶段结束,海军正式发布了一份执行阶段的建议征求书。纽波特纽斯造船厂在当年 12 月提交的建议中提出比 1998 财年预算案设定的数额多约 2.5 亿美元。多出的部分让海军大吃一惊,因为他们还考虑在早期规划阶段从纽波特纽斯造船厂接收到的任务费用的可能信息。海军海上系统司令部和纽波特纽斯造船厂之间紧张的谈判所带来的最终可执行的合同,实现了现有预算的有效性。在增加 CLIN 0009 之后,换料复合大修在 1998 年 4 月开始执行。

执行换料复合大修的工作任务被隔离分为四大类,即无核相关的工作、与核有关的工作、小价值变动以及紧急和补充预算。

该合同是一份成本加奖励费(Cost – Plus – Incentive – Fee,CPIF)的合同。因此,它为换料复合大修执行设定了目标成本,如果纽波特纽斯造船厂实现了这些目标,就赚了 13% 的费用。如果纽波特纽斯造船厂的费用已经低于目标成本,其节约所占的比例可能导致利润率达到 17% 以上。如果费用最后超过目标,纽波特纽斯造船厂将已支付多余的费用,但利润率便可能下降到只有 9%。

小价值变动是指出那些包括在基本工作包内,明确超出任务的工作,其费用据估计不高于1.5万美元。为了避免这些细小的工作出现过度的延迟和浪费,小价值变动是以8 400美元的固定费率来支付的(以相似的小任务的平均费用为基础)。最初的执行合同包括了用于2 500项小价值变动的预算。到了换料复合大修快结束的时候,总共有3 200多项这样的变化。

紧急和补充预算是用来覆盖那些在换料复合大修期间遇到的较大一些"未知"问题。所谓应急工作,就是当舰船部件被拆除,可以检查平常隐藏的系统,以及系统都在船厂进行测试时必须要做的工作。补充工作就是,调整工作包的范围而产生的工作。紧急和补充/小价值变动费用结合起来,其合同总额占到了总工作包总额的17%。

5.3.8 合同修改

大多数合同工作包的修改发生在换料复合大修执行的过程中。任何舰船寿命中期的有效性大修,特别第一次完成的有效性维修,都有很多的不确定性,因为舰船的物质条件有很多未知因素。因此,基本工作包的许多任务中包括了对舰船某部分的打开和检查,以确定是否有必要维修和修理的程度如何。任何没有明确包括在工作包内的任务,都要进行变更控制。

核工作包的调整由海军海上系统司令部负责管理,通常由现场的海军反应堆代表办公室及其他机构和人员进行通报。现代化和维修工作包的变化都要依据项目管理计划来进行。

根据重要性的层级,变化分为几个可能:需要由海军作战部长批准,会影响舰船的特征及交付日期的变化;需要PMS 312批准有其他"重要"或"不利"影响的变化;SUPSHIP NN可能批准较小的变化。大多数变化属于重要性最低的增量维修计划类别。较小变化的构成在换料复合大修的过程中不尽相同。

有一阵子,PMS312D已经下放给SUPSHIP NN授权,可以批准高达25万美元的变化,但该授权后来又被撤销了。

为了处理较小的变化,SUPSHIP NN运用了为海军作战和维护(Operations and Maintenance Navy,O&MN)有效性维修预算开发的程序。变更请求通常开始于造船厂。纽波特纽斯造船厂,如果发现了工作包所没有涵盖的问题,首先决定是否在额外的工作中寻求具体偿付。如果是这样,它也会为 SUPSHIP NN 准备一份检查报告(Inspection Report,IR)描述了问题的特征。SUPSHIP NN 负责控制器和助理项目官员(Assistant Project Officer,APO)通常会在现场对检查报告进行评估。在换料复合大修之初,有 4 位助理项目官,分别负责核、推进、舰体/甲板机械/装备以及作战系统。在换料复合大修最后的 18 个月里,该团队削减到 1 名负责推进系统的助理项目官员、1 名负责其他事务的助理项目官员,每名助理项目官员由 5 名至 10 名生产控制者进行辅助。该团队确定工作包是否已经覆盖这些问题(在这种情况下,不再需要签署进一步的行动)。如果没有,助理项目官员和 SUPSHIP NN 工程将确定项目是否应固定下来,如果是这样,谁应该负责这项工作(例如,纽波特纽斯造船厂或者舰船部队);他们还确定了合同的有关影响。决策所需的内容包括了评估者对于工作关键程度以及需要多少费用的判断。

如果 SUPSHIP NN 助理项目官员以及和生产控制者一致认为,调查报告问题需要解决,他们将启动现场改装采购。也这是在建议征求书发布之后增加工作包的内容。在"尼米兹"号航母换料复合大修的过程中大概发布了近 6 300 个现场改装采购内容。每个现场改装采购都导致了一次船厂和 SUPSHIP NN 之间的谈判,主要涉及任务的价值,最终涉及合同更改的细节(增加换料复合大修合同的费用和潜在时间),或者通过小价值变动或者紧急和补充费用以及低水平取消的方式来提供预算。

基本合同是修改了多次,包括原有的计划和时间表中额外的任务和变化。或由类型司令部、纽波特纽斯造船厂和 SUPSHIP NN 或 PMS 312 本身发起修改。其中一些合同修改部分(例如,那些从现场改装采购产生的)包括增加基本合同的预算。其他的修改并没有改变预算,但改变了预算在 CLIN 内的分配,或在换料复合大修的计划完成日期,或在不增加预算需求的情况调整任务。有两种基本类型的合同修改,即 P 型和 A 型。

海军海上系统司令部总部采购合同官员(Procuring Contract Officer,PCO)必须要批准 P 型。这些修改都有编号,从 P00001 开始。例如,换料复合大修(CLIN 0009)的执行是通过 P00016 增加一条合同修改来实现的。

SUPSHIP NN 的管理合同官员(Administrative Contract Officer,ACO)局部批准的 A 型。A 型的大部分用于与支援相关的功能,如亨廷顿厅的运

作,为"尼米兹"号航母舰员提供住宿和生活支持,或者将原本属于纽波特
纽斯造船厂的工作移交给舰船部队。

5.4 美国海军"尼米兹"级航母维修周期的演变

研究人员以"尼米兹"级航母为对象,研究了不同的维修周期对航母执行部署任务以及其他各方面可能产生的影响。CVN 68 级航母(即"尼米兹"级航母)目前预期将服役 52 年。这些航母的推进系统及其辅机最初设计寿命为 30 年,预计可持续运行 20 万小时(约 23 年)。换料和推进系统及辅机大修在中期换料大修期间进行。从"尼米兹"级航母服役至今,其维修周期几经修改:①"尼米兹"级航母服役初期,采用的是"设计维修周期(EOC)"模式;②1994 年,海军为"尼米兹"级航母引入"增量维修计划(IMP)",把航母的维修周期调整为 24 个月;③2003 年发布的"舰队反应计划"又把维修周期延长至 27 个月;④2006 年 8 月,海军再次把维修周期延长至 32 个月。

"设计使用周期"与"增量维修计划"周期的比较如图 5.1 所示。

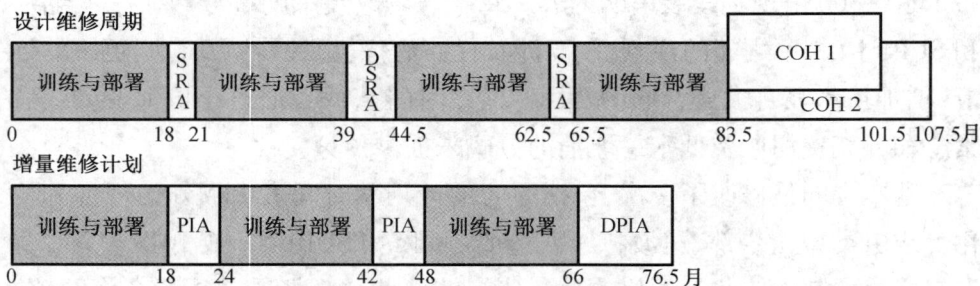

图 5.1 "设计使用周期"与"增量维修计划"周期的比较

在设计维修周期下,一般航母包括以下几个阶段:

(1)18 个月运营期,其中 6 个月为部署期(第 1~18 个月);

(2)3 个月有限可选维修(SRA)(第 19~21 个月);

(3)运营周期间隔(第 22~39 个月);

(4)5.5 个月的入坞有限可选维修(第 40~44.5 个月);

(5)运营间隔(第 44.5~62.5 个月);

　(6)3 个月有限可选维修(第62.5~65.5 个月);

　(7)运营间隔(第65.5~83.5 个月);

　(8)复杂大修(第83.5~101.5 个月)。

　在首次复杂大修(COH₁)之后,将重复上述周期,直至第 2 次 28 个月复杂大修。

5.4.1　设计使用周期模式

　在"尼米兹"级航母 1975 年开始服役时,核动力航母的维修周期仍然采用了适用于常规动力航母的"设计维修周期"。采用这种维修周期,航母在训练和部署阶段共耗时 18 个月,部署阶段完毕后航母会立刻进港开展基地级维修。然而,随着航母的老化,完成基地级维修所需的时间越来越长、人力越来越多。为此,采用"设计维修周期"时,每个周期中用于基地级维修的时间不是完全相同的。其中,在第一个维修周期内,航母接受为期 3 个月的有限可选维修(SRA);在第二个维修周期内,接受为期 5 个月的坞内有限可选维修(DSRA);第三个维修周期内,航母再次接受 3 个月有限可选维修(SRA);第四个维修周期内,航母将接受为期 18 个月的复杂大修(COM),四个维修周期形成 SRA – DSRA – SRA – COH 的维修周期模式。然后依次重复,但在第 8 个维修周期内,航母接受复杂大修的时间为 24 个月。以后按照这八个维修周期模式重复。

　采用"设计维修周期"给"尼米兹"级航母带来使用与经费上的双重问题。在大修年间,航母在两年时间内都无法开展训练或部署。且在此期间内,大量舰员更新,导致航母下一次部署前需要对新舰员开展高强度的训练。但由于从航母大修完毕到部署前的时间一般很短,航母部署时,舰员的操作与维护技能远远达不到熟练水平。同时,把维修工作集中于 18 个月或 24 个月的大修期间也给维修基地带来很大的负担,迫使海军增加基地级维修经费,保证工作按时完成。

5.4.2　增量维修计划模式

　本质上,在设计维修周期之下,航母每 7~8 年进行 1 次复杂大修。适应这一计划引起了一些问题。尤其是复杂大修过程中工作量集中导致了财务压力。设计维修周期期间,工人既要进行复杂大修,又要进行其他计划中的维修可行性任务,增加了进度风险。"增量维修计划"继续保留了航母 18 个月的训练与部署时间,并且把基地级维修的时间重新进行了分配,使航母服役期间的维修任务时间安排更加均匀。采用"增量维修计划"后,第一个维修周期内,航母接受 6 个月的预定增加可用性维修(PIA);第二个维修周期内,航母仍接受 6 个月的预定增加可用性维修(PIA);第三个维修周期内,航母接受 10 个月的坞内预定增加可用性维修(DPIA),从而形成 PIA - PIA - DPIA 的维修周期模式。此后依次重复,但在第三次出现 PIA - PIA 之后(约 23 年出现一次),航母将接受一次为期约 3 年的换料大修(RCOH)。此后再按上述周期模式进行循环。

与"设计维修周期"类似,海军在制定"增量维修计划"时同样考虑了航母的老化。在寿命周期中期,航母接受的基地级维修的时间将比寿命周期前期接受的基地级维修的时间增加 15%,而寿命周期后期接受基地级维修的时间比寿命周期中期增加 15%。

采用"增量维修计划"消除了"设计维修周期"所产生的额外维修费用,也使航母基地级维修任务时间安排更加均衡。同时,采用"增量维修计划"也有助于把航母战备状态维持在较高的水平上。但在上述两种维修周期下,航母维修时间与部署时间在整个维修周期内所占比例几乎没有发生变化。

5.4.3 舰队反应计划模式

前两种维修周期模式有一个共同的缺点,就是没能充分利用航母及其舰员的战备能力。前两种维修周期模式都要求航母在部署完毕后立即进入基地级维修状态,而航母在开展了数个月的部署行动之后,舰船与人员可能正处于最佳的战备状态下。此时,要求航母立即停机维修,而舰员纷纷离岗,且在航母停机维修期间,几乎不开展训练。这种做法导致航母在维修前、维修中和维修后,其训练一直处于较低的水平,直到航母修完后舰员再次完成所有的部署训练为止,训练水平才能恢复。

为提高航母舰队的战备水平,应对突发事件和各类危机,美国海军在 2003 年提出了"舰队反应计划"。按照"舰队反应计划"的要求,航母可以更快地达到战备水平且能维持更长的时间。

"舰队反应计划"把航母维修周期从"增量维修计划"的 24 个月延长到

27 个月。新维修周期从基础训练开始。基础训练的目的是保证舰员能够安全地操控航母,做好装备试验的准备,具有使用监测设备的能力。基础训练从航母进港开展基地级维修即开始一直持续到航母离开维修基地,其内容既包括岸上训练,也包括舰上训练。基础训练结束后,舰员达到预期的技术水平,能够完成海军的关键任务,航母就进入执行海上安全临时任务状态(即可以在 90 天内部署),可以执行与其训练水平相匹配的任务。基础训练之后,航母也可能继续开展一体化集训,集训内容包括航母与飞机的配合、航母战斗群内所有舰船的配合。一体化集训完毕后,航母进入高度战备状态(即可以在 30 天内部署)。从集训结束直至部署完毕返港维修,航母一直处于战备维持阶段。航母能够维持 12 个月的高度战备状态,其中包括执行 6 个月的部署任务。在部署结束后,航母仍处于战备维持阶段,仍属于可部署装备,直至基地级维修阶段开始。

5.4.4　32 个月周期的舰队反应计划

"舰队反应计划"的实施虽然加快了航母进入战备状态的速度,延长了航母的战备时间,但航母的实际维修周期经常超过预定的 27 个月。为此,2006 年,海军又把航母的维修周期从 27 个月延长到 32 个月,这使得航母两次入坞维修之间的间隔长达 96 个月。

维修周期延长后,由于航母维修阶段的时间在整个维修周期内所占比例降低了,因而航母舰队处于战备状态的时间所占比例就提高了,增强了航母执行海军作战部门海上安全临时任务的能力,但是考虑到在一个维修周期内,航母仅执行一次为期 6 个月的部署任务,航母的部署时间占整个维修周期的比例同样也降低了。目前,航母维修周期已延长到 32 个月,而航母的数量又即将减少,且全球形势明显趋于紧张,在这三方面因素的影响下,美国海军满足战区司令对航母的需求将出现明显的困难,军事行动规划人员将很难制订出满足战区司令需求的航母行动方案。

5.4.5　"尼米兹"及航母与"福特"级航母的维修使用周期对比

1. 美国未来航母兵力

"福特"级航母(CVN 78)(图 5.2)是美国下一代航母,计划建造 12 艘,将逐舰替代现役的"企业"号和"尼米兹"级航母。表5.1为在美国海军"30年造舰计划"①(2008年8月)和"5年采办一艘航母的计划"(2009年4月)下,未来5艘航母批准建造、交付、换料大修和退役时间。图5.3为这两个计划下未来的航母兵力结构。该级航母从1993年开始概念论证,1996年开始方案论证,2000年6月正式开始概念设计,首舰"福特"号(CVN 78)于2005年切割第一块钢板,2009年秋季铺设龙骨,计划2015年服役。"福特"号的设计建造费用预计约110亿美元。

图 5.2　美国"福特"级航母

表 5.1　美国未来航母舰队　　　　　　　　　　　　　　　　单位:年

航母	30年造舰计划				当前的5年采办一艘航母计划			
	批准建造	交付	换料大修	退役	批准建造	交付	换料大修	退役
CVN79	2012	2019	2042	2069	2013	2020	2043	2070
CVN80	2016	2023	2046	2073	2018	2025	2048	2075
CVN81	2021	2028	2051	2078	2023	2030	2053	2080
CVN82	2025	2032	2055	2082	2028	2035	2058	2085
CVN83	2029	2036	2059	2086	2033	2040	2063	2090

---

① 该计划要求每四年建造一艘新航母。

"福特"级航母采用了多项先进技术,主要包括:①新型舰机适配技术。"福特"级将采用电磁弹射器、先进阻拦装置和联合精确进场着舰系统,并在总体布局设计中采用了"一站式保障方案"。从而使"福特"级航母能够弹射和回收更重的舰载机,并提高舰载机作业的安全性和效率。②集成射频技术。"福特"级航母直接借用美国海军为新驱逐舰研制的双波段雷达(X 波段和

图 5.3　美国未来航母兵力结构

S 波段),它将大幅度提高"福特"级航母对掠海低飞目标的识别能力,并提高航母的隐身性能和电磁兼容性,目前已经确定由雷声公司负责生产。③新型长寿、高功率反应堆技术。"福特"级将采用更为紧凑、安全、高效的新型核动力装置,堆芯寿命长达 30 年左右,更易于管理和维护,与"尼米兹"级航母的动力装置相比,新型核反应堆的功率将增加 25%,核动力部门人员减少一半。此外,"福特"级航母还采用了新设计的飞行甲板,并改进了武器搬运系统。

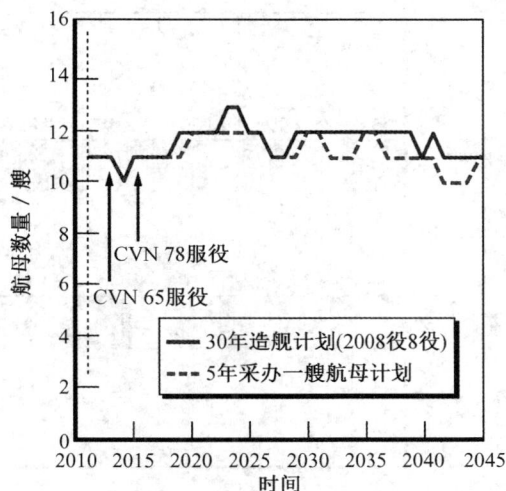

2. "福特"级航母全寿命周期内的维修

航母在其 50 年的全寿命周期内,要经历许多次大大小小的维修。航母在建造完毕交付给海军时,就要接受检验,检查建造中存在的问题,然后返回船厂对问题进行修正。这段时间称为试航后检修期(PSA),一般为 6 个月。此后,航母还要进行多次预定增加可用性维修(PIA)和坞内预定增加可用性维修(DPIA),以及一次换料大修。图 5.4 比较了"福特"级航母和"尼米兹"级航母全寿命周期内的主要维修周期。

"尼米兹"级航母目前的维修、训练和部署周期为 32 个月,其中部署期一般为 6 个月。航母全寿命周期中时间最长的维修期是换料大修。换料大修用来对航母进行核燃料更换和整修,可使航母恢复到全新状态。一艘航

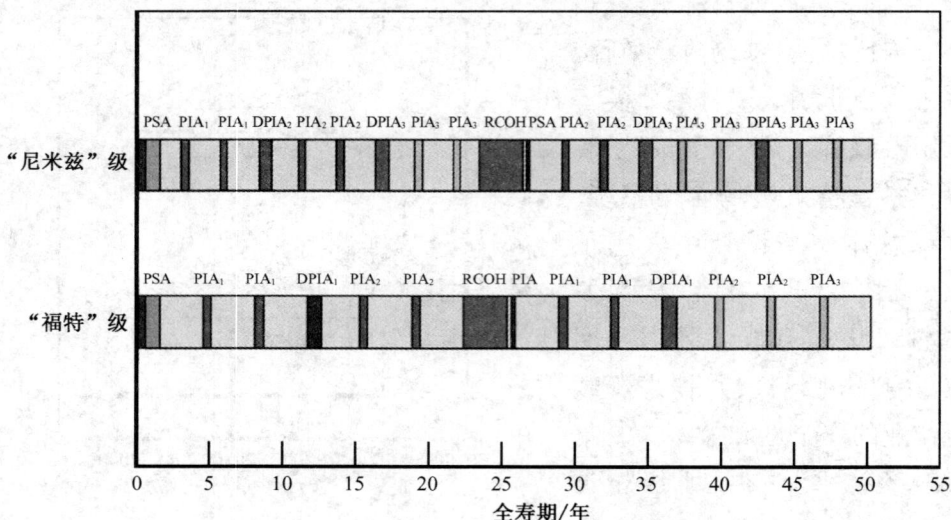

图 5.4　"福特"级航母和"尼米兹"级航母维修周期比较

注：来自海军作战部长办公室 4700 号文件。PIA 为预定增加可用性维修；DPIA 为坞内预定增加可用性维修；水平轴中的"0"表示航母的寿命周期开始；"51"或"52"表示航母的退役时间。

母的全寿期内只进行一次换料大修，大约在航母服役 23 年的时候。一次换料大修历时 3 年以上，需要 320 万人工日的工作量。目前"尼米兹"级航母已有 3 艘完成了换料大修，第 4 艘正在进行换料大修的为"罗斯福"号航母（CVN 71）。"尼米兹"级航母进行一次预定增加可用性维修需要（14.6~20.1）万人工日的工作量，而进行一次坞内预定增加可用性维修则需要（25.5~35.6）万人工日的工作量。[①]　理论上，"尼米兹"级航母进行一次预定增加可用性维修需要 6 个月，而进行一次坞内预定增加可用性维修则需要 10.5 个月。

"福特"级航母由于需要的维护较少，其维修、训练和部署周期长达 43个月，其间有两个为期 6 个月的部署期。这使得在航母全寿命周期内，"福特"级航母比"尼米兹"级航母少 3 次预定增加可用性维修和 2 次坞内预定增加可用性维修。"福特"级航母进行一次预定增加可用性维修需要花费 7个月的时间和（17.3~20.1）万人工日的工作量，而进行一次坞内预定增加

---

① 海军部，海军作战部长办公室《美国海军舰艇船厂级维修的典型间隔、时长、维修周期与工作量》，海军作战部长办公室 4700 号文件，2007 年 8 月 31 日。

可用性维修则需要花费 12 个月的时间和(30. 89 ~ 35. 66)万人工日的工作量。① 首艘"福特"级航母预计在 2040 年后才进行换料大修。

"福特"级航母具有较长的维修、训练和部署周期,并且一个周期中进行两次部署,其部署期时间约占其全寿命周期的 28% 。而现在"尼米兹"级航母的部署期时间平均约占全寿命周期的 19% 。这样,在 50 年的全寿命周期内,"福特"级航母能够比"尼米兹"级航母部署更长的时间。因此,随着"福特"级航母逐渐取代"尼米兹"级航母,航母舰队的作战可用性将会得到提高。

图 5.5 比较了"福特"级航母与"尼米兹"级航母在一个使用维修周期内的情况,包含维修期(每个使用维修周期的开始阶段)、紧急海上安全期(MSS)、紧急大规模作战准备期(MCO – S)、大规模作战行动准备期(MCO – R)或部署期,这些阶段分别对应相应级别的作战准备情况。

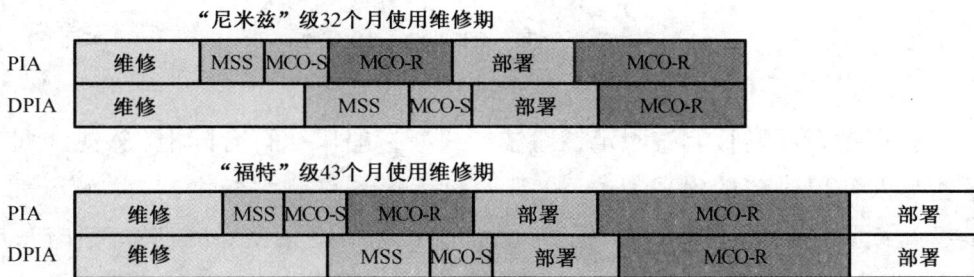

"尼米兹"级32个月使用维修期

| PIA | 维修 | MSS | MCO-S | MCO-R | 部署 | MCO-R |
| DPIA | 维修 | | MSS | MCO-S | 部署 | MCO-R |

"福特"级43个月使用维修期

| PIA | 维修 | MSS | MCO-S | MCO-R | 部署 | MCO-R | 部署 |
| DPIA | 维修 | | MSS | MCO-S | 部署 | MCO-R | 部署 |

图 5.5　"福特"级航母与"尼米兹"级航母使用维修周期内各个阶段比较

注:来自海军作战部长办公室 4700 号文件。PIA 为预定增加可用性维修;DPIA 为坞内预定增加可用性维修;MSS 为紧急海上安全期;MCO – S 为紧急大规模作战准备期;MCO – R 为大规模作战行动准备期。

航母在维修期结束并进行基本训练时,可认为进入紧急海上安全期。这意味着该航母能在 90 天内完成部署。航母在预定增加可用性维修后有 3 个月的紧急海上安全期,而在坞内预定增加可用性维修、换料大修和试航后检修期之后,分别有 5 个月、7 个月和 9 个月的紧急海上安全期。

航母进行综合训练时即处于紧急大规模作战准备期。尽管这一阶段

_____

① 本研究结束时,"福特"级航母的维修内容评估尚未完成,维修评估是基于现在"尼米兹"级航母的维修期数据。

长达 3 个月,但处于此阶段的航母能在 30 天内完成部署。

当航母完成综合训练并即将进入部署时,即处于大规模作战行动准备期。在一个使用维修周期内,"尼米兹"级航母只进行一次部署,而"福特"级航母将进行两次部署。

"舰队反应计划"(FRP)的目标是要求航母舰队有 6 艘航母处于部署或准备在 30 天内完成部署(即处于紧急大规模作战准备期或大规模作战行动准备期),另外有 1 艘航母准备在 90 天内完成部署(即处于紧急海上安全期)。通常这一目标被称为"6 + 1"目标。

在一个使用周期内,航母将接受至少一次持续增加可用性维修(CIA),以弥补在上一次维修中遗漏的维修需求。持续增加可用性维修计划在航母作业基地进行,约持续 1 个月的时间,需要花费的工作量相当于基地级维修 9 000 ~ 12 000 人工日的工作量。

5.5 费 用 增 长

我们把费用增长调查限定在纽波特纽斯造船厂执行合同上(忽视计划成本以及政府供应的设备等)。在开始执行换料复合大修之初,海军和纽波特纽斯造船厂同意了 12.2 亿美元的价格,包括定义良好的基本工作包,约 1 620 万个工作时。2000 年夏天的期望是,总劳动投入最终达到 2 090 万小时,增加了 29%。

然而基本谈判提出的方案并没有包括紧急和补充(Emergent and Supplemental,E&S)情况下费用和小价值变动(Small – Value Changes, SVC)的补贴。这些补贴可能会合理地被包括在基本费用中,特别是最初考虑到一些费用上困难的任务是故意放到紧急和补充设想中的,如果补贴用完纽波特纽斯造船厂将失去利润。有了这些补贴,谈判的解决方案覆盖了 1 940 万个工时,这意味着 7.7% 的增长。此外,其中约五分之一可能是与 1999 年中工会罢工造成的低效率有关系。我们的目的是启发未来的规划,将与罢工有关的增长包括进去似乎不恰当,因为纽波特纽斯造船厂罢工情况也不多见。一个工时增长估计近 6% 是合理的。

由于人工费率的增长,6% 的工作时间增长将带来 17% 的费用增长。复合效果是总劳动成本增长 12%,其余(剩下 17%)是材料成本增长近三

分之一所致。（由于工作包增加了工作项目,而且包括在材料预算中的分包成本被低估,材料成本将会增加）

工时和费用率上升的原因很多,但我们不能准确地推断出导致成本上升具体的原因。我们可发现换料复合大修规划和执行管理中出现了许多问题,这些问题不仅仅可能导致费用上涨,也可能会带来进度的推迟。这些困难在非核维修和现代化工作中最明显。

分析"尼米兹"号航母换料复合大修的费用构成是非常复杂的,因为这些费用分配在几个不同的项目中。尽管换料复合大修规划和执行费用的大部分都包括在海军造船和改装预算中,但其他部分也会反映在海军采购预算部分以及海军预算人事部分(舰船舰员的工资和补贴以及 SUPSHIP NN 和 PMS 312 中管理换料复合大修计划的人事费用)。此外,换料复合大修费用信息的不同来源使费用以不同的方式支离破碎,所以比较数据是困难的。最后,因为在我们研究的过程中,费用也在持续发生变化,所以数据的截止时间也是一个问题。

本节中,我们审查了换料复合大修费用不同层级的细节,试图确定那些导致费用增加的领域。提供了一些定义之后,我们计算了总体费用增长,然后将其分为几个不同的组成部分,即直接劳动力与经常性开支及物资等,核与非核,直接时间与加班时间。

5.5.1　定义换料复合大修费用

换料复合大修的费用涉及很多方面,包括核燃料的费用、舰船舰员的费用以及管理费用。但是所谓的"真正"的总体费用是不太清楚的,因为许多间接的费用,例如海军的管理费,并没有为任何机构所了解或者追踪。

排除这一项就得出了换料复合大修的项目费用。这一费用与海军造船和改装预算相一致,在 2001 财年是 22 亿美元。如果我们排除计划费用和先期材料采购费用,就得到了执行换料复合大修的费用,即舰船在船厂接受维修时的费用,这些费用截至 2001 年春季达到 18.5 亿美元。这些费用绝大部分都在纽波特纽斯造船厂的执行合同之内,约 14.6 亿美元。

一些费用分析人士提出了费用增长和超支之间的差别。政府负责的费用增长主要是由于工作增加、失误或者在谈判解决方案尚未确定之前的执行过程中的未知因素;而费用超支主要是来自于工资水平、通货膨胀和生产率的变化。这些区别明显指出职责所在,费用增加主要是政府的原因;而费用超支则主要是承包商的原因。

尽管上述区别在理论上很有意义,但对于问题研究帮助不大。我们很难说费用的增加是增长还是超支。比如说,在开始评估时可能会确定还有哪些工作需要考虑,到后来相应的预算也要进行修订。这种修订直接带来预算的变化,可能会叫作"增长"。然而工作的增加可能会带来间接的影响。其他工作的效率可能会降低,效果可能会变差或者推迟。最终,这样工作的变化会导致更低的劳动生产率。这种情况下,费用增长会带来费用超支问题。

5.5.2　总体增长

签字的时候总体的合同价格大约是 12.2 亿美元,包括 13% 的目标费用。就像第三节谈到的那样,合同确定了三个范围更广的费用,即基本、紧急和补充与小价值变动。

截至 2001 年 7 月,费用分散情况包括两个以上的费用领域:罢工和尚未分配。最后解决这些问题需要 4 260 万美元。尚未分配的费用代表预期未来可能发生的费用,在谈判解决方案和最终完成时的评估之间差别的基础上,换料复合大修的费用净增加值达到 2.5 亿美元。

5.5.3　费用增长的来源

为了更好地理解另外的 2.5 亿美元花在了哪里,我们检查了最近的季度费用绩效报告和谈判的解决方案之间冲突的情况。在研究每个领域相对增长之前,我们必须对最终完成时的评估的价格做一次调整。4 260 万美元用来解决罢工问题的费用包括在最终完成时的评估的价格中,但是这些费用是因为不同寻常的事件引发的,是海军和直接负责换料复合大修的纽波特纽斯造船厂的控制之外的,所以它们对未来的换料复合大修而言没有多少考虑的意义,应该排除在任何分析之外。

直接劳动力成本是劳动时间和速率的产品。经常性速率是以直接劳动力成本以及增加到这个方面成为总计劳动力成本为基础。劳动力成本加上材料成本构成了总体成本,乘以利润因素,就形成了利润。谈判解决调整之后相关的总体增长达到 17%。

　　"尼米兹"号航母换料复合大修总体费用增长的来源包括:劳动力时间和成本的增长、经常性费用的增长、材料成本的上涨、核和非核费用增长以及加班导致的费用。

　　任何计划修改的数量和类型通常提供了规划阶段质量和程度的良好指示。更好的规划常常会带来更少的、费用较低的改变。在规划不完整或者不充分的地方往往会有许多改变,且费用会激增。在这种情况下,项目费用可能会激增而脱离控制,因为管理往往不能解决根本性的问题,无法实现真正的费用控制目标。

　　然而改变的量也取决于项目的特征。一次换料复合大修是一种变化可能性很高的计划的主要例子。举例来说,一些结构部件的状态在某些领域进行检查之前是无法评估的,而且这通常只能在大修期间进行,原因是舰船大修之间进度和任务带来的限制。

　　就像 5.3 节讨论的那样,现场改装采购由 SUPSHIP NN 提交来对基本工作包进行正式的改变,通常以船厂对实际状况的发展为基础,这不同于最初的工作范围由纽波特纽斯造船厂提交的一份调查报告文件说明。如果有申请提交,预算或者通过紧急和补充,或者通过小价值变动紧急项目费用来提供。协商的解决方案提供一份总额为 1.733 亿美元的紧急和补充费用,到我们已经获得的最近的现场改装采购报告,两方面的净费用增加总共为 4 390 万美元,这些增长可通过 5.3 节提到的 SCA 和 STA 来提供预算。

5.6　评估规划和执行过程

5.6.1　规划和执行过程中暴露的问题

　　知道换料复合大修最终成本固然重要,但更重要的是要了解为什么费用会增加,以及如何改进整体规划和执行过程。我们发现"尼米兹"号航母换料复合大修的非核方面的规划存在多种类型的问题。首先,并非所有与结果有利害关系的各方都会进行足够的投入。利益相关者包括航母计划办公室(具体来说是 PMS312)、类型指挥官(这里指太平洋舰队的航空部队指挥官)、海军海上系统司令部负责造船、转换和维修的管理者(驻于纽波特纽斯造船厂)和纽波特纽斯造船厂本身。

因为最为人所知的与航母有效性维修相关的航母项目执行办公室的野外机构航母维修与改建规划和工程机构已经解散,航母计划办公室从发展工作包的非核维修部分之初就承担起了责任,并在执行过程中保有实质性的授权。但这种方法是存在问题的,因为这个办公的传统重心并不在濒海事务上。类型司令部是舰船的"主人",在舰船经过换料复合大修之后完成其任务方面有着最大的利益。类型司令部参与到了"尼米兹"号航母换料复合大修的规划和执行过程中,不过大部分参与是发生在早期的规划阶段,当时类型司令部的人员提供有关舰船物质状态的信息,提供他们认为需要维修类型的信息。然而,随着规划的推进,类型司令部的作用逐渐减弱,而且在该办公室看来,它在工作的继续发展上已经没有多少授权了。

原航母维修与改建规划和工程机构的一些分析师最终被分配到一个叫作 SUPSHIP NN Code 1800 的机构里,但他们一直到程序已经进行了两年之后才参与到规划当中。他们最终在发展任务包上发挥了关键作用,主要内容包括在换料复合大修执行的建议征求书中。尽管已经建造了美国海军所有的核动力航母,并完成了多艘航母有效性维修(包括"企业"号航母的换料复合大修),纽波特纽斯造船厂并没有尽可能多地参与非核工作包的发展。

纽波特纽斯造船厂确实提供了任务包中任务费用的初步评估。然而,海军部门没有足够的工作人员将海军建造和维修大甲板航母 50 年的经验,以及时的方式提供独立的费用评估,将其作为纽波特纽斯造船厂提供数据的一个印证。

规划和预算之间的关系是有矛盾的。尽管规划正在进行当中,换料复合大修最高的预算数字总是变化的——大部分是减少的,这是对可以预见的换料复合大修需求和国防部其他方面不相关的预算需求做出的回应。规划进程无法足够迅速地对这一预算的波动做出反应。因此,该工作包的发展并没有直接关联到可用的预算上。

它并没有帮助纽波特纽斯造船厂对建议征求书做出回应,而是以一份费用更高(高出其最初向海军提供的评估数据)的建议做出回应。因此,海军和纽波特纽斯造船厂谈判者们面临着确定工作包以适应现有预算挑战的难题。因为海军利益相关者内部在换料复合大修的目标上还没有达成一致,所以克服这一挑战更困难。早期确定的将一艘舰船的能力提高到新舰的水平的规划目标以不切实际为由被拒绝了,但是并没有新的一致意见取而代之。而且他们也没能决定放弃哪些项目(如果费用高于预期,或者预算低于预期)。这种情况决定了很多工作的不可预见性,会造成未来费用紧张和进度延迟。

在执行过程中,基本工作包中任务的任何改变、任何小价值变动和任何在紧急和补充预算之外支持的工作,必须是 SUPSHIP NN 处一个现场改装采购(Field Modification Requisition,FMR)的目标。除了预算问题外,换料复合大修的复杂特征,会导致基础性工作包的任务列表因为执行程序的变化而出现许多变化。不过,因为"尼米兹"号航母换料复合大修可以预见的工作已经列到了紧急和补充预算中,经批准的任务清单之外更多的现场改装采购都已经做出,超出了预期。另一可能推高现场改装采购费用的因素是对舰船的装备状态缺乏到位的理解。

随着换料复合大修接近完工,船厂开始获得额外的资金,以补偿罢工带来的费用,支持紧急和补充情况下带来的工作量增加。之前由于缺乏资金而搁置的大量改动,也都获得了批准。这项工作的增加使纽波特纽斯造船厂发生了工作团队管理的问题,不仅仅是出现在换料复合大修上,还出现在船厂的其他项目上。加班是保持进度的需要,也是低效的体现。

由于缺乏纽波特纽斯造船厂提供的关于维修程序和完成时估计费用及时、准确而有效的数据,海军对于换料复合大修的管理是受阻的。与进展相关的数据最起码晚三个月才能收到,而且常常以一种混淆不清的方式呈现,对海军的项目管理者毫无帮助。此外,纽波特纽斯造船厂内数据搜集和管理系统出现的一种变化,导致一些所需的数据无效,或不准确。

正是由纽波特纽斯造船厂的工作团队并不是仅仅在船上工作这样的事实,使换料复合大修管理的复杂性被放大。在换料复合大修过程中,一大队海军人员被分配到航母上,负责执行工作包的一部分。由于他们使用不同的任务确认系统,水线部分仅有两个人负责,所以两支工作团队的协调也复杂化了。协调的失败以及舰船的工作人员在某些任务上经验不足,导致纽波特纽斯造船厂和舰船舰员的工作都出现了返工的情况。

5.6.2　规划和执行过程的评估标准

发现问题后的重点是如何解决。为此我们将评估如何做好"尼米兹"级航母换料复合大修的规划、承包和执行过程及如何对它们加以改进。我们使用了在分析国防部其他计划的管理办法时已证明有用的几个标准。这些标准涵盖了参与到计划管理决策过程的各种组织的基本功能和特点：明确而有效的授权路线已经确定。在工作的过程中，所有的职责和角色都非常明确而有效。沟通是受鼓励的。所有项目垂直和水平层面的沟通都是自由且有效吗。成本、进度和变更控制方法的使用。是否已经建立了一种有效的成本、进度和变更控制的方法，由有关各方使用，能够在没有不当干预的情况下有效管理计划。风险管理程序的使用测试和管理。风险是否已经有了有效的程序。需求和工作包的定义明确而清晰。工作是否界定清楚，并能否在现有的资源执行下去。成本评估是明确的和合理的。成本估算是以过去的数据为基础吗，估计是准确的吗，是否是有效的成本信息在证明资金支出计划。激励是显而易见并且恰当的。是否有鼓励各级表现良好有效的激励。资金是充足和稳定的，控制和支持是有保障的。有足够的资金用于计划的工作吗，如果有需要，是否还是有足够的支持来进行资金链的调整吗。管理团队是可靠和稳定的，且有足够的规模。其在其预期的任务中，是否有足够的经验和训练，它在该计划期间是否稳定，以及是否有足够的人员来完成工作。

对于每一个标准，我们定义了三个层次的成就："好"指的是该方案的做法是正确的，或者根本没有（或者很少）改进的必要；"需要改进"是指程序的基本结构是可以接受的，但做法有改进的余地；"需要高级管理人员注意并采取行动"是指有的计划的结构和做法严重不足，高级管理人员应该为未来换料复合大修做一些基本的调整。

我们使用这个结构性的项目管理评估框架，与参与换料复合大修规划和执行过程主要机构进行沟通。我们采访了项目执行办公室的人员及各种组织，包括太平洋舰队海军航空兵、大西洋舰队海军航空兵、SUPSHIP NN及舰船上不同级别的人员。我们还采访了纽波特纽斯造船厂涉及换料复合大修不同的人员。这样做的目的是要对"尼米兹"号航母换料复合大修流程信息充分了解，不被任何人或组织批评。我们询问了每个组织及各种组织之间,包括海军和纽波特纽斯造船厂之间相互作用的标准。

在这一节中,我们提炼出了我们的采访过程中听到的这些内容。每个标准是足够广泛的,在与来自不同组织的人士讨论后,我们遇到了不同的解释和侧重点。标准之间也有一些重叠,特别是在有助于因果的相互关系方面。虽然我们重点在规划和"尼米兹"号航母换料复合大修执行中的不足与问题,这并不意味着全盘皆输。规划和执行过程有很多很好的方面,特别是考虑到项目的复杂性以及这是"尼米兹"级的第一个换料复合大修的事实。此外,一些问题得到了纠正或在换料复合大修过程中得到了改进。海军多个部门和纽波特纽斯造船厂都认识到了各种困难,并采取了纠正措施,特别是为"艾森豪威尔"号和"卡尔文森"号航母换料复合大修的规划工作。

总的来说,最后结果是成功的。换料复合大修为"尼米兹"号提供了未来 23 年或者更长时间服役寿命的基础。不过,同样的结果可能是在更短的时间或更少的钱上实现。同样的时间和同样的钱,也可能实现更多更好的结果。发现那些可能导致上述结果的程序改进,对后续换料复合大修(预算水平更低)来说非常重要。我们希望,在这一节的见解和建议,将对在换料复合大修过程产生更大的改进。

1. 标准 1:职责权限

职责权限标准调整了换料复合大修规划和执行阶段的整体组织结构。它的重点是指挥决策链,包括各种组织之间和内部的职责、关系和协调。它考虑的是"是或不是组织程序,而非组织中的具体人"在换料复合大修规划和执行中是有效的。

我们发现,就"尼米兹"号航母换料复合大修而言,职责权限特别是决策责任,有时不明确或混淆,此外,它们在规划和执行过程不同的点上都有改变。一些组织的作用没有明确界定,导致整体混乱,并往往在决策中缺乏协调。例如,在合同谈判中,最后一分钟时工作方案还做了修改,以"适合"的工作包成本应对可用的预算的需求。这些修改通常没有考虑到系统维修需求的影响,由于预算的限制,也不会被原先计划所取代。

在"尼米兹"号航母换料复合大修经验的基础上,我们总结换料复合大修各个方面的角色和责任,以及需要改进的职责权限。幸运的是,在"艾森豪威尔"号航母换料复合大修规划过程中已经有多项改进。

(1)背景

换料复合大修是一个极其困难和复杂的工程,也许是美军中甚至是美国工业界最大的单系统维修计划。它多个角色重叠的组织机构是在世界上最复杂的武器系统上执行的。由于这种复杂性,要使规划、合同以及执行阶段取得成功,适当组织明确赋予的角色和责任就非常重要。了解关于舰船基本状况、维修历史以及预期将维修的结构和装备的各个组织,必须合作来发展一个工作包,满足换料复合大修的最终目标。这些组织必须有历史数据和分析工具用以帮助评估工作量和成本,如果预算不够无法完成所有的计划工作,就必须有可用的替代方案。这些相同的许多组织必须是承包过程中的关键成员,确保工作包可以根据预算情况适当调整。

如果规划和承包阶段是由正确的组织实施,那么执行阶段面临的问题也会较少。一艘已经服役25年的航母过于复杂,如果系统不打开工作,是无法了解所有装备和系统的状况的。但是,如果适当的组织有所需的责任和管理决策的数据与工具,他们可以迅速有效地应对出现的问题。该组织可以明智地决定什么需要增加,什么需要删除,哪些是固定的,哪些是被推迟。

在换料复合大修项目中,海军试图让同样的机构实施规划与执行阶段,如换料复合大修项目管理计划所示。主要授权被分配给航母项目执行办公室,分支授权是由PMS 312传递给PMS 312D。PMS 312负责将工作包与可用预算匹配,以确定需要满足预算限制减少多少工作量,以及如何在执行阶段管理改变程序。项目管理计划相当详细地定义了PMS 312D以及其他参与其中机构的任务,在两个关键的领域没有说清楚:①它没有定义PMS312D大部分下属机构的行动权限;②它并没有规定不同机构之间(在其中一个机构要采取行动解决问题时)应该怎样协调。

(2)规划

参与到规划核工作包的机构的职责和角色的界定从一开始就是比较明确的,这使得规划工作扎实而广泛。对于非核工作而言,与组织角色和责任相关的问题在规划阶段就已出现了。最初,由于航母维修与改建规划和工程机构解散,PMS 312承担了无核工作包发展的责任。

目前尚不清楚,如果PMS 312实际缺乏有关舰船维修的知识,特别是针对换料复合大修这样复杂的任务,这是否是一个不错的选择。当然,PMS 312 需要工作包开发程序的认证,但什么维修应该包括在内的实际决定应该与那些更熟悉舰船维修历史和作战需求的机构进行协调。

维修工作包的评估开始于船厂人员和舰船舰员进行的状态调整。这在舰船最后一次部署的过程中就进行了。然而,纽波特纽斯造船厂大部分与无核维修相关的检查似乎主要用于配置管理而不是工作量评估。

纽波特纽斯造船厂人员在现实中没有参与发展非核工作包的具体任务。通过与他们讨论,我们了解到他们理解各自的职责和角色,认为这种低水平的参与是合适的。他们把工作重点放在核工作包的规划上并希望可以发挥主要作用。他们还提供工作流程定义和初步的劳动及物质费用(这些费用主要是用在海军的非核工作包中)评估。因此,纽波特纽斯造船厂作为一个熟悉舰船和换料复合大修的重要组织,并没完全参与到非核工作规划过程。而海军船厂以同样的方式实施较早期的有效性维修。同样,诺福克海军造船厂,尽管具有所有"尼米兹"级航母非核维修的资格,在工作包修理部分的规划上也没有充分发挥作用。在纽波特纽斯造船厂和诺福克海军船厂"尼米兹"级舰体规划船坞应该扮演什么样的角色,以及他们如何参与到非核工作的规划这样的问题上,我们采访的过程中发现,关键的组织间并没有共识。这是关键的组织在规划中缺乏明确的沟通,不能细化角色和参与度不足的一种体现。

随着最初规划的推进,SUPSHIP NN Code 1800 参与到工作包的规划工作中。具体来说,已经解散的航母维修与改建规划和工程机构(该机构保有历史数据和航母维修操作专长)的人员,会转移到 SUPSHIP NN Code 1800,提供规划换料复合大修所需的专长(在"艾森豪威尔"号和"卡尔文森"号航母换料复合大修规划过程中,SUPSHIP NN Code 1800 从一开始就以提供专业知识的形式参与了)。

类型司令部人员还告诉我们,他们最初参与了规划,但随着规划的推进,他们的作用大大减弱。

因此,在"尼米兹"号航母换料复合大修规划的过程中,PMS 312 承担了更多的责任并发挥了(超过其应该有的)更大的作用;纽波特纽斯造船厂和诺福克海军造船厂似乎被赋予了太少或不明确的权力或责任;SUPSHIP NN Code 1800 也参与了该过程,但为时太晚;类型司令部从规划过程中脱离似乎又太早。

尽管有诸多问题,规划过程最终于 1997 年 9 月形成了包括在建议征求书中的工作包。该工作包在核部分是彻底和明确的,成本估算相当准确。在非核部分,虽然还很不完善,也似乎已经充分指明了将要执行的绝大部分任务。遗憾的是,非核部工作包的费用仍然存在着很大的不确定性,而且如果费用超出了可用的预算,也没有多少好的备用选项。

(3)谈判合同

纽波特纽斯造船厂 1997 年 12 月就提交了其建议,合同谈判不久就开始了。这种成本建议明显高于海军的初始成本评估数据,它超出了换料复合大修执行可用预算。

在合同谈判中所涉及的主要组织是 PMS 312,海军海上系统司令部的合同部(SEA 02)以及核推进部(SEA O8)和纽波特纽斯造船厂。如果在工作包范围、工作优先次序以及相关费用方面的争论较少,预算充足可以支付估计的费用,那么谈判过程就会更有效率。然而,正是因为事实并不如此,海军的谈判者需要从其他组织那里获取准备充分的知识和建议,了解该如何调整工作包。能够提供这方面的知识和资料的组织至少包括类型司令部、诺福克海军造船厂以及 SUPSHIP NN Code 1800。不幸的是,这三个组织没有被咨询或要求提供建议或者选项来评估工作包改变在合同谈判中的影响。

经过几个月紧张的谈判之后,“尼米兹”号航母换料复合大修执行合同签订于 1998 年 4 月。由此产生的执行工作包有一系列问题,这表明有用效的钱来成功地执行换料复合大修将是困难的。其中有一个重要问题:类型司令部、诺福克海军造船厂,SUPSHIP NN Code 1800 在具体任务被删除或更改时缺乏有效参与,没有调整工作包的其他部分或包含其他必要的行动。

(4)执行

SUPSHIP NN Code 152 在换料复合大修执行阶段起到主导作用。它必须监控成本和进度,了解工作包中工作的进展,它必须在决定和批准(或反对的)那些源自于纽波特纽斯造船厂提交的调查报告中以前不知道的行动上发挥主导作用。这些调查报告决定着现场的改装采购,使资金从紧急和补充预算中分配。不过,在“尼米兹”号航母换料复合大修中,工作包改变批准的授权、角色和职责并不明晰,而且,改变是在执行过程中不时发生的,类型司令部并没有充分参与其中。

PMS 312 最初下放了改变审批权限给 SUPSHIP NN,然后又收了回来。在不同的时期,至少有四个机构承担并用授权对工作包进行调整,即 SUPSHIP NN Code 152,SUPSHIP NN Code 400(与 SUPSHIP NN Code 152 协商后),PMS 312D 和海军海上系统司令部(在合同谈判中)。考虑到非常流畅自然地执行换料复合大修,就必须及时地调整最初的工作包,应对新出现的预算限制、新增加的重要工作、配合其他问题或应对大修期间的重大事件。这些机构都应该可能有一些授权行动的措施,但没有明确界定和适当的限制,并明确界定海军协调、整合结果的责任,那么调整工作包的其他内容就需要增加进度和工作量。

根据执行协调机制出现的困难,位于华盛顿特区的 PMS 312D,作为授权机构,必须要从源头上在船厂解决平常出现的问题。集中计划办公室管理对新的采购计划来说可能是充分的,因为大多数新的采购中都可以预测,涉及数百或上千的分散供应商。此外,纽波特纽斯造船厂在新建造中扮演着更大的决策角色,因为作为最终产品的新舰及其要求有更加明确的界定。集中计划办公室管理对于流动性、不确定性强的换料复合大修"采购"来说是否是最好的方式还不清楚。

工作包在执行阶段分为承包商和舰船部队两部分。类型司令部的职能主要涉及舰船部队工作包。在调整承包商工作包时,类型司令部在与他们有关的(当舰船恢复行动时使用意向)的判断上授权、职责和义务都比较有限。对于"尼米兹"号航母换料复合大修,这可能是海军造船和改装预算计划的一个后续,预算授权在航母项目执行办公室。

2. 标准 2:沟通

标准 2 强调了在海军和纽波特纽斯造船厂内部,以及海军和纽波特纽斯造船厂之间的沟通。该标准涵盖了沟通过程和协议,以及准确和及时的相关数据与信息流。及时有效的沟通和数据交流对像换料复合大修这样复杂的项目来说是必不可少的。

我们认为海军"尼米兹"号航母换料复合大修组织内部的沟通需要改善。我们无法收集足够的信息来判断纽波特纽斯造船厂内是否有足够的沟通,但海军和纽波特纽斯造船厂之间的沟通似乎需要高级管理层的重视。特别是在数据交换方面,CVN 68 换料复合大修过程中有许多沟通不足的情况,一些困难来自于混乱的指挥系统,一些困难则来自于其他因素。

我们的大多数受访者报告,沟通过程在管理层还是不错的,至少在海军方面是如此。例如,电话信息通常会得到反馈,所需的报告通常能够按时提交。然而,从海军的角度来看,与负责换料复合大修监督相关的沟通的内容和有效性并不充分,不足以有效地管理换料复合大修。这主要是由于纽波特纽斯造船厂和海军之间缺乏及时的数据流。例如,现场代表中的许多人都认为,为更高一级准备的简报通常需要对任务信息的重要性、任务执行阶段的准确性进行计量,以发现紧迫和重要的问题。

提到了和海军沟通有关其他几个问题,包括以下内容:

由于类型司令部已几乎从资金和决策循环中完全移出,所以有关最终产品的对于类型司令部的需求沟通不畅。类型司令部很少参与决定哪些工作需要增加或者分包,以及这将对舰船的最终运作有何影响,尽管事实上类型司令部是最后的接受人。尽管说将费用控制在预算限制之内是 PMS 312 的职责,因而它具有调整的最终授权,但是类型司令部也应该就可能的调整提出优先次序的说明,以帮助 PMS 312 决策。

无效的进展报告将使海军在执行阶段的任何时候跟踪程序或者为满足进度和预算需求调整工作量时都很困难。几种不同的进度报告需要提交。但这些报告对于跟踪近期的进展是没有用的,因为它们远远落后于当前的日期。此外,许多涉及剩下工作包报告的模式都是错误的。

SUPSHIP NN Code 1800 并不能很容易地以电子的方式获得纽波特纽斯造船厂的调查报告,所以这样的教训不能顺利地应用于后续"尼米兹"级航空母舰的换料复合大修的规划工作中去。

不同的报告常常导致混淆而非明确。舰船部队和海军海上系统司令部采用了不同的工作识别系统,舰船部队使用工业控制编号(Job Control Number,JCN),而海军海上系统司令部和纽波特纽斯造船厂在工作包中使用了舰船工作线项目编号(Ship Work Line – Item Number,SWLIN)。因此,舰船部队无法追踪那些造船厂进展中与它们的工作控制进度相关的项目。难以核查需要针对纽波特纽斯造船厂进展的任务,这些任务可以使舰船部队完成工作产生一定的风险,而且没有人连 SUPSHIP NN、纽波特纽斯造船厂或舰船部队高层管理者都不能完全了解这一点。

这在海军和纽波特纽斯造船厂之间的沟通和数据流动上是一个关键问题。海军许多人都表达了在沟通和信息流上与纽波特纽斯造船厂相关的失望和不信任。这些人认为海军没有及时、准确提供相关的财务、生产与计划数据,用以评估船厂绩效和确定需要发展的替代性工作包、资金或执行策略。

纽波特纽斯造船厂经理表达了类似的失望和不信任。他们担心,提供过多某些类型的数据,可能会令他们在与海军未来的合同谈判中受损,所以不愿意提供太多的没有其背景和历史的认识将会产生误解。纽波特纽斯造船厂还担心,让大修数据开放,海军可能会在缺乏双边协商的情况下试图完全改变船厂内部程序。

海军和纽波特纽斯造船厂的忧虑都是有根据的,双方的高级管理层未来一定要共同面对可以改进的机会。重大信息的及时互换非常重要。

在"尼米兹"号航母换料复合大修的最后一年,纽波特纽斯造船厂和海军代表都认识到,现有合同数据需求清单(Contract Data Requirements List, CDRL)不足以提供所需的成本和进度来交付舰船。因此 SUPSHIP NN 开发了一个用于突出合同变更并进行改进的沟通工具,纽波特纽斯造船厂与海军借此非正式地共享数据以填补空白。

3. 标准 3：成本、进度和变更控制

标准 3 强调监视和控制换料复合大修计划成本、进度和计划的程序、方法及分析工具。这些方法需要了解换料复合大修现状、预测未来的价值,并找出潜在的问题以及解决这些问题的办法。成功的标准有赖于海军和纽波特纽斯造船厂之间共同的理解和协议、适当使用监测和决策工具、并及时和准确了解相关数据和存在的能力。沟通标准下的种种问题也对这一标准产生重大影响。

根据采访,我们认为成本、进度和变更控制需要改进。此评估是以海军的成本、进度和变更控制方法的评估为基础,我们无法收集足够的信息来判断纽波特纽斯造船厂在这方面的表现是否足够好。虽然海军有一些相应的成本、进度以及变化控制程序,但他们在理解和监测的换料复合大修进展方面似乎不太有效。效率的缺乏源自于程序本身的缺陷,就像下面提到的必要的信息缺乏充足的沟通。海军不得不依赖于纽波特纽斯造船厂的成本和进度状况预测。更重要的是,纽波特纽斯造船厂和海军似乎使用了不同的系统来管理成本和进度。

许多问题使海军控制成本和进度的能力变弱了。例如:

(1)合同绩效数据通常远远落后于现有的数据,这对于跟踪实际的程序来发现问题是没有多少用处的。由于这一目标的关键是由纽波特纽斯造船厂提交的月度费用绩效报告(Cost Performance Report,CPR),提交时间是在报告截止日期的35天之前,通常费用绩效报告中的数据常常在截止日期的90天之前。费用绩效被提交和被遗忘在总部,只有几个点的关键数据,会被SUPSHIP NN Code 152提取作为指南。美国海军代表表示,因为换料复合大修非常顺利,这些后续的报告没有多少价值。

(2)纽波特纽斯造船厂调整了其状态控制系统,使它有几个月的时间无法追踪"尼米兹"号航母换料复合大修材料费用情况。

(3)纽波特纽斯造船厂似乎已经通过控制那些迫切需要的任务需求,而不是通过监测工作进展情况来控制进度。尽管这对解决紧迫问题时是有效的,这种方式并不能确保整个工作范围内进展良好。

(4)由于缺乏独立的海军费用评估和协商办法以及执行中支出的及时报告和舰船部队和承包商工作包上的有效协调,费用和进度控制是不能得到保证的。

(5)该SUPSHIP NN合同人员分析和谈判换料复合大修合同变更的操作,主要是静态的。因此,这些工作人员可能会因为活动频繁变更而发生变化。"尼米兹"号航母换料复合大修过程中有几次超过3 000万美元尚未完成谈判的变更积压。海军和纽波特纽斯造船厂需要这些未知的捆绑结算费用,以管理数百万美元来处理紧急问题。"尼米兹"离开造船厂6个月后,超过2000万美元合同变更仍然没有得到解决。

由于经常程序变更不灵活、SUPSHIP NN的运作低效和物资采购风险,SUPSHIP NN和PMS 312常常不得不授权纽波特纽斯造船厂在不知道最终价格的前提下开始新岗位上的工作。一旦工作已经开始,工人数量有限的纽波特纽斯造船厂和SUPSHIP NN合同人员面临的价格谈判的工作的压力也较小,更紧迫的问题需要更高的优先级。无论是单独还是作为一组,纽波特纽斯造船厂和海军都会定期结算这样无协商的变更,以便纽波特纽斯造船厂的实际成本来完成这项工作。这个解决过程相当于允许纽波特纽斯造船厂在多层努力的基础上进行合同的更改。有证据表明,这可能是完成工作最有效的方式。但海军和纽波特纽斯造船厂从来没有明确地分析或对这一战略表示赞同。

变更控制名义上是由 SUPSHIP NN 和 PMS 312 实施的,虽然其他团体也采取行动,最终导致合同的变更,例如 SPAWAR 管理设计变更。规划的工作许多必要的技术变更,是在每天执行换料复合大修过程中发现的。当承包商开始研究工作包时,每天可以确认 50 多个这样的变更。总而言之,现场改装采购会有 6 000 多项变化被确定和处理。在面对这么多的修改建议,海军需要具体标准和优先性,以及相关、及时的数据做出有效的决策。然而"尼米兹"号航空母舰换料复合大修过程并没有预先设定的标准和优先事项,这迫使海军和纽波特纽斯造船厂开发专用的标准。此外,这种环境下的集中计划办公室决策导致的无疑是延误和更高的成本。PMS 312 清醒地认识到了这个问题,并在换料复合大修开始时,授权 SUPSHIP NN 变更25 万美元。当成本开始迅速增长时,授权到了 PMS 312 手中。

我们的许多受访者评论说,纽波特纽斯造船厂调查报告(Inspection Report,IR)系统做了太多对海军价值不大的文书工作。这并不奇怪,因为合同变更或政府指导价的要求开始只是由调查报告提出的诸多目标中的两个。因为等待政府批准进行的工作而导致延误,这个过程消耗了大量的劳动生产率,并对纽波特纽斯造船厂产生不利影响。该系统并没有作为纽波特纽斯造船厂一个控制元素,因为几乎所有的项目最终都不得不作为合法的问题固定下来。

4. 标准 4:风险管理

风险管理标准强调的是应用有效的计划和可使用的程序来识别、评估和发展计划,缓解不同类的规划和执行过程中可能出现的风险。该方案和进程必须考虑的重要因素包括成本、进度和性能风险。

目前除了发展现代化工作包外没有一个为"尼米兹"号航母换料复合大修的合适的风险管理计划的例子。因此,海军需要改进风险管理。我们无法收集足够的信息来判断纽波特纽斯造船厂在这方面的表现是否足够好。

PMS 312 已经解决了"艾森豪威尔"号航母（CVN 69）换料复合大修的这个问题，并制订了风险管理计划。我们没有详细审查这项计划，但我们注意到，计划显然为了海军海上系统司令部的核工作，已经将风险管理分配到了负责任的技术参与方（同时向总部报告）如现代化管理计划措施。

除 PMS312D 之外的其他一些参与方也开始强调风险。举例来说，液舱和空舱的修复在大修中都是特别昂贵的项目。因此，大西洋舰队海军航空兵制订了"艾森豪威尔"号航母的生命周期维修计划，使液舱工作总量是已知的，可以在适当的供应量之间分配，其中包括换料复合大修。该计划有一定的价值。纽波特纽斯造船厂表示，CVN 69 在换料复合大修期间可以做800 个液舱中的 220 个，而大西洋舰队海军航空兵本来打算更多的工作要做。随着计划在手，大西洋舰队海军航空兵现在可以解决不完整的工作和时间表完成它在未来的供应量。

5. 标准 5：工作包开发

标准 5 阐述了为换料复合大修开发工作包的问题。换料复合大修工作包包含三种完全不同的工作：第一，舰船核反应堆装置更换燃料和维修；第二，增加新的现代化的能力，如新的传感器和通信系统；第三，修理现有的系统和设备，以恢复或改善舰船原有的功能。这个总体工作包进一步分解成特定的任务交由相应的组织来完成——纽波特纽斯造船厂、舰船部队或者其他。该工作包也会变化：源自规划过程获得授权的工作包，以及包含在舰队反应计划中源自于合同过程的执行工作包。

一个正确、完整以及深思熟虑的工作包，转换成舰船部队和承包商的工作包，对于大规模的复杂的航母换料复合大修是特别重要的。根据以往标准，那些在航母有效性维修上有着最大专长的组织，最了解舰船状态的组织，并没有足够早或者完全地参与到"尼米兹"号航母换料复合大修工作包的发展中去。航母有效性维修的历史数据并没有充分用来评估换料复合大修的工作量。部分由于这些原因，规划过程中形成的工作包或忽视或低估了重要工作。更重要的是任务和可选方案之间的关系（如果任务已经选定）并不足以有效支持合同程序。当需要应对有效的预算来调整工作包时，执行的工作包往往会有问题，难以有效执行和控制费用。基于这些原因，我们认为工作包的发展需要高级管理层的重视。

以下几个问题影响工作包的发展：

（1）换料复合大修目标不明确，且在计划周期过程中发生了变化。关于什么任务应该或者不应该包括在内的问题上出现了混乱。

（2）一些必要的工作并没有包括在授权有效性维修工作包或在随后的承包商和舰船部队工作包内。比如说，总体舰船非核测试在授权的有效性维修工作包中并没有获得充分的注意。

（3）舰船部队的工作包并没有与承包商的工作包和舰船的训练需求进行充分的规划与整合。

（4）该工作包似乎没有考虑将分包主要任务作为一种降低成本的手段。

核反应装置工作的目标是一贯且明确的（完成燃料更换和维修，为另外 23 年的舰船运作提供能量），而其他工作的目标则会不明确或产生变化。有些受访者认为，最初的目标是使"尼米兹"号航母恢复类似的新建舰船的状态。当需要考虑工作的时候，这个目标变得似乎不太可能会实现，因为较早前常规动力航母的延寿计划复合大修的经历已经验证了这一点。后来，这个目标被认为是"很容易就通过检查和调查委员会的测试"，但这没有意义，因为所有舰船维修的目标似乎都是过于宽泛。"资产重组"是当前在项目管理计划表达的目标，但这个词对不同组织有不同的含义。一个目标明确、易于理解（而不仅仅是更换燃料），对换料复合大修来说将帮助很大。这样一个目标将是参与到基于现有的预算限制的授权工作包内的所有利益相关者协调的产物，有助于在有效的预算范围内完成现有的工作。

该工作包的发展缺乏明确目标，会导致"尼米兹"号航母换料复合大修中两种类型的错误。首先，舰船部队已经习惯了最近在海上行动出现的许多问题，并将重点放在当前的行动上。它可能也没有意识到如果舰船需要再运作 23 年，需要纠正的问题在哪里。举例来说，"艾森豪威尔"号的拦阻装置电镀和结构腐蚀非常严重，以致可以透过孔直接看到海面。然而并没有舰员报告这个问题，也没有包括在"艾森豪威尔"号航母维修的工作包内。因此，如果不对舰员加强训练，让他们学会如何寻找报告，完全依赖舰船部队的信息来发展维修工作包是不太明智的做法。其次，那些参与到合同中的人员，对目标缺乏了解，对具体的系统知识了解不够，所以决策也不够科学。举例来说,原本规划了搜集、保留和转移系统升级,但是后来因为预算原因而删除这个项目的时候,其他的工作包部分并没有安排补偿的措施。工作包发展过程中需要更多的注意、训练、经验以及充分的调查。

目标必须包括哪些海军哪些需要最终交付的产品。如果产品是一艘做好战争准备的舰船,所有的装备安装和维修都必须包含在工作包内,也要有足够的舰员培训提供支持无限制的舰船行动。后者的目标可能对舰船部队工作包有影响,下面我们会就此进行讨论。它对换料复合大修之后组合的交付后有效性维修/选定限制有效性维修有影响。

"尼米兹"号航母交付后有效性维修和选定限制有效性维修的一项功能是安装作战系统。推迟到换料复合大修之后有两个原因:给舰船配备最新装备(在重新回到舰队的时候)的好处;尽可能使舰船的维修和现代化预算分散化。类似的概念也被运用到了 1990—1994 年"企业"号航母(CVN 65)换料复合大修的规划过程中。这种做法是否应该继续则取决于海军为换料复合大修设定的目标。"尼米兹"号航母的做法可能有助于预算需求,但它在换料复合大修结束之后留下了一个不适合战斗的平台,因而降低了舰船的总体寿命,也减少了执行任务的有效时间。

"尼米兹"号航母将所有必需的工作包括在授权有效性维修工作包与承包商和舰船部队工作包内,和项目管理计划不一样的是"尼米兹"号航母授权有效性维修工作包并不一定代表所有已知的基本工作。许多受访者指出,"尼米兹"号航母的状况并没有很好地反映在工作包中,需要更好的检查和报告来确定舰船的基本状态,并发展一个完整的工作包。举六个方面维修为例:

第一,升降机支柱的维修。很多人都知道这项工作是必要的,但不知何故却被冷落在工作包之外,导致超过 100 万美元的成本增长。

第二,弹射器维修。要确保弹射器的维修需求就要检查其基本状况,但要详细检查就要拆卸。其他航母维修的过程中这一项似乎没有做,也没有考虑。因此,弹射器维修的计划是不充分的,需要一个开放检查的程序来确定需要什么工作,这导致换料复合大修不可避免地出现费用增长。

第三,推进装备维修。许多推进测试和大修前检查需要装置冷却下来。如果没有这样做,一些推进装置领域的工作包是无法确定的。

第四,通风系统的维修。其他航母的经验表示,在经过一次彻底的检查之后,维修工作包应该包括更换通风管道和风扇。

第五,喷涂、保温和贴砖。这些项目被认为太难准确定下价格,因此它们被排除在基本工作包之外。这项工作的成本可能已经从以前航母的经验估计而来。

第六,涡轮发电机维修。这在换料复合大修开始之前是很重要的,但不在工作包中。仅此一项导致成本增加了2 000多万美元。

工作包中的一个显著的问题是缺乏一个合适的总体测试计划。测试要解决的问题主要是换料复合大修完工面临的问题。总体而言,海军海上系统司令部安装与测试新装备的程序及支持是不成熟和不足的。纽波特纽斯造船厂的测试方法是推断其新建设的测试程序,因为这是其大部分经验。因为在新的和在役舰船有许多差异,所以这种方法不好。海军海上系统司令部发展的测试计划的一部分并没有很好地安排和支持。例如,新的微处理器技术取代了新的蒸汽装备控制系统的老式模拟系统,文档和测试计划在这项变化上是不够的。

无论得到授权的有效性维修工作包有怎样的缺陷,其中一些项目并没有出现在承包商或者舰船部队的工作包中,当换料复合大修中的缺陷出现的时候,这些项目必须恢复或执行。如果不进入换料复合大修的执行阶段,很多区别不会引起人们的注意。纽波特纽斯造船厂在提供承包商工作包的时候,应该就经过授权的有效性维修工作包做出解释和说明,但是它忽略了其中的许多遗漏。海军并不能完全发现这些遗漏。例如,经过授权的有效性维修工作包提出维修特定类型的 7 个阀门,但是承包商工作包仅仅要求维修 6 个。

海军似乎没有充分检查最终授权有效性维修工作包的纽波特纽斯造船厂的澄清与预期。

为舰船部队发展和执行工作包也是有问题的。最初的工作包是在大修开始两年前发展起来的,依据是现有舰船维修计划(Current Ship's Maintenance Plan,CSMP)中那些适合中继级维修活动的任务,或者舰船部队完成的那些任务。剩下的任务放到了纽波特纽斯造船厂工作包中,由纽波特纽斯造船厂根据一个不同的编号系统来完成。更多的舰船部队工作包是在纽波特纽斯造船厂合同谈判之后增加的,主要是选择那些纽波特纽斯造船厂工作包之外的项目。随着大修的推进,更多的工作将会增加进去,帮助控制换料复合大修的总体费用。工作量超出了舰船部队的能力,这种情况后来通过增加预算和再把工作分配给分包商或者纽波特纽斯造船厂来解决。预算增加似乎理所应当,但是对于大多数工作包而言,这种需求应该早就料到并在大修开始之前就解决了。

工作包的现代化部分也饱受规划不足之苦。例如,安装一体化通信和先进网络(Integrated Communications and Advanced Network,ICAN)。该系统的工程化导致放置接线盒空间被用于其他目的。没有考虑到冷却的设备及进一步增加通风的需求,从而导致了不必要的预算增长。

一些人与我们谈起这个问题时表示,舰船部队大的工作包对海军来说有巨大的好处,而其他一些人也表示,这是没有多少好处的,因为工作包可能影响到基本的训练。舰船部队工作包需要舰员们进行阀门翻新、甲板平铺、生活空间翻新、空间液舱和空舱的重新喷漆以及其他的杂务工作。舰船部队也会监控纽波特纽斯造船厂工作执行情况,这也是其重要的贡献。

"尼米兹"号航母的换料复合大修大约有2 700名军官和水兵参与。包括监督分包商在内平均1名水兵只有20%的工作日可以用来执行舰船部队工作包的。舰船部队起初并没有就直接的工作包同分包商的工作包和纽波特纽斯造船厂进行协调,导致了相互干扰和返工。1999年12月,一个航母有效性维修支持小组(Carrier – Availability Support Team,CAST)被分配到太平洋舰队海军航空兵(AIRPAC Naval Aviation,Pacific Fleet)来帮助协调,当2000年2月明显协调需求增加的时候,又分配了一个小组。

因为舰船部队并没有从换料复合大修预算中获得工资或者好处,他们有时候被视为"免费"劳动力,所以人们认为这可以降低舰船维修成本,也就是说纽波特纽斯造船厂或者分包商应该以更低的价格来执行维修任务。一些人认为,因为维修是海军舰员工作正常的一部分,所以在换料复合大修中使用舰员进行维修并不过分。还有些人指出,舰员并没有受到充分的训练来进行舰船部队工作包中的工作,所以他们效率不高。许多人都强调指出,舰船部队做的很多工作都可能会由分包商或者纽波特纽斯造船厂重新做一次。

不过,高层最主要的担心是,这可能导致舰船部队因为工作包而影响到舰员训练。舰船部队的主要任务是操作战舰执行任务,并依据现有舰船维修计划来维护舰船。这些任务需要持续的训练方案,但在换料复合大修中,舰体被"分散"执行,舰船部队工作包占用了大量原本用于训练的时间。此外,当舰船离开纽波特纽斯造船厂的时候,原来的舰员中只有 20% 还会回到航母上。剩下的或是新兵,或是其他类型舰船的水兵,需要额外的训练才能操作航母系统。这是一项巨大的训练负担,几乎不可能满足换料复合大修的情况。如果换料复合大修的目标是让舰船一旦交付就准备好开始部署,那么将需要很大的训练量。大修环境中训练的困难可能会导致重大的错误。"尼米兹"号航母换料复合大修测试计划过程由于一个昂贵的蒸汽装置部件出现了不当操作导致测试失败,原因在于训练不够。所以人们的意见出现了分歧:是让舰船部队不担负工作包,还是让舰船减员到只要担负重要的守控和监督功能为止,或者是继续目前的做法。减员概念本身就是有问题的,海军人事系统能否管理这样一个战略都不清楚。

我们甚至假定,舰船部队承担的"尼米兹"号航母换料复合大修的工作比例或者分量是适当的,该工作包也没有和承包商的工作包进行有意义的整合及协调。舰船部队的管理者向纽波特纽斯造船厂提交几份总体工作计划,来评估和提供一系列可能冲突的因素,但是并没有实现完全整合,从而导致了延迟和费用增加。我们也有许多可以避免冲突的例子,由于缺乏经验,像改善居住性和平铺上出现的问题都要返工。整合的缺陷来自于不同规划和执行团队来负责承包商与舰船部队工作包。部分实现一体化的好处是因为,在换料复合大修后期,SUPSHIP NN 提供了更多的帮助。该机构帮助改善了"艾森豪威尔"号航母的换料复合大修工作。

SUPSHIP NN 和 PMS 312 转包了一些舰船部队的工作包,他们能够以合理的费用做更多的工作。然而,纽波特纽斯造船厂被分配了所有的"关键路径"工作,即那些必须要按照计划进度确保完成的工作,而其他工作则必须在舰船部队与海军分包商之间进行分配来满足时间、人力和费用的限制。纽波特纽斯造船厂也做了大量似乎不需要特别技能的工作,如液舱检查和修复。如果纽波特纽斯造船厂的劳工协议允许,或者纽波特纽斯造船厂和海军已经进行更好地沟通,已经形成了有关船厂核心能力所需的计划,更多重大的工作都可以分包下来。纽波特纽斯造船厂很显然有内部管理分包商的能力,海军人员报告说,纽波特纽斯造船厂在西海岸整合分包商、缩短航母有效性维修时间上做得很出色。

6. 标准6：费用评估

准确而客观的费用评估对必须准备和证明预算申请、理解从工作包中增删任务的财务影响而言是必不可少的。在"尼米兹"号航母换料复合大修过程中,海军对于评估计划工作所需的费用表现的能力不足,在换料复合大修准备好开始之前,规划的工作和工作预算之间也没有那么清晰明确的联系。为此,海军的费用评估需要改进。

尽管项目管理计划要求海军实施必须必要的规划活动,向PMS 312提交与任务有关的费用评估,但是海军并没有能力准确完整地做到这一点,而非其他的核和现代化工作,所以这项任务就留给了承包商。在"尼米兹"号航母换料复合大修的过程中,授权有效性维修工作包非核维修包的详细费用评估几乎完全是由纽波特纽斯造船厂完成的,因为海军并没有足够经验丰富的费用评估者或者好的费用数据库来实施如此大规模的评估工作。因此纽波特纽斯造船厂提供一系列变化的工作包的费用评估,这用来协商承包商工作包。SUPSHIP NN提供了一份评估,称为"技术分析和报告"。因此,纽波特纽斯造船厂对海军最初的费用评估有总体的控制权。

海军认为,由于"尼米兹"号航母换料复合大修是该级舰首次进行这样的项目,一些纽波特纽斯造船厂的状况是未知的,如部件有效性、时间有效性、费用有效性和可能的工作推迟,所以这一方式是合理的。SUPSHIP NN指出,没有人根据已有的知识,研究海军为期50年的大甲板航母维修的历史,从中汲取基本维修和重置所有航母共同系统(如液舱、喷涂等)的费用,这是不合适的。

7. 标准7：激励

我们检查了机构环境和执行过程中的激励要素,因为这些要素对海军和纽波特纽斯造船厂管理人员以及所有参与到换料复合大修的机构和人员的行动有很大影响。总的来说,我们并没有发现缺乏人员激励,受访者都表达了成功完成"尼米兹"号航母以及后续换料复合大修的愿望。包括项目执行办公室在内的所有机构、纽波特纽斯造船厂、SUPSHIP NN以及舰船本身,都希望能在时间和预算要求下交付一艘好战舰。为此,我们认为激励算是成功的。

我们担心对纽波特纽斯造船厂的合同激励。尽管已经有共享线和其他机制,可以提高纽波特纽斯造船厂的所得,但是这些在"尼米兹"号航母换料复合大修的过程产生的影响并不大。问题一部分在于合同谈判使纽波特纽斯造船厂很难实现费用减少的目标。即使是最低的 9% 费用,也可以向纽波特纽斯造船厂提供一份良好的回报。海军和纽波特纽斯造船厂都应该继续努力,寻求合同激励而实现双赢。

8. 标准 8:预算

海军工作中的预算充分性和稳定性有待提高的。在"企业"号航母换料复合大修期间,其预算来源从海军作战和维修转向了海军造船和改装,主要原因是海军作战和维修预算出现困难。我们并没有评估此项决策的具体细节,我们观测到仅仅是海军造船和改装的方式似乎也包括了一些意想不到的问题。

最近普遍的观点都认为,"尼米兹"号航母换料复合大修的预算是不够用的,这一点在开始之初就很明了。"尼米兹"号航母换料复合大修的预算是在以往航母大修费用基础上估算出来的,反映了已知的核工作和现代化改装所需的费用。总的来说,以这种方式估算出来的预算规模,与实际需求相差不远。比如,1995 年总统预算案提出换料复合大修 26 亿美元的预算,然而人们发生核工作包的费用要比早期预计的要少,所以砍去了 3 亿美元。后续的预算压力使情况复杂化,在换料复合大修执行阶段开始的时候,预算总规模低于 20 亿美元。与末期投入的总量相比,费用增长的总体水平达到了 15%。缺乏及时和充足的预算很显然会导致决策的不科学,对过程和效率产生不良影响。

9. 标准 9:管理

海军管理团队的稳定程度和规模需要改进。这不仅仅指顶层的管理,还包括那些负责规划和管理承包商工作的人员的管理。在有些阶段人事发展也是一个问题。纽波特纽斯造船厂在"尼米兹"号航母换料复合大修执行过程中进行管理变更。

1993 年"尼米兹"号航母规划阶段开始以来,已经有 2 名总部项目管理者、4 名副项目管理者和 4 名助理项目管理者从事换料复合大修工作。平均来说,这些岗位上的人员每 2.5 年更换一次。项目管理者都是海军军官,他们不太可能服务 2 年以上,然后再去新的工作岗位或者退役。服务时间相对较短,而换料复合大修从计划到执行的时间又长达7年或者7年以上,他们经验水平的积累受到影响。我们了解到海军军官频繁轮换的模式是很难改变的,但是随着时间的增长,那些具有换料复合大修经验的军官的总量会持续增长。

在 SUPSHIP NN 这边,规划部门文职人员是保持更替性的,但是他们直到1996年年底才用于"尼米兹"号航母换料复合大修的规划工作,那个时候,许多初步的工作已经完成。但总的来说,SUPSHIP NN 的工作团队参与了更多的规划工作。

SUPSHIP NN Code 152 在执行阶段有重大的职责,但是我们认为其人手不足以执行 PMS 312 野外代表的功能,或者以正式的方式来管理"尼米兹"号航母换料复合大修工作包,其中包括维修其他海军舰船。SUPSHIP NN Code 152 的人员规模和"尼米兹"号航母换料复合大修300万个工作日(不到规模的十分之一)大型有效性维修所需人员差不多。现有的人员仅能够应对天数的问题,而没有多少时间和精力跟踪程序或者预测问题。

SUPSHIP NN Code 152 建议,重组 SUPSHIP NN,在每艘航母进行换料复合大修规划阶段时根据不同的项目代码来调整。每艘舰的代码将包括费用/预算、规划和执行人员(从现有 SUPSHIP NN Code 中抽出或者雇用专业人士),重点进行换料复合大修的规划和执行。每个机构应该让一位将持续工作于整个过程的人士来担任主要负责人,负责人轮换应该加以管理,确保经验水平能够满足任务需求。

5.7 结论和建议

2001年6月25日,"尼米兹"号航母离开纽波特纽斯造船厂,开始为期3天的海试。其后该舰返回诺福克海军基地准备航渡回加利福尼亚州圣迭戈母港,从2002年1月开始进行为期4个月的 PSA/SRA。普吉特海军船厂负责此次有效性维修。PSA 部分的预算从海军造船预算中划拨,纽波特纽斯造船厂为主承包商。PSA 完成了在纽波特纽斯船厂进行换料复合大修没有完成的工作,并覆盖到了那些需要注意的授权项目。SRA 部分是由海军其他采购预算(OPN)与海军作战和维修预算(O&MN)来提供预算的。SRA 期间,太空和海军战司令部安装了升级其指挥、通信、计算机和情报装备;海上系统司令部完成了舰载战斗系统的安装。PSA/SRA 之后,"尼米兹"号航母进入了下一次部署之间的训练周期。

通过多方面的措施,"尼米兹"号航母的换料复合大修获得成功:重大的结构和功能系统修理完成;舰员的居住和生活环境大大改善;作战系统也实现了现代化。新的光纤装置支持一体化网络,有利于未来部队网络技术纳入传输信息。"尼米兹"号返回舰队时,已经为其接下来 20 多年的作战需求做好了准备。

尽管"尼米兹"号航母换料复合大修总体上取得了成功,但也有一些不足之处:该舰比最初计划时间晚了几个月离开纽波特纽斯造船厂;换料复合大修总体费用中,纽波特纽斯部分增长了 20%。进度延迟和费用增长的主要原因可以归因于 1999 年中出现的为期 4 个月的工人罢工。费用增长还因为纽波特纽斯造船厂经常性开支出现大幅增长(平均比最初的预算数字增长近 10%)以及材料预算增长近三分之一。然而,如果了解到最初计划在换料复合大修内容完成的工作不得不被推迟,前面提到的费用增长和进度延迟数量还可能是低估的数字。我们知道,因为最初计划由舰船部队完成的工作移交,换料复合大修过程后期又增加大量工作,所以纽波特纽斯造船厂工作范围大大扩展。但我们并不清楚,最初合同中确定的工作包是否最终在总体工作中完成了,或者是否因为费用增长推迟到"尼米兹"号航母后来的有效性维修中。

我们也不太清楚经常性开始出现大幅增长的全部原因。当然,罢工会产生一些短期的影响,但是在整个项目推进期间,增长幅度一直在 10%,这一点原因不清楚。为解决罢工,承包商增加了雇员的收入,这占到了费用增长的一部分,另外需要开支的领域也扩展了,导致了更高的经常性开支。不过换料复合大修的经费问题是非常复杂的,我们不了解罢工和领域扩展对费用增长到底起到多大的作用,也不清楚其他因素对更高经常性开支有多大影响。

材料开支增长的部分原因在于分包规模比原来计划的要大(纽波特纽斯造船厂对材料预算进行记录)。根据海军的要求,纽波特纽斯造船厂雇用当地的企业完成一系列与居住性相关的工作,如铺砖和喷涂等。这些工作最初是计划给舰船部队来做的,但在换料复合大修执行的过程中移交给了纽波特纽斯造船厂。尽管如此,也很难指出哪里和为什么材料预算增长超过70%。换料复合大修过程中预算和审计体系出现的重大变化使我们不可能跟踪一段时间内的材料费用。

"尼米兹"号航母换料复合大修的规划工作,该舰计划进入纽波特纽斯造船厂开始换料复合大修的近5年前就已经开始。刚开始,PMS 312负责制定非核维修部分的工作包。在规划的最初阶段,类型司令部的人员参与其中,提供了有关舰船物质状态的信息,以及他们认为需要修理的地方。然而随着规划工作进程的推进,类型司令部参谋人员的参与中止了,在他们看来,他们在制定工作包中没有多少话语权。

近两年之后,SUPSHIP NN Code 1800开始参与规划工作,这个机构的人员大部分都非常熟悉航空母舰的有效性维修工作。这个机构在制定换料复合大修执行建议需求书中提出的工作包中扮演了关键角色。纽波特纽斯造船厂在发展非核工作包的作用则很小,要知道,这家造船厂建造了美国海军所有的核动力航空母舰,并完成了一系列航母有效性维修,包括"企业"号航母(CVN65)的换料复合大修。纽波特纽斯造船厂提供了工作包中任务费用的初步评估数据。

与此同时,规划工作正在进行,编制预算的过程就是确认换料复合大修所需经费的过程。不幸的是,换料复合大修的规划和预算编制过程并没有结合在一起,导致发展工作包的过程中,费用没能直接与有效的预算相联系。和其他大型项目发生的情况一样,换料复合大修预算随着时间的推移也被削减,用到了其他的项目上(如波斯尼亚行动的费用),或者与海军造舰预算进行同步均等的削减。

除了削减换料复合大修预算外,纽波特纽斯造船厂提交的费用建议案远远超出了最初提供给海军的费用评估数据。因此,合同的磋商者在制定适应有效预算规模的工作包时遇到了很大的困难。因为海军合同磋商者没有可用的减少工作内容的成熟的计划来满足低预算及高费用需求,所以做出的决策很显然会影响到船厂成功完成换料复合大修的能力。

一些任务可能会列入紧急和增补项目中,从而降低到与有效预算相匹配的水平,最初确定为维修行动的任务可能会更改至开放或者调整的状态,确保不做没有必要的维修工作。

随着换料复合大修的推进,必须要对基础工作包做大量的调整工作,这会导致经费增长出现大幅削减。这些调整中许多都是建议需求书发布及执行任务协商后确定任务的结果。因为这些初步的调整措施用尽了调整紧急和增补部分预算,所以钱变得紧张起来,后续重大调整的批准常常会被推迟。

工作包中开放检查任务的特征、换料复合大修的复杂性以及对舰船物质状态缺乏理解,导致了数以千计的 IR 和 FMR——远远超出了一次航母有效性维修预期的正常水平,也超出了换料复合大修工作包不断扩展的范围。这些报告完全难倒了 SUPSHIP NN 负责换料复合大修数量有限的参谋人员,让换料复合大修的管理变得十分困难。海军对于换料复合大修的管理同样也受到了缺乏有关维修过程和完成预估费用及时、准确、有效的数据的困扰。纽波特纽斯造船厂在换料复合大修中期出现的工人罢工进一步催化了费用增长和进度延迟的问题。

随着换料复合大修接近完成,海军领导层认识到如果没有另外增加预算,该舰船不可能以任务准备状态交付。海军为此增加了预算,原先因为缺乏资金而延迟的大量工作得到批准。工作量的骤增也为纽波特纽斯工作团队的管理带来了一些问题,不仅仅涉及换料复合大修,还涉及该船厂负责的其他项目。尽管纽波特纽斯造船厂的效率是很高的,但为了保持进度仍然需要加班,而且因为缺乏资金,一些重大的调整计划不得不延迟。

最终的结果是换料复合大修的费用超出合同确定金额的近 20%,进度延迟了几个月。费用增长的原因有很多,包括:由于不充分的规划而导致的工作包量增长,合同协商过程中的决策不良,对舰船的物质状态缺乏清楚的理解,工人罢工,纽波特纽斯造船厂经常性开支的增长以及纽波特纽斯造船厂工人团队效率低等。

5.7.1　需要改进的领域

如果考虑到这个项目的复杂性和这是第一次"尼米兹"级航母换料复合大修的事实,"尼米兹"级航母换料复合大修规划和执行过程的许多方面还是做得很好的。不过仍然有改进的空间,改进将有助于该航母的换料复合大修能够在费用和进度限制下顺利完成。我们建议在换料复合大修的规划和执行过程中就以下三大领域进行改进。

1. 规划过程

有效的规划是一次换料复合大修成功的关键。第一次和第二次换料复合大修的有效规划也将是后续换料复合大修规划的合理基础。对舰船的现有状态、过去的维修历史非常熟悉很重要,了解航母一般的大修和维护对换料复合大修规划过程的初级阶段也非常重要。这些机构包括 SUPSHIP NN Code 1800、类型司令部以及纽波特纽斯造船厂。尽管 SUPSHIP NN Code 1800 开始参与到"尼米兹"号航母的规划过程比较晚,它完全参与到了 CVN69 换料复合大修的规划当中,而且是 CVN70 和 CVN71 换料复合大修规划的主导机构。太平洋海军航空兵司令,"尼米兹"号航母的类型司令部指挥官,应该在换料复合大修的规划过程中起到更重要的作用。大西洋海军航空兵司令,CVN69 的类型司令部司令,在该舰换料复合大修的规划中就非常积极。

尽管纽波特纽斯造船厂负责规划"尼米兹"号航母换料复合大修工作包的核部分,但其经验在非核维修工作包部分的规划中并没有很好地利用。我们了解到纽波特纽斯造船厂在非核部分发挥的主要作用包括向海军提供执行各种不同类型工作包所需的费用评估结果。因为纽波特纽斯造船厂是执行总体工作包主要部分的机构,而且它在大型航母有效性维修方面有实践经验,其专长和知识应该应用到非核维修工作包的发展当中。

上述机构应该合作开发一份可能包括在每次换料复合大修中的任务清单。这份清单总体上应该包括所有潜在的任务。每艘航母将有一份以前的维修历史和现有的维修状态,所以并不是每艘航母都需要所有潜在的任务。"尼米兹"号航母所需的一些非核维修任务一定是 CVN69 所需的,反之亦然。但这样一份维修任务清单将有助于确定每次换料复合大修的过程中哪些内容应该包括在工作包内。

每项任务都应该有自己的优先度等级。那些优先度最高的任务是必须要在换料复合大修期间完成的任务,优先度最低的任务,则包括那些预算情况允许换料复合大修期间完成,但也可以在不降低舰船的安全操作性或者作战能力的情况下推迟到后续的有效性维修中的任务。

每项任务都要确定相关的执行机构(纽波特纽斯造船厂、舰船部队或者用户 – 合同团队),都要进行相关的费用评估(有可能的话也可以评估替代性机构担负任务所需的费用)。高优先度的任务及其费用评估结果可以确定让一艘航母安全和保持作战能力所需的最低预算水平。当预算受限需要确定工作包中应该包括哪些任务时,这些优先度清单和费用评估结果就可以派上用场。

最后,每项任务的规划应该包括一些对其与清单中其他任务相互关系的理解。执行某项任务可能需要另一项任务也已经完成。或者说,如果某项任务需要包括在内(如更换某种重要部件),那么另外一项任务可能是必需的(如维修某种部件)。

每次换料复合大修过后,任务清单都可以进行升级。通过这种方式,每次换料复合大修执行所获得的知识和信息都可以运用到后续换料复合大修的规划中去。

虽然构成建议需求书基础的工作包制定出来了,但参与规划过程的相关机构不应该就此退出。海军的机构应该参与到确定合同的过程中,提供行动信息,尤其是当预算受限或者特定的任务需要从工作包中移除的时候。规划机构、PMS312 及海军的合同机构应该和纽波特纽斯造船厂合作,在有效预算范围内,为每艘航母制定最可行的工作包。

2. 数据和评估能力

有用的数据和有效的预测能力对成功进行换料复合大修的规划及执行很重要。在规划过程中,同"尼米兹"级航母与即将临近其换料复合大修的某艘航母有关的有效性维修和维护的历史数据,是制定换料复合大修中要完成的工作包,确定所必需的任务。换料复合大修的规划工作也会受益于各种任务业已形成的费用数据库。这些数据将帮助确定换料复合大修所需的预算、验证预算需求和确定如果可用预算低于所需的预算哪些任务可以包括在换料复合大修工作包中。

换料复合大修执行的过程中,如果其费用和进度状态是需要推断的,那么就需要及时、有用和准确的数据。规划部门还需要运用预测方式来预测结束时的费用和进度情况。最后,PMS 312 必须建立有助于换料复合大修执行中科学决策的程序和标准,特别是相关的调查会导致野外改装采购(Field Modification Requisition,FMR)提高工作量和费用,增大换料复合大修工作包中纽波特纽斯造船厂负责部分。

"尼米兹"级航母有效性维修的历史数据是有效的,并得到了 SUPSHIP NN Code 1800 的良好维护。这一数据库被用在"艾森豪威尔"号航空母舰(CVN 69)换料复合大修的规划工作。不过,海军缺乏足够的费用数据与评估能力来支持换料复合大修的预算编列和合同谈判过程。目前,海军依赖纽波特纽斯造船厂来对规划过程产生的工作包中的任务进行费用评估。SUPSHIP NN 具备一定的费用评估能力,但没有充足的时间来有效核查纽波特纽斯造船厂提供的"尼米兹"号航母换料复合大修的费用评估结果。除非其人员得到补充,或者有充足的时间来准确评估工作,否则它没有办法进行自己的费用评估或者有效查核纽波特纽斯造船厂提供的数据。

我们正建议海军发展自己的费用评估数据库和方法。此外,我们认为海军和纽波特纽斯造船厂应该一起合作发展统一的费用数据库,这个数据库应该涵盖构成一次换料复合大修工作包的各种类型任务。总体而言,这个数据库对海军和纽波特纽斯造船厂来说都应该是开放的。因为纽波特纽斯造船厂是唯一的具备完成"尼米兹"级航母换料复合大修能力的企业,所以应该不存在竞争性条件出现的不良使用共同数据的问题。这个开放环境中的有效数据要达到有效规划和执行所需的层次与水平。举例来说,这个共享的数据应该包括完成某项具体任务所需的工作日,但不一定需要将可能会应用到换料复合大修执行过程中的比率包括在内。此外,海军必须要理解数据在商业上非常敏感的特点,保护这些数据,避免任何可能的错用,特别是那些也可以用于其他竞争性项目的数据。

总的来说,纽波特纽斯造船厂必须要在必要的时候共享数据、信息和知识,这种时刻不仅仅包括海军具体提出需求的时候,还应包括共享对于更好地理解和决策很重要的时刻。同理,换料复合大修执行过程中流向海军的数据必须是及时、准确而有效的,有助于科学决策 。目前,过程相关的数据常常在需要运用这些数据的时间过后几个月里才被送达,而且展示的方式模糊不清,对海军的项目管理没有多少帮助。"尼米兹"号航母换料复合大修过程中,纽波特纽斯造船厂内基础数据搜集和管理信息系统的变化导致了所需的数据无效或者不准确。

在开放式的数据环境中,海军应该可以获得同样的数据,用于形成季度性的费用绩效报告。这将有助于海军实时地监控费用和进度状态,可以进行更加及时的科学决策。

建立开放式的数据环境将需要海军和纽波特纽斯造船厂都做出重大的调整。这种调整将使双方形成更有效的合作关系,使双方受益。

3. 改进海军和纽波特纽斯造船厂间的关系

海军和纽波特纽斯造船厂间的关系是紧张的。海军中很多人都表达了对纽波特纽斯造船厂某种程度的不信任,指出这家公司某些时间截留了对换料复合大修规划和执行非常有效的数据与信息。纽波特纽斯造船厂则担心更加自由的信息流动可能会不利于其未来同海军展开的谈判。这些问题在后续的换料复合大修必须得以解决。

海军和纽波特纽斯造船厂必须要改善相互间的信任感,能够在规划和执行阶段紧密开展合作。他们必须要在相互一致目标的基础上保持长期合作关系,进行有效的战略沟通,促进开放和信任的达成。

上面提到了需要改进的两大领域需要海军和纽波特纽斯造船厂间更紧密的关系。如果它们不能摆脱相互缺乏信任的状态,它们将不能在规划过程中有效沟通,无法就共享数据和专长的环境达成一致意见。

我们并不确定哪些措施可以改善海军和纽波特纽斯造船厂间的关系。规划阶段的沟通、数据和专长的共享有一定帮助。当然,这两大机构也可以考虑分配一定雇员到对方机构工作一段时间。这也是美军在与其他国家军队进行交流沟通时的常用做法。海军和纽波特纽斯造船厂需要确立稳定的合作关系,以成功地规划和执行后续"尼米兹"级航母的换料复合大修。

5.7.2　改进实例

海军的各个机构充分吸取了"尼米兹"级航母换料复合大修的经验教训,在"艾森豪威尔"号航母(CVN 69)和"卡尔文森"号航母(CVN 70)换料复合大修的规划和"艾森豪威尔"号航母换料复合大修的执行过程中进行大量的改进。比如,海军和承包商都改进了共享财务数据和进行沟通的方法,支持及时科学的决策。"艾森豪威尔"号航母换料复合大修的改进措施还包括以下几个方面:

(1)通过稳定预算、开发可用的规划产品以及培养经验丰富的人才来完成任务,将工作包发展和先期规划阶段的时间从 5 年减少到 4 年。

(2)使用一体化产品和程序开发工具,允许更多类型司令部参与发展工作包,更多承包商参与工作范围内的规划。

（3）提前安排关键的装备（如推进器和发电机转子），减少了与开放式及检查战略（应用在"尼米兹"号航母换料复合大修上）相关的费用和进度的不确定性。

（4）优化工作范围开发，使进入 CVN 69 执行合同中仅有 14 个 F 级的评估结果（指的是由于对工作范围理解不透，工作的费用评估要上下浮动40%，表明不确定性很强），而 CVN 68 则有 90 多个。

（5）以每周的数据为基础，加强 E&S 增长空间的管理。

（6）通过改进费用审计程序，每周对费用审计管理进行评估，提高承包商工作团队的效率。

"卡尔文森"号航母换料复合大修规划过程中新改进的一些具体例子包括：

（1）强调战略规划，特别是要考虑到罢工行为对工作量的影响，这可能是造船厂企业最大的费用推高因素。海军通过研究航空母舰、水面舰船、潜艇对长期的工作团队、设施和进度的需求，对大修的进度进行初步的调整，防止商业上意外的变化推高日常开支。

（2）以开发不连续的年度规划包为基础实行新的合同战略，让承包商在先期规划的每个年份完成具体的任务。这样降低了舰船核查和规划开发的费用，使其在换料复合大修开始之前对工作的费用有更好的把握。

（3）采用现代化新战略，实施经过批准的舰船变更措施（而非工程变更建议，就像新建造的地方一样），这一战略将改进配置控制和后勤可支持性，将通过创造更多用的规划产品来削减寿命周期费月。

（4）采用新的工作分配战略，最大限度地使用用户－合同团队，因其熟悉新技术，可以提高工作质量降低费用。

5.7.3 具体建议

根据我们的研究结果，我们建议海军采取以下措施：

（1）发展灵活有效的合同谈判程序。目前的程序太死板、操作性差，并可能导致两败俱伤，而不是双赢的结果。

（2）建立换料复合大修的目标，这一目标要足够明确形成基本的维修工作包，并与受到所有航母利益相关者支持的预算相一致。

（3）与纽波特纽斯造船厂合作，加强海军与承包商之间的沟通。特别是要建立指示帮助高层管理者做出换料复合大修过程相关准备及时的评估。

（4）减少办公室项目办公室和船厂管理者的轮换率,积累和利用连续性维修和换料复合大修经验。

（5）改善合同变化的管理效率,为了实现这一目标,纽波特纽斯造船厂在换料复合大修的执行过程中可能要承担更多的风险。

附录 A 航母运行周期对维修工业基础的影响评估方法[①]

美国海军已执行了"舰队反应计划"(FRP),以增加航母舰队部署、训练和维修的灵活性。通过增加航母可用性,"舰队反应计划"可增强航母编队的紧急部署能力,以满足国防需求。虽然航母常规上,经常会有 6 个月的部署期,但也可能在维修和训练期被要求部署。

随着"舰队反应计划"带来的相关变化,航母项目执行办公室(PEO)委托兰德公司对不同使用周期下航母维修需求对维修工业基础的影响进行评估。通过改变周期长度和维修需求,评估其影响以确定工作量需求与工人数量之间的供求关系。兰德公司将评估持续维修周期延长、持续维修增加和航母编队规模可能缩小等因素对维修工业基础的影响。为此,公司开发了一个模型,该模型基于海军海上系统司令部(NAVSEA)的航母计划行动小组(CPA)(监督航母计划部署工作,抓总并执行全寿期维修与现代化改造)和海军船厂官员的数据模型。

本报告将对从事"舰队反应计划"下航母维修、部署可用性和战备的人员有参考价值,包括海军海上系统司令部、舰队部队司令部和舰种司令。

一、摘要

在未来二十年里,美国海军需同时部署 10~12 艘航母。其中,2~3 艘将被连续部署,并将随时在其部署海域,如地中海地区、印度洋和波斯湾地区、西太平洋地区以支持作战指挥。此外,海军还将增强航母部署能力(包括已部署的航母),以使 6 艘航母可在 30 天内全部进入作战状态,另有一艘航母在 90 天内达到这一状态。

美国海军能力对上述要求的适应程度受航母 6 个月部署期以及大强度

[①] 本文由兰德国防研究所采购和技术政策中心完成,成稿日期在 2005 年左右。

训练和维修需求的限制。海军已认识到在满足人员招募和保留目标的同时,6 个月部署期限制和航母打击群(CSG)轮换的可预测性是保持前沿存在的关键。此外,由于航母经常进行维修,其全寿命期内近 1/3 的时间用于非部署状态下的战备或基地级维修。

航母需要经常进行修理。最有效的航母维修策略是进行持续维修(CM),并防止可能需要较长维修时间的超期使用。航母必须保持在战备状态,以支持舰队作战需求。

航母维修需求根据增量维修计划(IMP)来实施。增量维修计划是一种持续维修策略,在各周期内实施维修和现代化改造①,以保证"尼米兹"级航母服役期的状态。增量维修计划周期持续 24 个月,久而久之,在实践中被延长为 27 个月,并正式纳入到"舰队反应计划"中。"舰队反应计划"的突出特性是在维修中结合一些训练,以使航母在维修完成后更迅速地达到更高级别的战备状态,并使战备状态保持更长时间,以增加航母的战时可用性。

战时可用性或紧急战备的增加带来成本的增加。由于需要进行一次维修后才进行部署的限制,航母实际部署时间所占比例随着维修周期时间的增加而减少。

如果维修周期变化,航母全寿期内部署、基地级维修和航母及其舰员紧急战备的时间比例之间需要进行调整。当维修周期增加时,寿命期内部署和基地维修时间减少,同时航母及其舰员紧急战备时间所占比例增加。兰德研究人员研究了这一点,并评估了各种权衡对维修工业基础的影响。

为研究这些改变对维修工业基础的影响,本报告应用一个模型来评估构成维修工业基础的船厂中所有舰船的工作量和工作周期。为了解船厂不同维修周期的劳动力,对兰德公司一个最初用于分析舰船采购项目变更的模型进行了修改。修改后的模型首先对各船厂技术层面劳动力(焊工、电工等)需求进行评估,包括各船厂对不同级别舰船进行维修、现代化改装、退役和其他项目所需的劳动力。模型采用船厂提供的现有和未来的劳动力数据,并对各评估项进行供需分析,提出劳动力必须如何调整以完成

---

①　一个周期是指航母进行维修、训练、部署和部署前后的战备维持的时间长度,周期长度是指从一次基地级维修完毕到下一次完毕之间的时间。

所需的工作量。

报告中应用该模型对可提供的技术工人数量和需求进行比较,以了解在不同维修政策下的劳动力管理难题,并对 27 个月、32 个月和 36 个月的维修周期对维修工业基础的影响进行了评价。

从海军海上系统司令部航母计划行动小组①的分析中可以得出,通过将维修周期延长至 32 个月以及预定增加可用性维修(PIA)和坞内预定增加可用性维修(DPIA),较长的维修周期可使航母寿命期内的维修工作量减少约 50 万个人工日,还将降低基地可用性维修总量。目前的基地可用性维修(预定增加可用性维修和坞内预定增加可用性维修)可能需要更多维修日,这将造成船厂工作量激增。持续维修周期的引入可帮助弥补基地级维修方案的不足,避免船厂工作量过多。

研究中还考虑了一种选项,即固定航母全寿命期内所有维修工作量,使其不取决于维修周期时长。将在 27 个月计划内,统计所有预定增加可用性维修和坞内预定增加可用性维修的维修和修理人工日,并在固定寿命期维修(FLM)方案中,将其分配至 32 个月和 36 个月计划中。

通过对航母计划行动小组的维修需求进行估算和固定寿命期维修选项进行分析,兰德研究人员确定了一些航母维修方案,在这些情况下,预计工作量可能达到或超过诺福克海军船厂和普吉特湾海军船厂中继级维修基地可用工人数量。在一些情况下,未来十年间诺福克海军船厂的工作量需求可能使工人数量存在 9 000 人的缺口,或超过可用工人数量的 2 倍;普吉特湾海军船厂中继级维修基地的缺口可能超过 1 万人,或超过可用工人数量的 2/3。如果较长的维修周期并未减少航母全寿期维修人工日,则工作量过剩将更大。

图 A.1 表示采用航母计划行动小组预估的维修需求下普吉特湾海军船厂中继级维修基地 32 个月周期情况。数量上接近 6 000 个工人的黑白曲线代表可用工人总数。当工作量需求超过可用劳动力时,过剩需求可通过加班和/或外包来解决。

图 A.2 表示在诺福克海军船厂的 36 个月维修周期内,固定寿命期维修选项如何影响需求。在这一情况下,在未来十年,工人需求高峰屡次超

---

① 航母计划行动小组为航母的基地可用性维修制订维修和现代化改装方案。

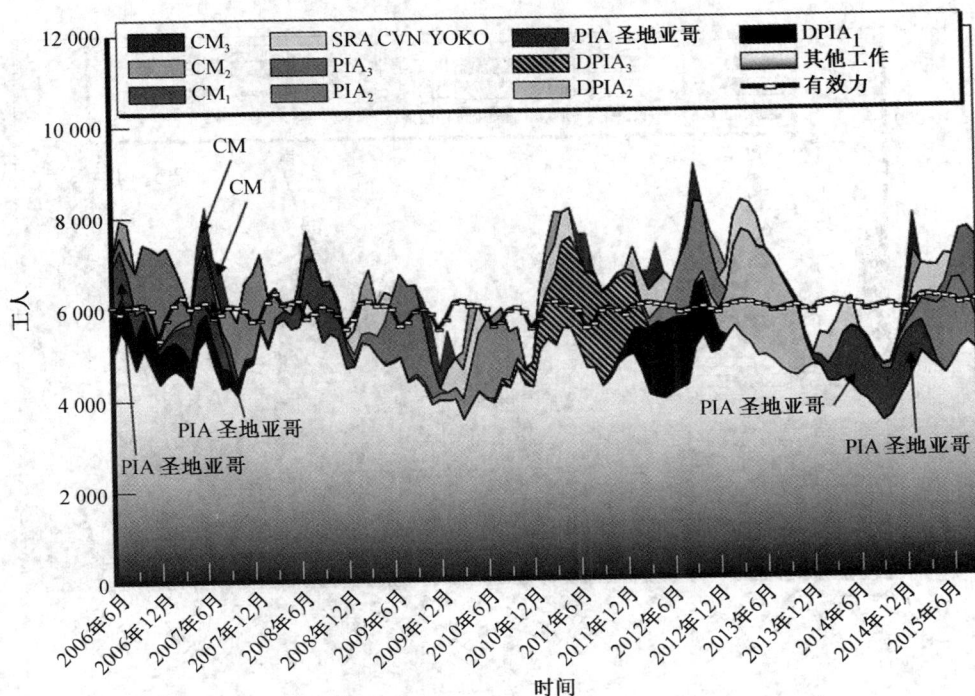

图 A.1　普吉特湾海军船厂中继级维修基地 32 个月周期情况

注:CM 表示持续维修;SRA 表示有限可选维修;PIA 表示预定增加可用性维修;DPIA 表示坞内预定增加可用性维修。

过 8 000 人,包括 2014 年和 2015 年的大部分时间。虽然诺福克海军船厂可通过加班、雇用临时工人和分包来缓解,但高位和持续的峰值对船厂满足维修需求的能力造成巨大压力。

通过增加基地可用性维修之间的时间来改变维修周期,对有剩余劳动力的船厂的工作时间也会产生影响。未来十年,供过于求现象可能在 2 家船厂出现,并将更有可能出现在固定人工日的 36 个月周期下的普吉特湾海军船厂中继级维修基地船厂。

总体上,如果能够降低航母的所有全寿命期维修需求,未来十年,32 个月周期可能逐步达到供给或需求过剩均不超过 10% 的水平。通过在船厂之间调节工作量或在"一个船厂"概念下分享劳动力,供需失衡将不断减少。

研究中还评估了不同维修周期对未来几十年已部署或将要部署的航

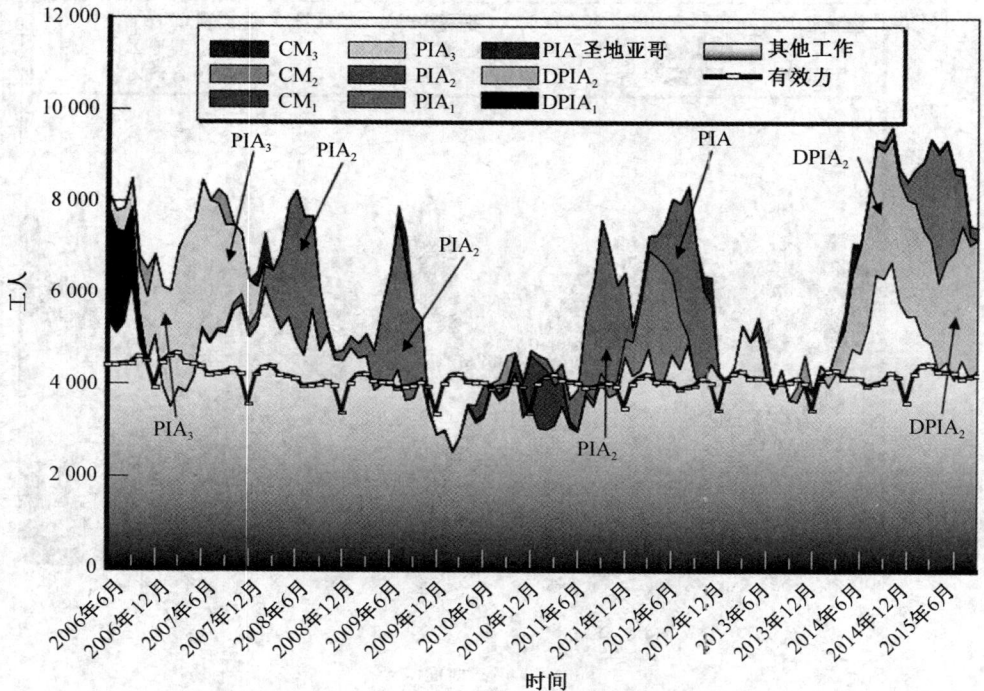

图 A.2 诺福克海军船厂 36 个月周期:固定寿命期维修案例

注:CM 表示持续维修;SRA 表示有限可选维修;PIA 表示预定增加可用性维修;DPIA 表示坞内预定增加可用性维修。

母数量的影响。图 A.3 表明处于紧急备战状态的航母数量随着维修周期长度的增加而增加。研究中所用的模型表明,在每个维修周期支持 6 个月部署期的限制下,随着周期长度增加,部署的航母数量减少。较长的维修周期使航母能够在更长时间内处于战备状态,但在模型中只允许两次基地级可用性维修之间执行 6 个月的部署期[1]。实际上,我们认识到,航母部署期很可能延长[2]。随着维修周期延长,紧急战备航母的平均数量增加。

总而言之,各周期都有其各自的特点,对各特点的要求取决于作战目标和工业目标。27 个月周期将提高部署航母的平均数量,但减少了额外可

---

[1] 在本研究初期,人员发展政策将部署周期限制在 6 个月以内,各部署期之间最少间隔 12 个月。最近的决策允许部署期的延长,并缩减了部署期之间的间隔。

[2] 增加部署(和准备)次数将增加维修需求。增加部署对航母维修需求的影响分析将在后续工作中进行评估。

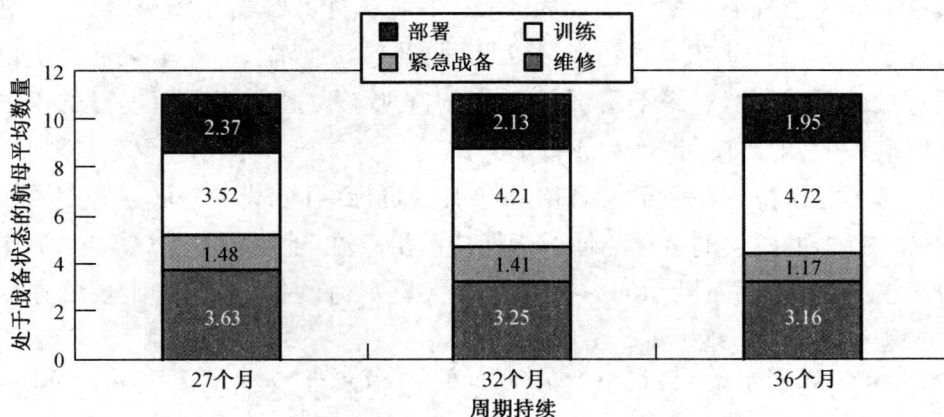

图 A.3　27 个月、32 个月和 36 个月维修周期下美国航母作战状态概览

供部署的航母数量。32 个月周期将使维修工业基础压力最小化。36 个月周期将使部署航母数量达到最多，但假设有 1 个维修周期后部署 6 个月的限制，战备航母平均数量将达到最少。部署的和可供部署的航母数量之间的平衡可随着部署期长度的改变而改进，但改变部署周期也将给维修工业基础带来影响。

二、前言

1. 背景

航母需要经常进行修理。航母上的舰员通常实施预防型和改善型保养。此外，当航母在母港（甚至在航时），船厂和其他技术部门通常会派遣人员上舰进行故障排解、修理和更换设备。

最有效的航母维修策略是持续维修，防止积压的维修需求可能导致航母的维修需要更长的时间，或超时使用航母。随着作战需求的增加，持续完成维修任务并避免任务积压变得更加重要。航母必须保持在物料战备状态，以支持舰队作战需求。

近十年来，美国海军在 3 大海外作战区域（地中海地区、印度洋和波斯湾地区、西太平洋地区）一直持续或接近持续的保持前沿存在，这是通过航母打击群 6 个月部署期来实现的①。一个航母打击群驶入作战区域,并驻留直至另一个航母打击群到来,然后返回母港。通常,2～3 个航母打击群同时被部署和驻留。未部署的航母打击群处于为下次部署而进行的不同阶段准备中,即维修、训练和战备期。

海军已认识到在满足人员招募和保留目标的同时,6 个月部署期限制和航母打击群轮换的可预测性对于保持前沿存在的关键性。2003 年,海军得出结论,需要更加机动的方案来实现大量军力的投送,或对出现的作战需求进行灵活和快速反应。

因此,海军实施了"舰队反应计划",以提高航母部署安排的可变性。"舰队反应计划"目前的目标是允许海军进行快速部署,实现 6 个航母打击群在 30 天内进入作战状态,另一个预备航母打击群在 90 天内达到这一状态(即"6＋1"构想)②。尽管仍将保持 6 个月部署的常规,但一些航母打击群可能被部署更长或更短时间以满足作战需要。航母打击群的返回将保持高级别战备水平并随时准备再次部署。处于部署前训练状态的航母打击群将更早进入战备状态,并在计划的部署之前保持战备状态,以实现快速部署。

战备等级的变更、时间选择、速度和部署持续时间对航母维修工业基础提出了新需求。尤其是不断增加的作战可用性维修对在现有财政限制的情况下维修的时间和方式提出了新需求。考虑到这些新需求,航母项目执行办公室委托兰德公司就"舰队反应计划"对航母维修工业基础的影响进行评估。

在本研究过程中,也考虑了维修工业基础和航母舰队的构成和分布所产生的影响,包括:

(1)基地级可用性维修(即在船厂实施的计划维修和主要改造)之间的间隔时间从 27 个月延长至 32 个月;

(2)坞修间隔从 6 年增至 8 年③;

① 典型的航母打击群由 1 艘航母及其舰载机、1 艘弹道导弹巡洋舰、2 艘弹道导弹驱逐舰、1 艘攻击型潜艇和 1 艘综合弹药船(Combined Ammunition)、加油船(Oiler)和补给船组成。

② 本研究初期,海军 FRP 支持 6＋2 构想。最近的海军作战部长办公室(CNO)众议院军事委员会(House Armed Services Committee, 2007)表明,海军目前已为 6＋1 战备可用性作准备,即 6 个航母打击群在 30 天内、另一个备用航母打击群在 90 天内进入作战状态。

③ "尼米兹"级航母入坞间隔已延至 12 年。

（3）更加强调持续维修，是基地级维修期间海军作战部长（CNO）计划之外的可用性维修（预定增加可用性维修/坞内预定增加可用性维修）；

（4）航母数量由 12 艘减至 11 艘①。

2. 分析方法

本研究中召开了几次会议，包括与海军海上系统司令部航母计划行动小组代表之间有组织的正式讨论。研究人员还与诺福克海军船厂及普吉特湾海军船厂中继级维修基地、诺·格公司纽波特纽斯船厂（NGNN）计划人员和海军海上系统司令部核动力理事会（NAVSEA 08）官员进行会面。航母计划行动小组代表帮助我们解决了大量航母维修所需的计划方面的问题，向本研究提供了航母基地维修数据。海军船厂计划人员提供了研究团队和有关各方劳动力数据，以及工作量需求、劳动力管理和成果，并附有对数据意义和局限性的见解；诺·格公司纽波特纽斯船厂代表使我们了解了影响其劳动力供需的问题；海军海上系统司令部核动力理事会官员使我们更好地理解了目前满足核工程维修需求的方法。

为了解船厂不同维修周期的劳动力，研究中修改了兰德公司一个最初用于分析舰船采购项目变更的模型。修改后的模型首先对各船厂技术层面劳动力（焊工、电工等）需求进行评估，包括各船厂对不同级别舰船进行维修、现代化改装、退役和其他项目所需的劳动力。

模型采用船厂提供的现有和未来劳动力数据，并对各评估项进行供需分析，提出劳动力必须如何调整以完成所需的工作量。我们评估这些效果，以确定劳动力和工作量是否达到供需平衡。这一工作包括由 9 个不同技术小组进行的维修、现代化改装、修理和退役项目。特别地，我们将应用该模型对可用技术工人数量和需求之间进行比较，以了解在不同维修政策下的劳动力管理难题。人力供给数据估算包括正式人员、临时人员和/或分包人员。以 27 个月维修训练周期为基准或间隔，我们估算了其他维修间隔对维修工业基础管理的影响。此外，我们通过固定人工日和改变周期长度，改变维修工作量。

核动力航母维修周期长度由 27 个月增至 32 个月，其基地级维修方案发生了变化。航母计划行动小组确认，周期长度的延长将使基地可用性维

----

① "肯尼迪"号航母于 2007 年退役。

修次数减少,延长至 32 个月也将节约基地级维修人工日。我们评价了 32 个月维修周期对维修工业基础的影响和固定寿命期维修人工日选项。固定寿命期维修选项将 27 个月的基地级维修人工日设为常数,并将其分配至 32 个月和 36 个月周期下减少的基地可用性维修中。这项工作旨在针对基地可用性维修间隔增加、快作战节奏和维修需求被低估等可能遇到的问题,提供一种可能的维修需求。

模型可用来检测需求变化对相关船厂的影响,确定供需情况。此外,研究中调查了这些需求的变化对可作战航母数量和干船坞可用性的影响。我们通过模型计算给出 2006—2024 年可作战航母数量,并提出了 2006—2015 年的劳动力模型。

三、维修工业基础建模

包括"舰队反应计划"在内的美海军部署改革都将影响到航母的有效使用,并且可能对维修工业基础产生新的和不同的需求。本部分将介绍一种评估方法,用以评价这些改革对工业基础所带来的影响和工业基础能力是否能满足改革的需要。

1. 美国航母维修工业基础

构成航母维修工业基础的船厂包括[①]:

(1)诺福克海军船厂;

(2)诺·格公司纽波特纽斯船厂;

(3)普吉特湾海军船厂中继级维修基地。

诺福克海军船厂为所有的大西洋舰队航母提供服务,同时也为潜艇和两栖攻击舰提供基地级服务。除了在船厂履行航母保障职责外,还向诺福克海军基地例行派送维护人员,为那里的航母提供支持。如上一章提到的,向部署基地派出船厂人员降低了他们的生产力,原因是需要额外的交换和调整时间,并且在那里经常会遇到缺少必需的工具、零部件或是测试设备的情况。为此,诺福克海军船厂在向部署基地派出职员时,需要考虑

---

① 航母部署在太平洋时,珍珠港海军船厂为停靠的航母提供一些有限的厂级支持。该船厂不是任何一艘航母的母港,因此不被视为航母维修工业基础的一部分。航母维修在圣迭戈海军基地进行,北岛维修设施由普吉特湾海军船厂中继级维修基地管理。

25％的额外工作量①。

　　诺·格公司纽波特纽斯船厂为美国"企业"号提供所有的基地级支持，并对"尼米兹"级进行全部的换料大修。当诺福克海军船厂的设施或劳动力受限制时，诺·格公司纽波特纽斯船厂还被分配一些预定增加可用性维修和坞内预定增加可用性维修任务。诺·格公司纽波特纽斯船厂也是唯一能建造核动力航母并进行新建航母的试航后维修（PSA）②的船厂，该船厂具备同时建造两艘航母的能力。除了航母方面的工作，诺·格公司纽波特纽斯船厂还与通用动力电船公司一起建造"弗吉尼亚"级核潜艇。

　　普吉特湾海军船厂中继级维修基地为布雷默顿（"斯坦尼斯"号）、埃弗雷特（"林肯"号）和圣迭戈（"尼米兹"号和"里根"号）派出维修人员并提供技术支持。

　　因为布雷默顿离船厂较近，普吉特湾海军船厂向其派出维修工人、为部署在那里的航母提供支持时生产力损失较小。埃弗雷特则不同，普吉特湾海军船厂中继级维修基地的工人必须到达现场进行维修。由此带来的生产力损失，与诺福克海军船厂向诺福克海军基地派出维修工人的情况相似。

　　圣迭戈海军基地的舰船由北岛海军基地（NAS）的维修设施提供支持。普吉特湾海军船厂中继级维修基地的人员还飞抵圣迭戈基地进行所有与核相关的维修。基地向维修人员提供路费和餐饮，使他们集中精力完成维修并尽快返回。诺·格公司纽波特纽斯船厂负责处理圣迭戈海军基地所有与核不相关的维修工作，并管理与之相关的几家主要修船厂的分包合同。

　　当"华盛顿"号航母离开母港部署到日本时，普吉特湾海军船厂中继级维修基地也为其提供支持。普吉特湾海军船厂中继级维修基地将向日本派出工人进行与核相关的维修。日本横须贺的地方船厂，则提供非核方面的维修；当普吉特湾海军船厂中继级维修基地向横须贺派出工人时，诺福

---

　　①　在与航母计划行动小组研究组人员会面的过程中，诺福克海军船厂的工作量计划人员提出了在海军基地（而不是在船厂）维修的挑战性和由此带来的额外工作量。航母计划行动小组是美海军海上系统司令部负责航母维修计划的部门。

　　②　试航后维修指进行试航以评估舰船系统在海上的性能。试航后维修提供专门的机会，用以纠正存在的问题和/或进行试航期间的应急维修。

克海军船厂则开始向圣迭戈基地派出工人提供支持,以分担普吉特湾海军船厂中继级维修基地由于"华盛顿"号航母而增加的工作量。

2. 工作量需求和人力供给建模

为了解构成维修工业基础的船厂中不同维修周期的劳动力关系,我们对最初用于分析舰船采购程序的兰德公司模型进行了改进[1]。

模型首先评估每一家船厂中按照职业技能标准(电焊工、电工等)计时的工作量需求。表 A.1 列出了公立船厂中的职业技能。它包括船厂为不同舰船提供维修、现代化、退役以及其他项目所需要的工作量。模型把船厂将来能提供的劳动力供应与需求进行比较,从而推定劳动力该如何调整以满足期望的工作量需求。

表 A.1　分析中采用的职业技能分组

职业技能分类	包括的职业技能
建造支持	模具,锅炉,绝缘,运输
电气	电子
工程	核与放射性,测试工程师,计划、方案工程师
机械	内、外部加工,木工,推进器
装配	钢板,油漆
管道	管件安装
结构	船体装配,索具装配
焊工	焊接
其他	管理,实验,质保,起重机

注:尽管只包含很少的个别类,焊接、管道、电气和结构工程师分别有各自的主类,原因是它们处在不同的车间。

建造海军舰船的私营公司在调整劳动力以满足需求方面,比国有船厂拥有更大的灵活性。私营船厂可以在供大于求时辞退工人,也可以在需求增长时再雇佣新的熟练工人。

国有船厂无法像私营船厂那样迅速调整企业的固定劳动力数量。这

---

① M. V. Arena,J. F. Schank,M. Abbott. The Shipbuilding and Force Structure Analysis Tool:AUser's Guide. Santa Monica,Calif .:兰德公司,MR－1743－NAVY,2004。

些船厂有固定的工人,在船厂工作量下降的时期,这类工人是不能因为工作少而被辞退的。因此,船厂不愿意雇佣固定劳动者来满足突然增加的临时性需求。国有船厂通常保留一部分工人,同时根据需要与当地的临时工或分包商合作补充工人,临时性的工人可以根据船厂订单的不同需要雇佣或终止合同。

　　国有船厂也通过加班来满足工作需要。诺福克海军船厂和普吉特湾海军船厂中继级维修基地能够以 20% 的加班维持高效运作,但超过这个限度就会导致效率下降。加班可以通过每周工作 6 天或是通过两班倒,同时一小队工人在第三班继续进行无噪音工作①。

　　四家国有船厂(诺福克海军船厂、普吉特湾海军船厂中继级维修基地、朴茨茅斯海军船厂和珍珠港海军船厂)和两家承担与核相关工作的私营船厂(诺·格公司纽波特纽斯船厂和通用动力电船公司)在执行一项名为"一家船厂"的计划时共享了工人。该计划把工人置于一家虚拟的船厂,当需要时把富余的工人派送到另外一家需要增加劳动力的船厂。普吉特湾海军船厂中继级维修基地计划往诺福克海军船厂派出工人,以支持 CVN 71 和 CVN 73。同样,诺福克海军船厂向圣迭戈派出工人为 CVN 76 在 2010 年预定的预定增加可用性维修提供支持;此时,普吉特湾海军船厂中继级维修基地的工人正在日本为 CVN 73 进行维护。

　　调查维持船厂劳动力数量的综合效果,可能掩盖了特种职业技能更重要的效果。所以,我们的模型考虑了针对不同职业技能的供给和需求进行分组研究。船厂中,职业技能的主要种类和子类超过 100 项。出于建模的需要,我们把职业技能分为 9 大主要类别。

3. 国有船厂的供给

　　我们从诺福克海军船厂和普吉特湾海军船厂中继级维修基地获得国有船厂劳动力的供给数据。"工作量分配和资源报告"(WARR)资料文件提供了每月可用的维修工人数量,以及未来 10 年供需数据预测。

　　普吉特湾海军船厂中继级维修基地的工人总数大约为 10 000 人,其中 8 500 人在布雷默顿,1 500 人在华盛顿班戈的中继维修站。诺福克海军船厂约有 7 800 名工人。然而,在任一时期,大约仅有五分之三的工人留在船

---

①　夜间 10 点至早 6 点间,航母上通常不进行维修作业,原因是船员都居住在舰上。

厂,缺勤主要是由于出差、培训或其他的原因造成的。这些缺勤中,有一些是周期性的。例如,许多工人在圣诞节和元旦期间要休假两周。图 A.4 中按月提供了 2015 年前各家船厂中可用的实际工人数。如果需要,两家船厂也雇佣附近的分包商和临时工①。

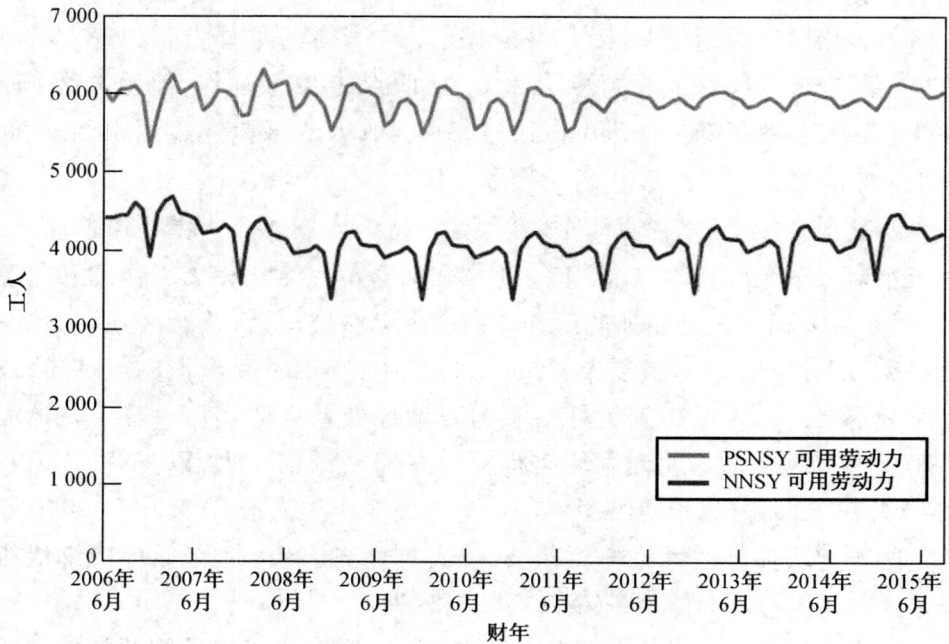

图 A.4 2006—2015 年诺福克海军船厂和普吉特湾海军船厂中
继级维修基地可用的劳动力数量

可用的劳动力分成两类,即生产性劳动力和支持性劳动力。生产性劳动力指那些完成维修需求的人。支持性劳动力是间接劳动力,包括工程师、检查员和项目管理人员。表 A.3 中,又将生产性劳动力分成了 9 类。接下来,将开发一种预测工作量需求的方法。

---

① 诺福克海军船厂的管理者在雇佣额外的临时性工人方面自己制定决策;然而,普吉特湾海军船厂中继级维修基地,舰种司令(Type Commander)决定了一些工作只能在私营公司进行。舰船到维修期时,这类工作已经预定给私营船厂。

4. 国有船厂中工作量需求建模

所分析的每家船厂都为包括大甲板两栖攻击舰、水面舰艇和潜艇在内的多种舰船提供支持。每家船厂都承担各种与入厂维修相关的任务。在模型中,我们保持其他工作持续的同时,对航母进行入厂维修工作的周期时间和内容进行更改。出于建模的目的,对其他级航母的维修工作也使用当前的计划进度表,而不考虑船厂管理人员有可能对航母维修计划进行的调整。这是一个假设约束。在实践中,劳动力规划人员把工人调到不同舰、改变工人数量(甚至调整需维修的舰船)以满足工期限制和平衡工作量。然而,我们能够通过保持其他工作的连续了解航母维修工作本身将对船厂劳动力的供需产生何种影响。

下面,我们通过针对各种可用性维修的不同职业技能来讨论概念轮廓和工作内容。我们还将讨论在分析中需要保持连续的非航母工作量和不同维修周期下的航母工作量评估。

(1)可用性的阶段

理论上,维修可用性,例如预定增加可用性维修、坞内预定增加可用性维修和持续维修周期,只是一个时间概念,反映了舰船在何时进行维修。从船厂的角度看,可用性非常长,包括的时间范围从开始计划,到结束试航和可用性的反馈。例如,预算和日程安排,提前规划,以及进行设计的阶段,至少要在理论上的可用性开始之前 12 个月启动。另一方面,反馈阶段作为船厂可用性工作的一部分,标志着工作的实际完成,由此可以规划下一个周期的工作。下面,我们讨论船厂工作的全部时长——分别地,按劳动力技能的需要,按航母预定增加可用性维修、坞内预定增加可用性维修以及持续维修周期,以及这些船厂支持其他舰船的工作。

(2)预定增加可用性维修

如前文提到的,预定增加可用性维修在理论上有 6 个月时间,即舰船在船厂中的实际时间。然而,预定增加可用性维修也包括先前的计划和配件预先制造时间,以及后续的可用性检修结束时的测试、评估和检查时间。计划和配件预先制造时期可能向前延长 12 个月,测试、评估和检查时间则根据设备进行的维修而有所不同。因此,从船厂工作量规划的角度,预定增加可用性维修的总时长在 17 ~ 20 个月之间。

图 A.5 给出了一个在 27 个月维修周期中 6 个月预定增加可用性维修的工作量特征实例。理论的预定增加可用性维修,例如,舰船实际上在船厂中的时期——从 2006 年 12 月到 2007 年 6 月。然而,在这段时间之前和之后,我们界定的每个熟练工人小组都要安排一些工作日,同时一些建造支持工人需要在 2006 年 2 月就开始为这项预定增加可用性维修工作。

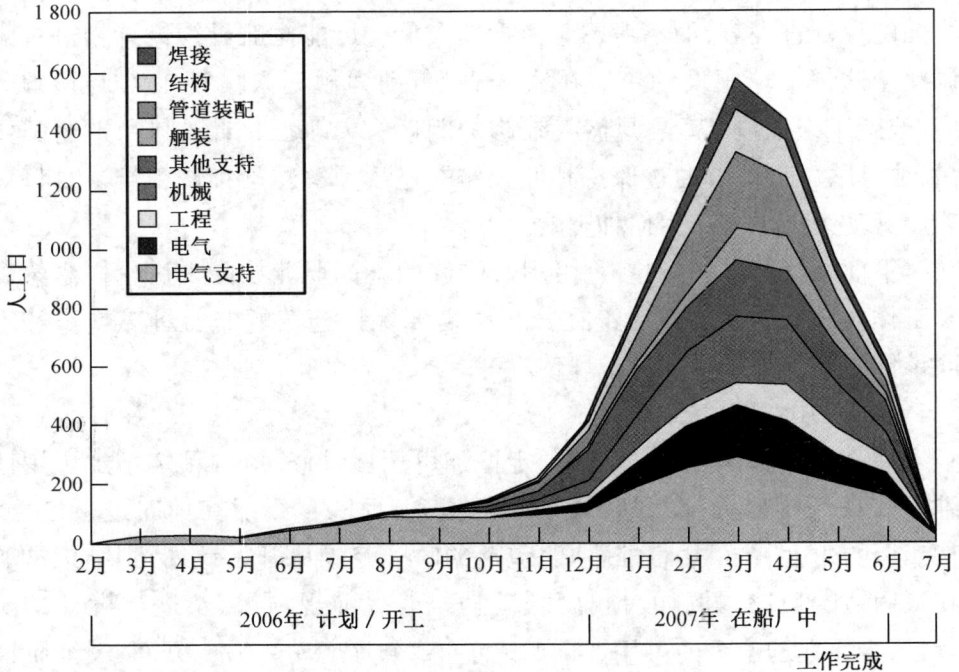

图 A.5 理论上的 PIA 特性,按照职业技能

预定增加可用性维修的特征按 27 个月、32 个月和 36 个月的周期分类。如上一章提到的,可用性检修之间的间隔越长,检修工作量就越多,每个可用性检修所用的人工数量也就越大。在单个周期内,我们的模型显示出预定增加可用性维修和坞内预定增加可用性维修按技能领域需要的工作日特征在航母处于船厂内的整个时期有着相似的图形。坞内预定增加可用性维修特征与预定增加可用性维修有很大的区别。

（3）坞内预定增加可用性维修

坞内预定增加可用性维修理论上规划为 10.5 个月。然而，由于在模型中最小的时间单位是一个月，所以在分析中我们假设坞内预定增加可用性维修是 11 个月。坞内预定增加可用性维修需要航母在干船坞中大约 7.5 个月。之后，船坞内的工作结束，航母移至码头完成修理、维护、现代化改装和测试。坞内预定增加可用性维修允许维修工人进行在船体漂浮时无法完成的水下船体检查和其他维修评估①。在坞内预定增加可用性维修期间，更多的时间被用于进行必要的现代化改装。

如预定增加可用性维修一样，坞内预定增加可用性维修也需要一个计划和配件预先制造时期和一个工作测试期。图 A.6 给出了一个按照职业技能、理论上的坞内预定增加可用性维修工作特征的实例。在这项坞内预定增加可用性维修中，舰船实际在船厂时间从 2007 年 1 月到 11 月。然而，与预定增加可用性维修一样，熟练工人小组也需要在这段时间之前和之后安排一些工作日，即从 2006 年 8 月到 2007 年 12 月。

（4）持续可用性维修（CMA）

如之前提到的，持续维修是一个发展变化的概念。持续可用性维修是在舰船母港之外进行的基地级维修工作。更特殊地，持续维修发生在一艘航母结束训练之后、准备部署之前，在母港中处于大规模作战高峰和准备的时期。进行了初步的预定增加可用性维修之后，持续维修在舰船较长（例如，32～36 个月）维护周期中的补给可用性维修之间进行。正如在下一章中讨论的，持续维修的准确时间将有赖于舰船的维修周期。

之前可用性维修中延缓的以及新出现的工作，可以在持续维修期间进行。一个持续维修周期很可能会持续 30～45 天。每艘航母一个持续维修周期的工作量，是基于其优先的维修需求，可用时间，补给的可用性，以及其他类似的变量。为进行建模，我们假设持续维修与预定增加可用性维修的工作量中有相同职业技能构成和比重。就是说，我们假设在 6 个月的预定增加可用性维修中按技能进行的工作日分配比例与 30～45 天的持续维修中的分配情况相同，尽管这两者之间实际上是有显著区别的。

---

①　海军系统司令部（NAVSEA），Aircraft Carrier Class Maintenance Plan，Washington，D. C.，2005 年 12 月。

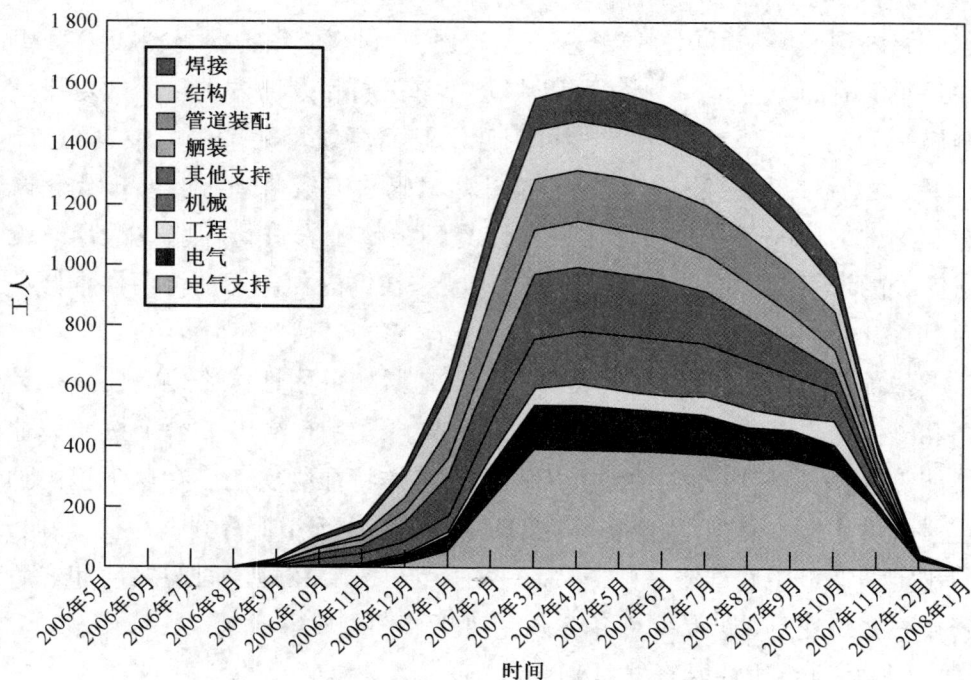

图 A.6　理论上的坞内预定增加可用性维修特性,按职业技能分,周期为 32 个月

（5）其他舰艇维修工作

　　除了航母上的维修工作,诺福克海军船厂和普吉特湾海军船厂中继级维修基地还为海军的其他舰艇提供维修。实际上,其他舰船的维修工作占到两家船厂所有工作量的三分之二。表 A.2 列出了维修的其他舰艇。

表 A.2　维修的其他舰艇

舰船	型号	船厂
SSN 688	攻击型核潜艇	诺福克、普吉特
SSBN 726	弹道导弹核潜艇	诺福克、普吉特
SSGN 726	巡航导弹核潜艇	诺福克、普吉特
LHA 1	两栖攻击舰	诺福克
LHD 1	两栖攻击舰	诺福克
LPD 4	两栖舰	诺福克
LPD 17	两栖舰	诺福克

表 A.2(续)

舰船	型号	船厂
LSD 41	两栖舰	诺福克
LSD 49	两栖舰	诺福克
AS 39	潜艇维修供应船	诺福克、普吉特

图 A.7 所示为一些这类工作的工作量特性实例。特别地,它描述了 SSBN 726 级弹道导弹核潜艇换料大修改造(ERO)时,按照技能团队进行的工作量分配。这种 ERO 需要与航母维修可用性相同的一套职业技能,但是整个维修期间这些技能的数量和持续时间有所不同。

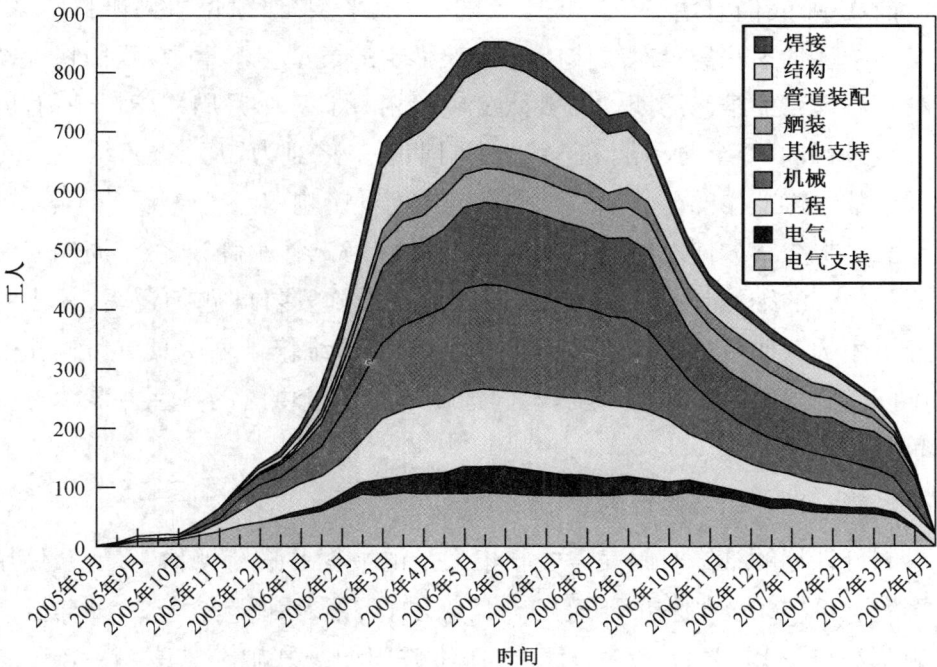

图 A.7　SSBN 换料大修改造(ERO)的工作量特性

(6)建模方法

在我们的模型中,采用的可用工人供给量取自船厂提供的数据。利用海军海上系统司令部维修计划和船上工作量特性,我们对工人需求量进行了建模。当前的航母维修计划反映了 32 个月的周期,例如,从一个维修可用性结束到下一个维修可用性结束为期 32 个月。从当前的计划以及工人供需看,我们评估后认为工人供给超过需求,或者说供大于求。

出于建模的目的,在研究中除航母外其他舰船需要的工作量被假设为固定的,不受航母所需考虑的选项约束。非航母舰船上进行的所有工作,将在下一章工作量结构图中以灰色区域表示。

假设其他舰船的工作量"不变",我们可以通过改变航母维修周期的长度来检验对整个船厂工作量的影响。下一部分中,我们将研究不同的航母维修计划对维修工业基础产生的影响。

五、可替代性维修策略的制定和分析

前文中,我们概述了位于美国大陆的"尼米兹"级航母未来维修需求,以及一个评估这些需求对维修工业基础影响的模型。本章中,我们将检查三种不同假设的维修周期,即"舰队反应计划"的 27 个月周期、对于所有舰船一直进行的 32 个月周期和 36 个月周期——将对为"尼米兹"级航母提供大多数维修工作的公立船厂工作量造成何种影响。①

我们将介绍如何对航母舰队应用 27 个月、32 个月和 36 个月周期来制订不受约束的维修计划。接下来,回顾解决设施安排问题的逻辑,提出我们分析用的工作量进度表。然后,讨论不同航母维修计划中具有可操作性的不同措施的影响。最后,提出不同选项下工作量供需的特性并展示分析结果。

1. 制订理论的维修计划

制订计划的维修时间表需要收集大量的数据并进行评估。最初,使用海军海上系统司令部航母计划行动小组的甘特图,该图包含至 2012 年的航母舰队维修计划,是以 27 个月的入厂维修周期为基础。对该图进行了拓展,制定了一份"尼米兹"级航母为期 20 年的维修时间表。此外,为检查增加航母维修时间间隔对维修工业基础的影响,我们假设开始航母维修工作时,其他工作不会受影响发生变化。

---

① 换料大修工作不在分析之内,如北岛海军航空站(NAS North Island)航母基地进行的预定增加可用性维修一样。尽管在分析中不包括诺·格公司纽波特纽斯船厂,我们检查了诺·格公司纽波特纽斯船厂和诺福克海军船厂在一家或两家船厂面临劳动力供需问题时,互相影响(由于共享工人)的可能。

诺福克海军船厂提供了一份止于 2015 年的包括所有舰船的反映航母的 27 个月维修周期的维修时间表。诺福克海军船厂的实际时间表与我们用航母计划行动小组甘特图制定的 27 个月周期时间表非常接近。负责后勤、维修和产业运营的海军海上系统司令部后勤、维修与工业运转处（NAVSEA 04）向我们提供了所有 4 家船厂包括维修周期为 32 个月的航母的维修时间表。我们又用 32 个月周期作为基础，基于海军海上系统司令部的 32 个月周期时间表制定了 36 个月周期时间表。

海军海上系统司令部后勤、维修与工业运转处还提供了在国有船厂进行维修的其他舰船在 2006 年 3 月维修的时间表。为了建模简单方便，我们假设即使航母的维修周期也这样进行，这份时间表也不会发生变化。

2. 航母的理论周期

图 A.8 给出了"尼米兹"级航母 27 个月、32 个月和 36 个月周期预定增加可用性维修和坞内预定增加可用性维修在概念上的顺序。此外，周期长度指从一个预定增加可用性维修结束到下一个预定增加可用性维修结束的时间长度（除去坞内预定增加可用性维修）。注意，与之前较早的图相比，图 A.8 给出了运行间隔，预定增加可用性维修，坞内预定增加可用性维修，还有以 32 个月或 36 个月为周期的舰船按年度而不是月度的持续维修周期。

图中显示，航母 32 个月（预定增加可用性维修）的周期有一个 8 年的坞内预定增加可用性维修或入坞维修，与之形成对比的是 27 个月维修周期的舰船大约 6 年的入坞维修周期。

除了给出预定增加可用性维修和坞内预定增加可用性维修的时间，图中还显示了舰船以 32 个月或 36 个月为周期在理论上的持续维修周期布置，并且在下面也显示出每艘舰船将进行的预定增加可用性维修类型。如前文中提到的，尽管预定增加可用性维修和坞内预定增加可用性维修在周期上很相似，但实际上两者是不一样的，而且还随时间而变化。

换料大修在理论上是发生在航母运行到第 25 年①。这些周期假定了当前的运作节奏。换料大修是基于条件（舰船燃料用完），而不是基于时

---

① "尼米兹"级航母在接近其大约 50 年寿期一半的时候进行换料大修。在换料大修中，航母补充核燃料并且进行维修和下部构造的升级，为接下来的 25 年甚至更长时间的服役做准备。

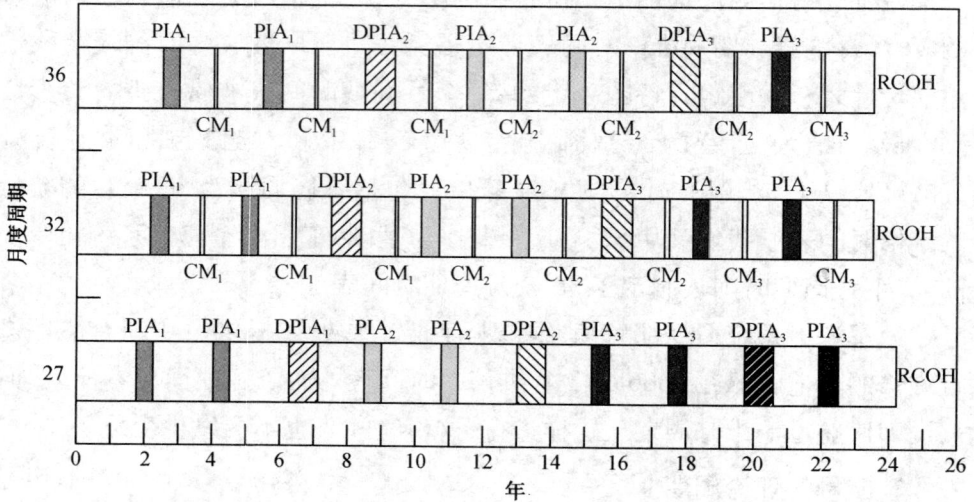

图 A.8 "尼米兹"级航母理论上的周期

间。从这一点上,在现有周期内运作节奏的改变,或不同的周期使舰队产生额外的运营时间,将不得不缩短舰船进行换料大修的周期。

从理论角度来看,维修周期为 32 个月的航母在第 24 年结束时应该进行坞内预定增加可用性维修,这时航母进行换料大修而不是坞内预定增加可用性维修,将换料大修周期缩短到少于 24 年。这类周期的缩短,与预定增加可用性维修周期更重要的外延相联系,意味着 32 个月周期的航母比 27 个月周期的航母少一次预定增加可用性维修和一次坞内预定增加可用性维修。类似地,图中显示出周期为 36 个月预定增加可用性维修航母有一项 9 年入坞维修,在运行的第 24 年将进行换料大修而不是第三次坞内预定增加可用性维修。这比 27 个月周期少两次预定增加可用性维修,少一次坞内预定增加可用性维修。

我们分析了以上描述的 27 个月、32 个月和 36 个月预定增加可用性维修周期各自的船厂工作量需求。因为"尼米兹"级航母交付的间隔时间不规则,以及在役舰船分别处于不同运行和维修周期,在制定 32 个月和 36 个月周期时进行了一些假设。

特别地,我们假设航母在 2006 年 3 月底完成了一次补给可用性维修,则需要考虑 32 个月或 36 个月的预定增加可用性维修周期。我们还假设

"尼米兹"号正处于 2006 财年开始的 12 年入坞维修周期,其坞内预定增加可用性维修周期为 15 个月[①]。

3. 解决船坞矛盾

在美国大陆只有 3 座船坞能用于核动力航母的维修:东海岸的诺福克海军船厂和诺·格公司纽波特纽斯船厂各有一座,西海岸的普吉特湾海军船厂中继级维修基地有一座。在我们考虑的理论时间表下,可能出现东海岸和西海岸航母坞内预定增加可用性维修和船坞需求重叠的情况。

解决这些冲突的方法是在关于 36 个月或更少周期的海军作战部长办公室 4700 号文件(OPNAV Notice 4700)指导方针下,把特定的航母可用性维修在理论周期上延后 3 个月。通过这种方式,最大数量的航母处于紧急海上安全和大规模作战高峰与准备状态,不同维护周期的安排都能够解决"冲突"。

尽管理论上的时间表中没有发生任何冲突,但值得注意的一个额外的船坞问题是诺福克海军船厂的船坞延长还没有确定。CVN 76 以及后续航母采用球鼻艏,舰身变长,由此带来加长船坞的需要。诺福克海军船厂的船坞在 2009 年 3 月 1 艘两栖舰入坞维修结束后开始加长,在 2014 年 1 月"杜鲁门"号航母坞内预定增加可用性维修之前结束。在这段时间内,诺福克海军船厂没有安排入坞维修,但三大船坞中有一座无法使用,意味着在紧急情况下那里也无法承担维修任务。

4. 理论周期的工作量需求

诺福克海军船厂提供了所有在船厂中进行的入厂维修工作量特性。普吉特湾海军船厂中继级维修基地使用相同的特性。对每一项维修,我们有按月度和按船厂承担工作的车间分解数据,为我们提供了任一给定月份的工作总量预期。我们利用细分的车间与第 3 章中提到的职业技能相对应。每一个理论上的工作量特性都以 OPNAV Notice 4700 为依据。将维修周期长度从 27 个月延长到 32 个月或 36 个月,将带来不同的入厂维修工作量。

航母计划行动小组工程师用最初的增量维修计划作为新的可用性维

---

① 海军作战部长同意"尼米兹"号在服役期到 12 年的时候入坞维修。航母计划行动小组计划可用性维修为 15 个月。变化的原因是为了降低维护成本,并且确定舰队中其他的舰艇是否将采用同样的方式。

修工作的基础,逐项对 IMP 进行检查以制定航母新的预定增加可用性维修和坞内预定增加可用性维修。

表 A.3 给出了 27 个月周期下,"尼米兹"级航母每次厂级维修可用性在理论上的人工日分配(根据 OPNAV Notice 4700)。

表 A.3　航母工作量需求(27 个月周期)

	以人工日数计的工作量(以 1 000 人工日为单位)					
	PIA_1	PIA_2	PIA_3	$DPIA_1$	$DPIA_2$	$DPIA_3$
维修可用性	146	174	201	256	309	357
现代化	23	27	31	43	51	58
总计	169	201	232	299	360	415

此外,航母计划行动小组提供了每艘航母需要的包括进行现代化改装的人工日(也称为计划改造)的评估。

航母计划行动小组认为当维修周期延长到超过 27 个月,效率上应该有所提高。在"尼米兹"级航母的整个寿期中,周期从 27 个月变为 32 个月,可能减少约 50 万个人工日。这种减少绝大多数是由于消除了基于事件的维修,例如入坞维修和可用性所需的维护支持(项目管理,测试,工作控制等)。航母计划行动小组的分析是通过确定增量维修计划中需要的每次维修,是否可以推迟到下一次可用性维修或在较早的一次中进行,以实现总人工日的减少。同样的分析也被航母计划行动小组用于 36 个月周期[①]。

如先前提到的,32 个月和 36 个月周期致使航母运行周期进行到一半时减少了一次坞内预定增加可用性维修。航母计划行动小组假设航母交付后和中期换料大修后的首次入坞维修,都需要比 27 个月周期时的首次入坞维修更多的人工日。在航母的每半个寿期,航母计划行动小组将分配给一次 $DPIA_2$ 的人工日用于首次入坞维修,$DPIA_3$ 用于第二次入坞维修。航母计划行动小组对 8 年入坞维修的"尼米兹"级航母 32 个月周期的评估中,也包括了持续维修期[②]。

---

① 我们与航母计划行动小组计划制订者讨论了 32 个月入厂维修的适压性。他们指出 32 个月周期的入厂维修工作量可能也适用于 36 个月周期。实践中,入厂维修期与理论上的时间有 ±3 个月的灵活性。

② NAVSEA, Carrier Planning Activity, 32 – Month Operational Cycle Analysis 草案,2006 年 2 月 28 日。

这些变化产生了表 A.4 中所示的人工日需求。三次预定增加可用性维修的工作量需求是相同的,但是 36 个月周期在换料大修之前和之后都少一次预定增加可用性维修。这种减少导致进行航母持续维修可用性时,维修天数的增加。航母采用 32 个月和 36 个月周期时[1],两者都可能没有 $DPIA_1$ 工作量,尽管它们的 $DPIA_2$ 和 $DPIA_3$ 工作量稍大;而且,与采用 27 个月维修周期的航母一样,持续维修也不会在舰上进行。

表 A.4   基于航母计划行动小组分析(包括现代化改装)的可用性工作量(以 1 000 人工日为单位)

周期	PIA_1	PIA_2	PIA_3	$DPIA_1$	$DPIA_2$	$DPIA_3$	CM_1	CM_2	CM_3
27 个月	169	201	232	299	360	415	N/A	N/A	N/A
32 个月和 36 个月	169	201	232	N/A	413	463	18	21	24

注:N/A 表示不包括。

5. 诺福克海军船厂建模

接下来调查各家船厂针对不同航母厂级维修周期长度的工作量供需。从诺福克海军船厂的 27 个月 32 个月和 36 个月特性开始,然后是普吉特湾海军船厂中继级维修基地。

图 A.9 给出了诺福克海军船厂支持的航母在 27 个月周期下的需求特性。可用的工人供给,如“工作量分配和资源报告”资料中提供的,用黑白曲线表示。诺福克海军船厂每年供给的短期下降是有联系的,如前文中提到的,圣诞假期期间船厂中的工人减少。我们注意到可用性的交叉,并用标签指出了这些交叉。例如,2006 年 6 月到 2008 年 2 月这个时期有连续的 PIA_3 出现,两个 PIA_3 标签表示这个时期有两次可用性。将在图 A.9 和之后的图中使用这种标签。

在图 A.9 中,阴影区域表示对船厂的所有其他需求。为确定航母维修需求对每家船厂的特殊影响,假设这类其他需求保持不变或是不随航母维修周期变化而变化。灰色区域上方的阴影反映了由每艘航母不同的厂级维修可用性引起的额外需求。例如,左上部分的图表示,在 2006 年年底和

---

[1]   假设 32 个月周期和 36 个月周期总人工日相同。

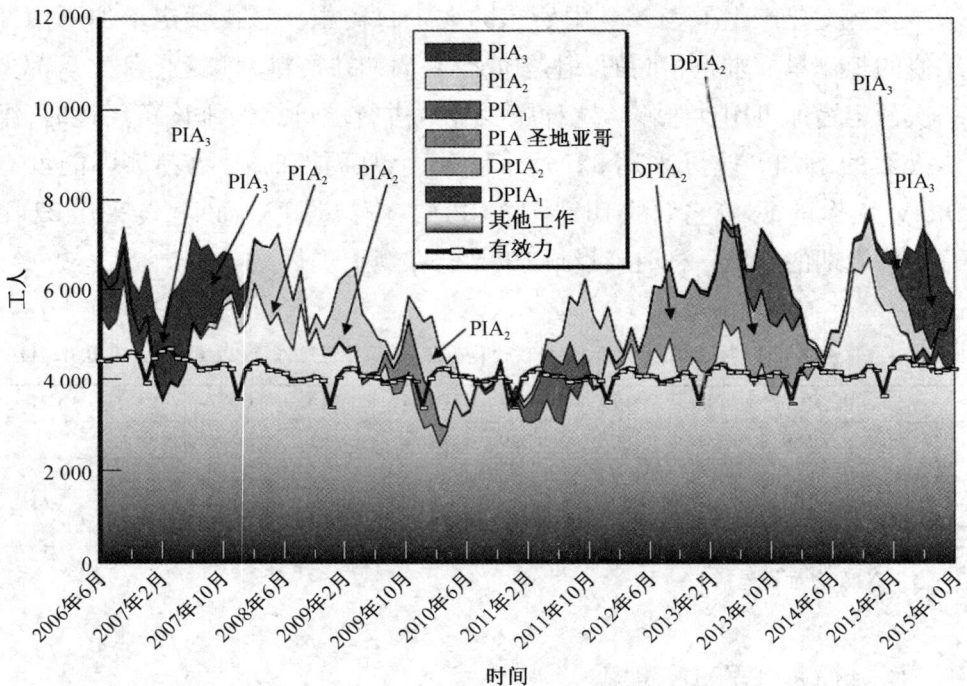

图 A.9 诺福克海军船厂的 27 个月周期

2007 年年初,除了其他舰船带来的需求,诺福克海军船厂还要处理一艘核动力航母的 DPIA₁ 结尾工作产生的需求,以及另一艘核动力航母的 PIA3 早期工作的需求。诺福克海军船厂通过让船厂工人加班 10% ~ 15% 的方法满足超量的需求(根据需要可能更多)①,向私营承包商外包和雇用临时工。

在 27 个月周期下,尽管核动力航母会进行 PIA1 的一些预备工作,在理论上没有基地级可用性维修,即航母在 2010 年处于船厂中。由于"华盛顿"号航母部署到日本横须贺,替代 2008 年部署在那里的"小鹰"号,在我们所考虑的全部周期下,航母对船厂的需求也将下降。随着"洛杉矶"级潜艇中期补充燃料结束,从 2008 年到 2010 年,船厂的其他需求也将下降。

结果,船厂中工人的供给将有几个月会超过需求。"布什"号将接近首次基地级可用性维修,"艾森豪威尔"号(CVN 69)需要一次 DPIA₂,以及新

---

① 诺福克海军船厂可以让工人达到 25% 的超时加班状态,并持续一个月以满足高峰需求。一个月之后,工人疲劳和其他因素将降低生产力回报。

的攻击潜艇陆续开工,对劳动力的需求将开始增加。

图 A.10 给出了航母在 32 个月厂级维修周期下,对诺福克海军船厂的需求特性。其他舰船对船厂的需求再次被假设为不变,因此在图 A.13 中出现在同样的灰色阴影区。

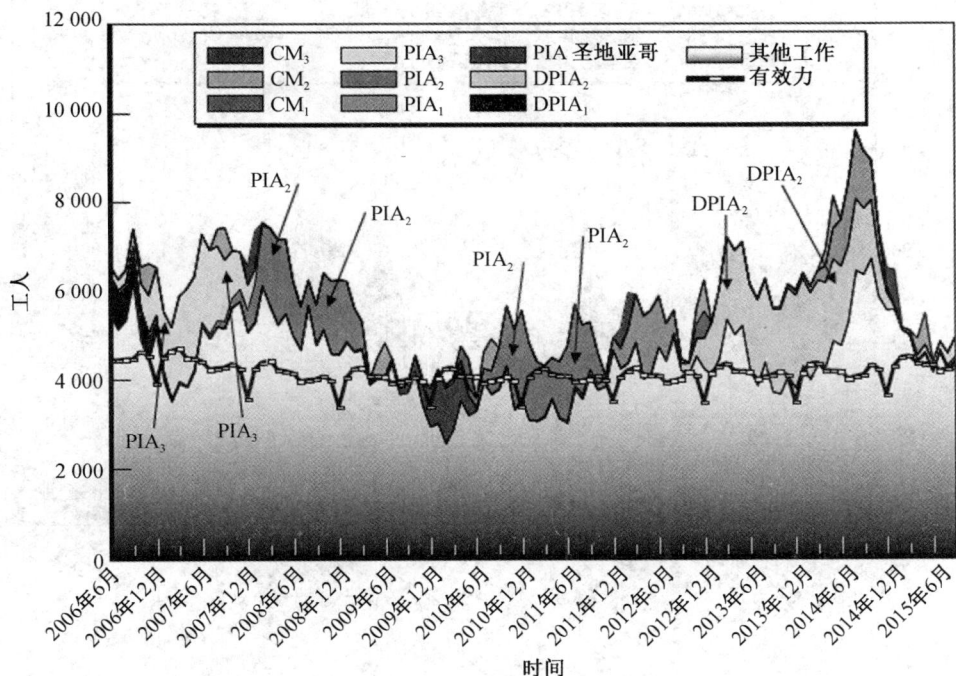

图 A.10 诺福克海军船厂的 32 个月周期

这里,船厂 2010 年没有被安排基地级可用性维修计划。在这个时期,为 CNV 77 安排了一个持续维修周期。另外,CVN 76 的预定增加可用性维修随后发生——如之前提到的,诺福克海军船厂工人将为圣迭戈基地提供支持,如 CVN 69 的 PIA$_2$ 一样也将部分降低劳动力的供大于求的情况。后来发生的所有其他航母维修,包括 CVN 75 的 DPIA$_2$ 工作和 CVN 77 的 PIA$_1$ 工作,将带来对船厂需求的比 27 个月周期中的情形在理论上产生更高峰值。

图 A.11 给出了航母在 36 个月基地级维修周期下,对诺福克海军船厂的需求特性。这里,在 2009 年和 2010 年,没有理论上的基地级可用性维修,或是准备或结束这种可用性的工作。同样,从 2012 年年底到 2014 年年中,尽管安排了一些持续维修周期,但也没有预定增加可用性维修或坞内预定增加可用性维修发生。结果,理论上的工作量需求在 2013 年下降到暂时低于供给并在 2014 年远超过供给。

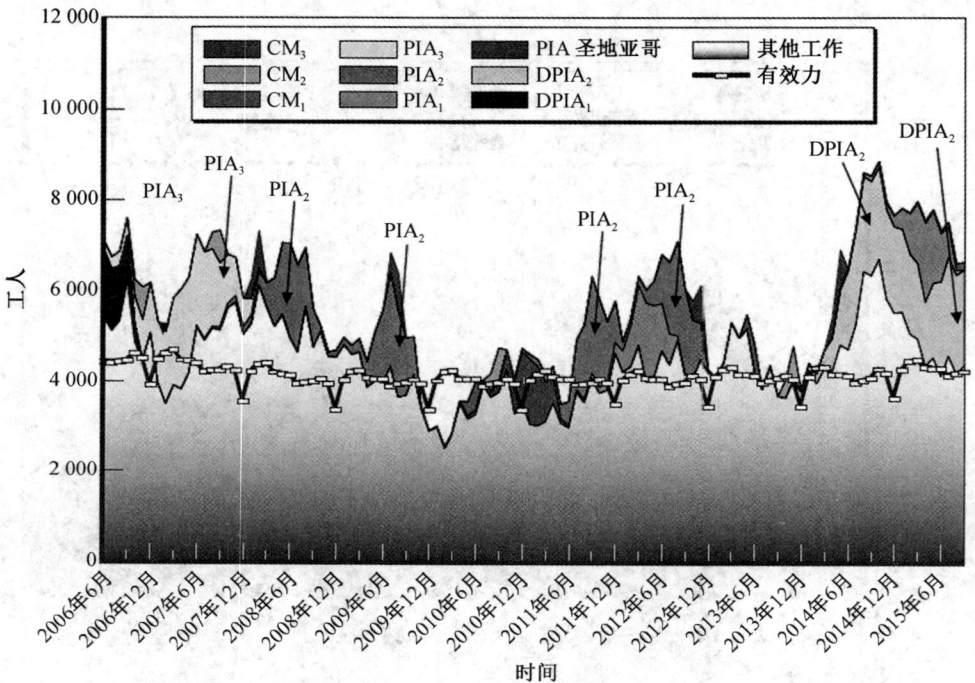

图 A. 11　诺福克海军船厂的 36 个月周期

6. 普吉特湾海军船厂中继级维修基地建模

　　随着潜艇相关工作减少,从 2008 年到 2010 年普吉特湾海军船厂中继级维修基地将经历工作量的下降。在那之后,普吉特湾海军船厂中继级维修基地有几个时期内计划的工人供给有望超过需求。

　　图 A. 12 给出了在船厂所支持的航母 27 个月周期下,普吉特湾海军船厂中继级维修基地中的需求特性。在这一段时间,船厂 2011 年将有一个特别困难的时期,此时一个坞内预定增加可用性维修、两个预定增加可用性维修和“华盛顿”号即 CVN 73 的有限可选维修(SRA)计划开始。2011 年底和 2012 年大部分时间需求将小于供给,2014 年也是如此,但是 2015 年将达到第二次高峰。与诺福克海军船厂不同,仅 2008 年的一个较短时期内,普吉特湾海军船厂中继级维修基地维修的其他舰船所带来的工作对劳动力的需求超过了可用的劳动力。

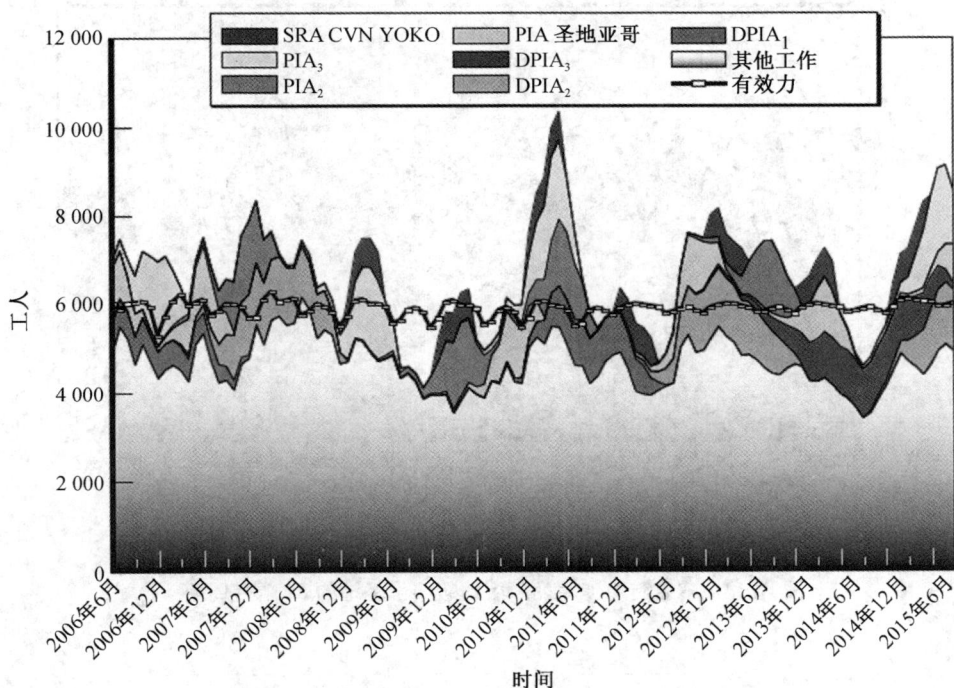

图 A.12 普吉特湾海军船厂中继级维修基地的 27 个月周期

　　图 A.13 给出了航母在 32 个月周期下,普吉特湾海军船厂中继级维修基地中的需求特性。相比于 27 个月周期供给过量的持续时间和次数有所缩小。普吉特湾海军船厂中继级维修基地中的工人需求在 27 个月周期下将达到 10 000 人以上的最高点,峰值需求在 32 个月周期下保持在 9 000 人以下。高峰将出现在 2012 年,这时 CVN 76 的 $DPIA_1$,CVN 70 的 PIA_2,CVN 72 的 CM_3,CVN 74 的 $DPIA_2$ 预备工作将同时进行。

　　图 A.14 给出了航母在 36 个月周期下,普吉特湾海军船厂中继级维修基地中的计划需求特性。延长周期似乎再次减少了 27 个月周期产生的高峰值需求。然而,全部需求特性似乎比 32 个月周期下更加不均衡,劳动力供大于求时出现更高的峰值,次数也更多。

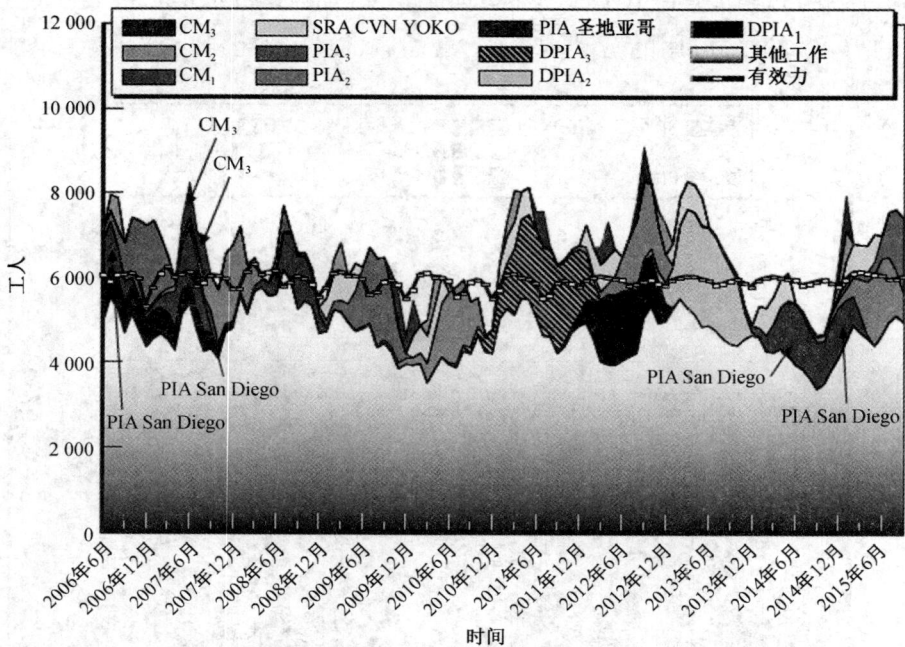

图 A.13　普吉特湾海军船厂中继级维修基地的 32 个月周期

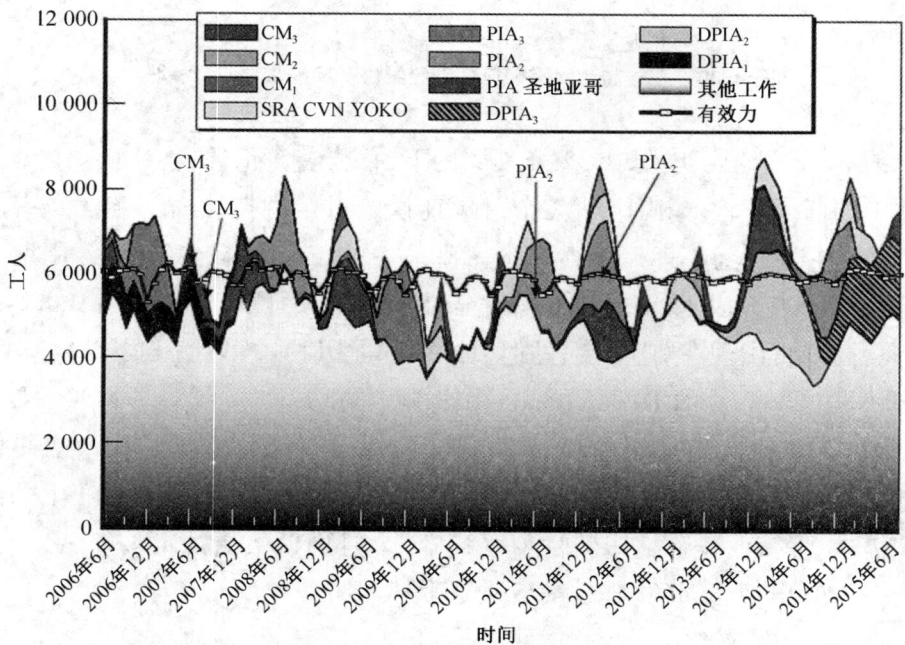

图 A.14　普吉特湾海军船厂中继级维修基地的 36 个月周期

7. 固定寿命期维护选择

假设长周期下预定增加可用性维修和坞内预定增加可用性维修的工作内容不确定,我们也认为在一艘航母的全寿期内,总的维修工作量是固定的、独立于周期长度①。在 27 个月周期时间表下,对预定增加可用性维修和坞内预定增加可用性维修的所有维护与修理工作的人工日进行合计;对固定寿命期维护情况②,将这一较高的人工日按 32 个月和 36 个月两种周期分配到时间表中的预定增加可用性维修和坞内预定增加可用性维修。

表 A.5 给出了固定寿命期维修情况下 32 个月和 36 个周期每一次预定增加可用性维修、坞内预定增加可用性维修和持续维修的人工日构成,也包括了作为基础的 27 个月周期的情况。

表 A.5　可用性维修工作量:固定寿命期维修情况(1 000 人工日)

周期	PIA$_1$	PIA$_2$	PIA$_3$	DPIA$_1$	DPIA$_2$	DPIA$_3$	CM$_1$	CM$_2$	CM$_3$
27 个月	169	201	232	299	360	415	N/A	N/A	N/A
32 个月 (含 CM)	239	275	322	430	489	550	18	21	24
36 个月 (含 CM)	275	316	370	494	553	621	18	21	24

图 A.15 给出了诺福克海军船厂支持的航母在 32 个月周期下,固定寿命期维修情况如何影响船厂中的需求情况。理论上的需求在 2014 年达到峰值,超过 10 000 名工人——与不超过 5 000 名工人可用相比——2007 年和 2008 年也暂时性地超过了 8 000 名工人。

图 A.16 给出了诺福克海军船厂支持的航母在 36 个月周期下,固定寿命期维修情况如何影响船厂中的需求情况。峰值需求在接下来的 10 年有几次超过 8 000 工人,包括 2014 年和 2015 年的大多数时间。

图 A.17 给出了普吉特湾海军船厂中继级维修基地支持的航母在 32 个月周期下,固定寿命期维修情况如何影响船厂中的需求。这种情形下,

---

① 这种工作量选项近似一艘航母全寿期的维修过程中的持续的厂级维修。

② 现代化改装的人工日被假设为连续的、独立于各次维修间的时间增长,这种假设可能不真实。

峰值需求超过 10 000 工人——与计划的大约 6 000 工人可用供给相比——在 2012 年,还有其他几次超过 8 000 工人。

图 A.18 给出了普吉特湾海军船厂中继级维修基地支持的航母在 36 个月周期下,固定寿命期维修情况如何影响船厂中的需求。这种情形下,峰值需求在 2012 年接近达到 10 000 工人,并且还有几次超过 8 000 工人。然而也有几次短暂的需求低于供给,包括 2010 年以及 2012 年和 2013 年的大部分时间。

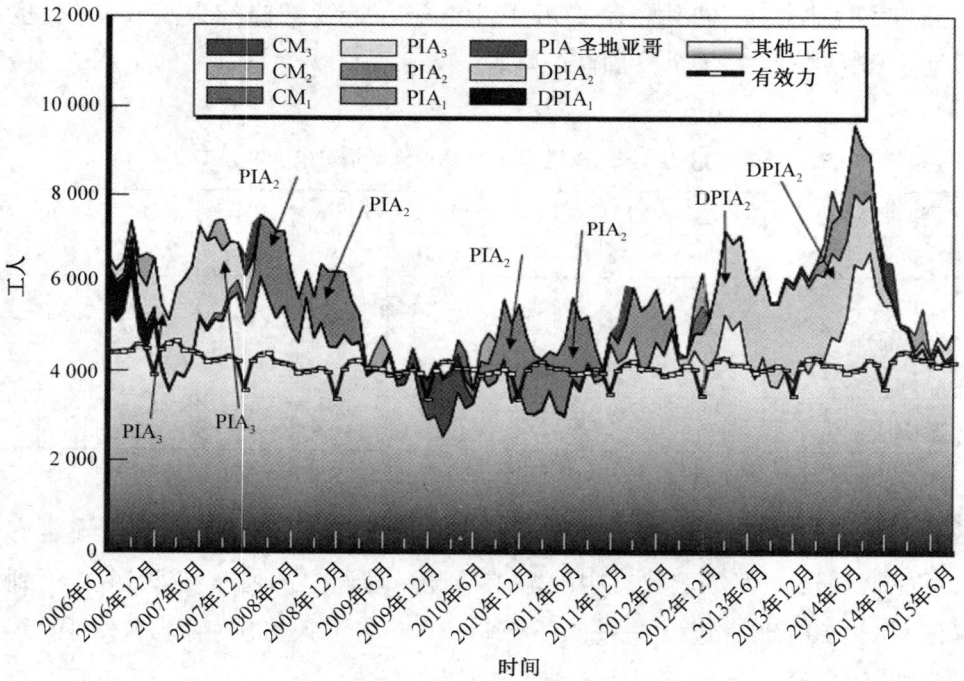

图 A.15　诺福克海军船厂的 32 个月周期:固定寿命期维修情况

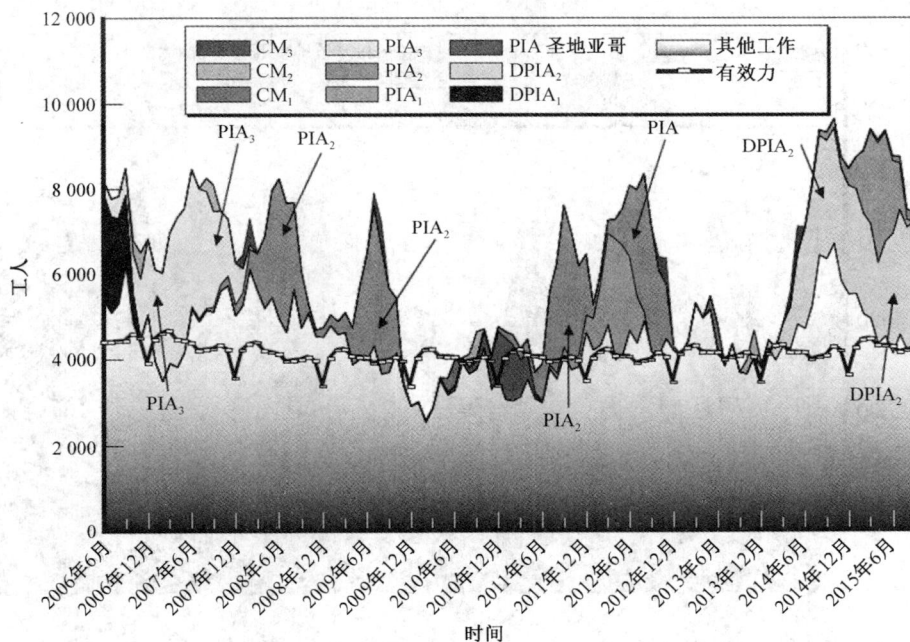

图 A.16 诺福克海军船厂的 36 个月周期:固定寿命期维修情况

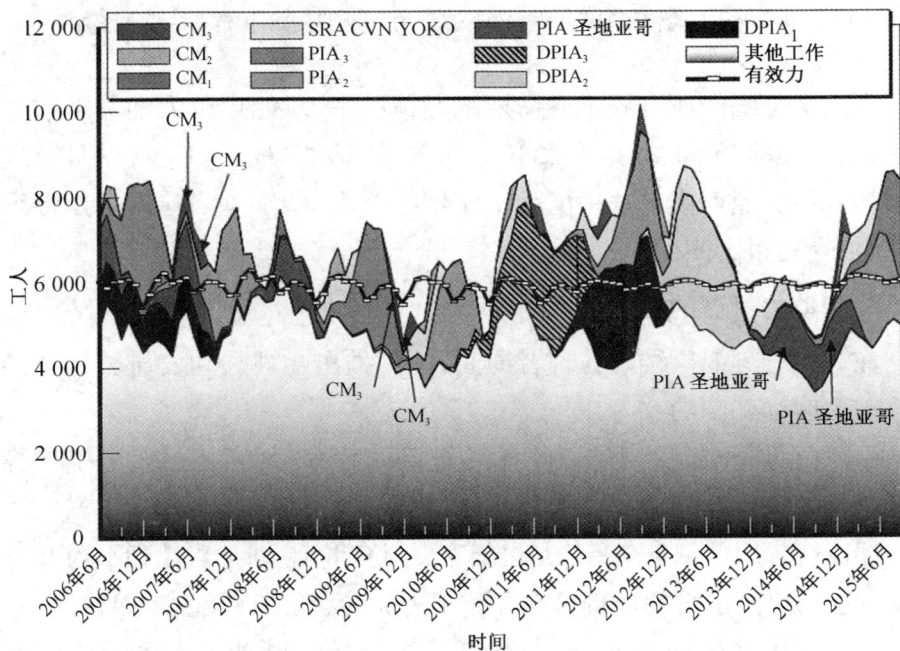

图 A.17 普吉特湾海军船厂中继级维修基地的 32 个月周期:固定寿命期维修情况

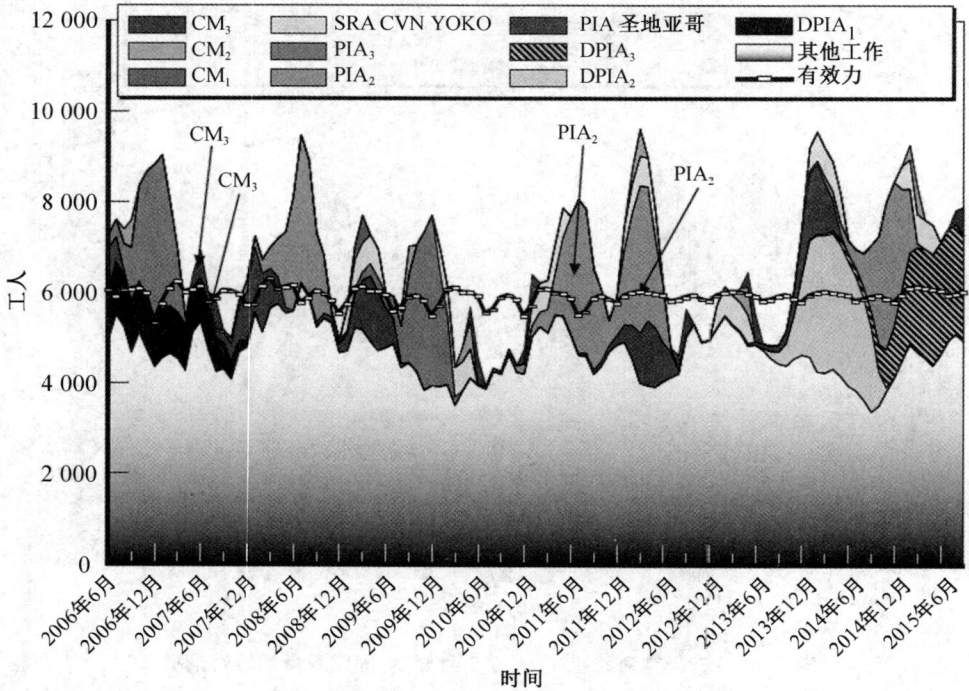

图 A.18　普吉特湾海军船厂中继级维修基地的 36 个月周期：匡定寿命期维修情况

在上文提到的所有固定寿命期维修情况下，对船厂工人的需求超过供给时长，占总时长 50%，接下来 10 年间还有多次。船厂可能无法处理这种需求的峰值。船厂满足这种更大工作量的能力，特别是当航母可用性维修交迭时，存在很大问题。

8. 劳动力管理的挑战

在我们会见船厂维修管理者期间，他们提出在规划和安排劳动力满足维修需求时受到制约：

由于航母上空间的限制，任意一天超过 1 500 名工人在船上工作都会降低工作效率。

船厂通常用加班来满足增加的需求，维修期间超时加班达到平均 10% ~ 20%。连续更高水平的加班可能导致工人疲劳、低效以及发生差错。

如本章中之前提到的，计划制订者给出了可提供工人数量的所有限制。可确定的是，他们没有把握在 30 天的持续维修周期中能提供超过

18 000 人工日。

持续可用性维修周期不应该与航母入厂可用性维修或其他持续可用性维修交迭,除非是在同一家船厂内为平衡工作量与可用的劳动力。

六、对工业基础的影响

从第五部分中清晰地看到不同维修周期对劳动力供需的影响。但是,很难只通过一次周期的改变就直接对两种维修周期的影响进行比较。为此,我们采取了 5 种方案对船厂劳动力供需进行评估。这 5 种方案在第五部分中已经做过分析,分别是维修周期为 27 个月、32 个月和 36 个月(基于航母计划行动小组数据),以及 32 个月和 36 个月(基于固定寿期假设)。

1. 诺福克海军船厂

表 A.6 对 5 种方案下劳动力供给和需求进行了汇总说明,列出了平均每月需求大于供给以及供给大于需求的人工日。表 A.8 就是按照供给与需求这两种情况进行划分的。总工作量是指人工日的加总,月数指的是项目持续时间,月平均值是用总工作量除以月数得到的数值。举例来说,在“总工作量”一栏,当需求大于供给时,用需求减去供给,然后将所得数值加总。例如,在周期为 27 个月、需求大于供给的情况下,104 个月内的总工作量是 19.43 万个人工日,平均每月 1 900 个人工日;当需求小于供给时,8 个月内的总工作量是 2 700 个人工日,平均每月 300 个人工日。

表 A.6 不同周期的供需测量(总工作量和月平均值单位为 1 000)

周期	供不应求			供大于求		
	总工作量	月数	月平均值	总工作量	月数	月平均值
27 个月	194.3	104	1.9	2.7	8	0.3
32 个月(CPA)	187.8	106	1.8	1.4	6	0.2
36 个月(CPA)	181.9	96	1.9	7.9	16	0.5
32 个月(FLM)	227.7	106	2.1	1.2	6	0.2
36 个月(FLM)	242.9	97	2.5	7.2	15	0.5

总体来讲,诺福克海军船厂的劳动力需求是大于供给的。虽然有几个月有效劳动力供给大于需求,但是超出的数量有限。例如,表 A.8 中显示的最大的供大于求月平均值是在维修周期是 36 个月时出现的 500 个人工日。相比而言,在供不应求的情况下,月平均值最小为 1 800 个人工日。从这个角度来看,需求大于供给时,维修周期是 32 个月和 36 个月(均基于固定寿期假设)的情况最严重。在周期是 32 个月(基于固定寿期假设)时,需求大于供给的月份有 106 个月,需要增加 2 100 个人工日来满足需求;在周期是 36 个月(基于固定寿期假设)时,需求大于供给的月份为 97 个月,平均需要增加 2 500 个人工日才能满足需求,相当于我们之前提到的可用人工日的一半以上。

总体而言,船厂方面更喜欢需求大于供给的情况,不过需维持在 10% 的范围以内。这样,船厂的工人就可以全部就业,并且也能够获得更多的时间,同时还能够在"一家船厂"的概念下拥有调配工人的灵活性。

为了评估 5 种周期供给与需求的匹配度,图 A.19 中显示了 5 种周期在需求大于供给和小于供给的情况下各自的频率分布。水平轴线表示供给大于需求和供给小于需求两种情况;垂直轴线表示月数。在图 A.19 的左边,供给大于需求达到 40% 时,表示没有月份是这种情况,而供给大于需求达到 20% 时,在周期是 27 个月和 36 个月(基于固定寿期假设)时有几个月满足的。

理想的情况是,所有曲线的峰值都在两条垂直的虚线以内,即在需求与供给两种不同的情况下,超出的量都在 10% 的范围内。这种情况意味着,在未来十年内,船厂工作负荷供需相差不大的月数最多。这样既能保证船厂能力得到充分利用,又不至于使船厂工人由于过度加班而导致疲劳。

诺福克海军船厂的所有曲线的峰值都不在理想的范围内。事实上,所有的峰值都超出了 10%。但是,仍有一些不同的地方值得注意。例如,32 个月周期曲线(基于航母计划行动小组)接近理想范围的月份比 27 个月周期曲线要多;相反,36 个月周期曲线(基于固定寿期假设)需求为供给两倍的月数要比其他曲线多。

通过需求和供给分析来评估诺福克海军船厂的代表性技能,判断在 36 个月周期内专业技能是否有重大的缺失,分析的对象包括电气、管件、结构和焊接技能。通过分析显示,供给是大于需求的,但是在 2009—2010 年存在供给过量的情况。

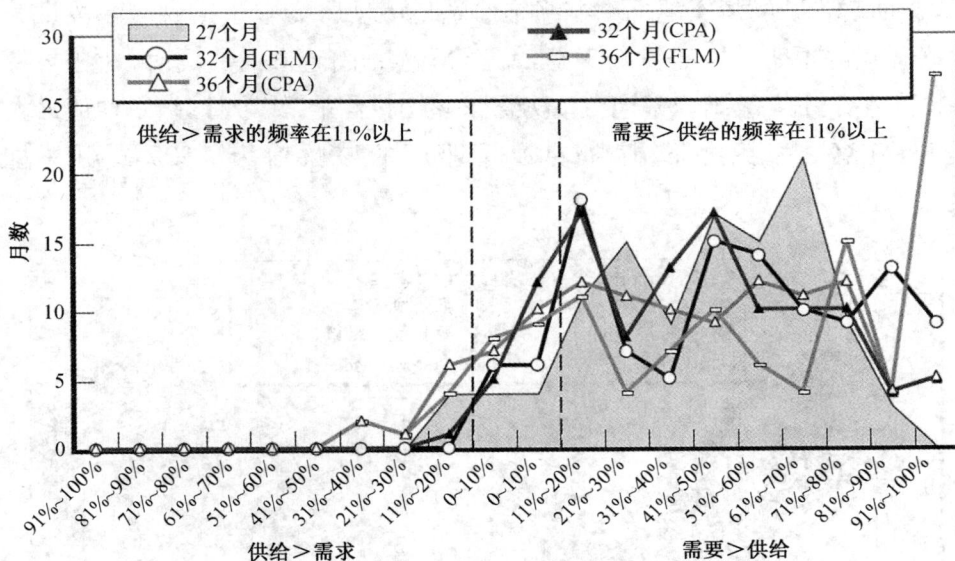

图 A.19 工人供给与需求频率分布

2. 纽波特纽斯船厂

我们也考虑了纽波特纽斯船厂能否帮助诺福克海军船厂解决劳动力供需不稳定引起的问题,尤其是像 2010 年的需求不足。两家船厂的位置接近,并且有着特殊的关系。正如之前所述,诺福克海军船厂在东海岸承担所有核动力航母的相关维护工作,而纽波特纽斯船厂是美国唯一一家建造核动力航母的船厂。纽波特纽斯船厂承担全部核动力航母的补给工作,以及保证企业号有效运行。如有需要,两家船厂还可以在"一家船厂"的概念下共享工人。在诺福克海军船厂没有足够时间或工人时,纽波特纽斯船厂可以有效地承担相关任务。纽波特纽斯船厂也可以在诺福克海军船厂需要时定期地提供劳动力。

图 A.20 显示了截至 2015 年纽波特纽斯船厂不同项目的劳动量,包括"企业"号航母的退役、延长有限可选维修(ESRA)以及延长坞内有限可选维修(EDSRA)。(由于这些数据是专有的,因此在垂直轴线上没有给出确切数值。)

3. 普吉特湾海军船厂

表 A.7 显示了每个周期普吉特湾海军船厂中继级维修基地的劳动力供给和需求情况。对于诺福克海军船厂,劳动力总需求几乎始终是大于供

191

给的;而普吉特湾海军船厂中继级维修基地劳动力需求超出供给的数量小于诺福克海军船厂。如表 A.9 中,基于 36 个月固定寿期假设时,在普吉特湾海军船厂中继级维修基地劳动力需求超出供给的 79 个月内,平均值最大是 1 600 名。相比之下,诺福克海军船厂的该数值为 2 500 或更高见表 A.6。

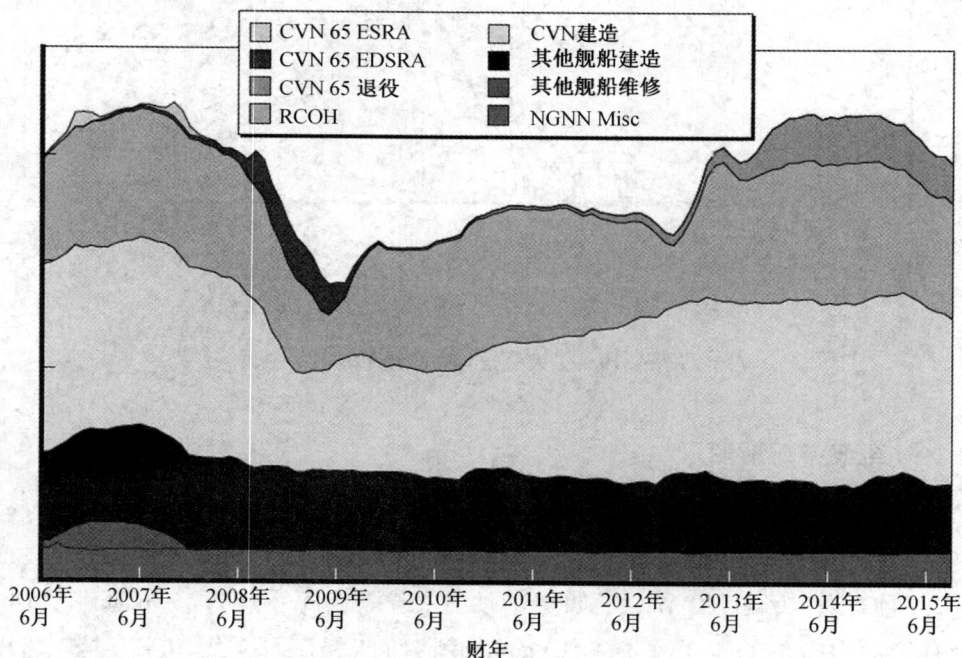

图 A.20 纽波特纽斯船厂保持 CVN 65 有效性的工作量

表 A.7 普吉特湾海军船厂中继级维修基地:不同周期的供需情况

周期	供不应求			供大于求		
	总工作量	月数	月平均值	总工作量	月数	月平均值
27 个月	106	82	1.3	20	30	0.7
32 个月(CPA)	89	82	1.1	17	30	0.6
36 个月(CPA)	71	71	1.0	29	41	0.7
32 个月(FLM)	130	87	1.5	14	25	0.6
36 个月(FLM)	122	79	1.6	26	33	0.8

在另一个极端的情况下,普吉特湾海军船厂中继级维修基地的劳动力供给超过需求的月数比诺福克海军船厂稍多。对于表 A.8 和表 A.9 中的 5 种维修周期,普吉特湾海军船厂中继级维修基地的劳动力供给超出需求的月数比诺福克海军船厂更多,超出的平均值也要高于后者。

为评估普吉特湾海军船厂中继级维修基地,我们用图 A.21 表示了每种周期的总月数频率分布。同图 A.19 一样,理想的状态是曲线的峰值位于两条垂直的虚线内,即需求或者供给的超出量不超过 10%。

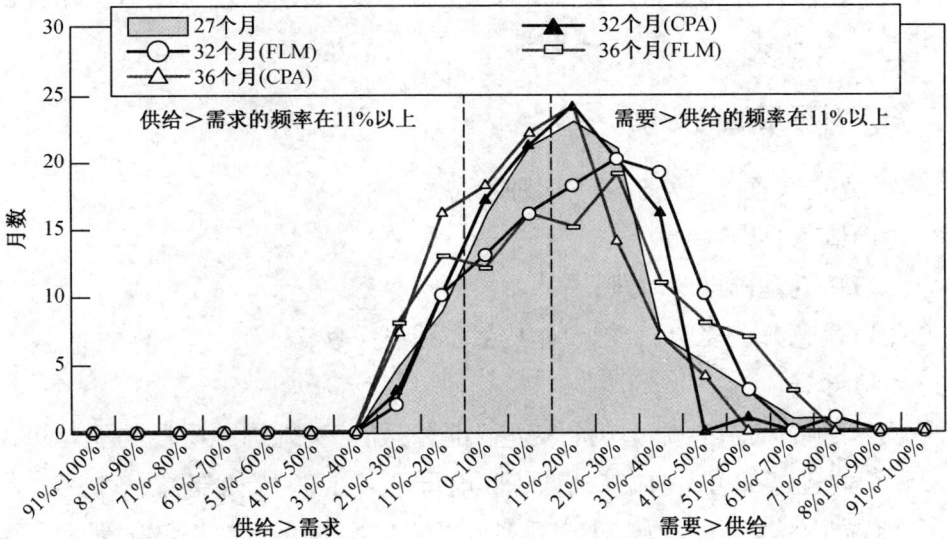

图 A.21　普吉特湾海军船厂中继级维修基地供给和需求频率分布

从图 A.21 中可以看到,与诺福克海军船厂相比,普吉特湾海军船厂中继级维修基地几种周期的曲线重叠较多。然而,依然没有将峰值控制在 10% 以内。不过,普吉特湾海军船厂中继级维修基地的频率分布在理想范围附近更为集中。和诺福克海军船厂一样,32 个月周期曲线(基于航母计划行动小组数据)的劳动力供给与需求更为匹配,两者之间差距较大的月份较少。

总之,对于诺福克海军船厂和普吉特湾海军船厂中继级维修基地,32 个月周期曲线(基于航母计划行动小组数据)的劳动力供给与需求匹配度的波动较小。这一周期方案有 3 点具体的优势值得注意:

（1）可以避免劳动力的大幅变动,如图 A. 12 中显示,普吉特湾海军船厂中继级维修基地在 2010 年采取 27 个月周期就经历了较大的波动。

（2）可以削弱图 A. 17 和图 A. 18 中普吉特湾海军船厂中继级维修基地曲线的一些"波峰"和"波谷"。

（3）通过 CVN 68 的一个坞内预定增加可用性维修,32 个月周期可以避免无法解决改变船坞冲突问题。

最后,毫无疑问的是,维修日程安排必须保证航母的可用性。在下一部分中,我们将分析 27 个月、32 个月和 36 个月周期对航母编队可用性的影响。

七、对可用性的影响

一艘航母通常会处于以下四种状态之一:

（1）维修;

（2）接受基础训练阶段;

（3）紧急海上安全、大规模作战战备或紧急状态;

（4）部署。

处于维修状态的航母不能够进行部署,处于基础训练阶段的航母可以在 90 天内进行部署,完成基础训练的航母可以在 30 天内部署。

将航母的维修周期从 24 个月延长到 27 个月,可以在正常部署和紧急部署之间取得平衡。24 个月的舰队反应计划包括增量维修计划（包括 6 个月的预定增加可用性维修和 10. 5 个月的坞内预定增加可用性维修）,之后是一个训练阶段,然后是 6 个月的部署。航母的战备水平在维修阶段降低,从训练到部署阶段逐渐上升。27 个月的舰队反应计划周期的部署期为 6 个月,能够更快速地完成战备并维持更长的时间。

延长维修周期后,有两个结果是值得注意的:第一,在假设每个周期有 6 个月的部署周期时,减少了航母每周期的部署时间比例（假定每周期有 6 个月的部署期）,从 25%（24 个月中有 6 个月）降至 22%（27 个月中有 6 个月）;第二,延长维修周期长度,增加了航母能够部署的时间。因而,延长周期增加了可用性和战备水平,但是 1 艘航母一个周期内只部署一次,部署时间和前沿存在的时间比例都会下降①。

在本部分中,我们将研究采用维修周期为 27 个月、32 个月和 36 个月时,不同周期长度对未来几年处于维修、可部署以及部署状态的航母数量的影响。

1. 维修中的航母

图 A. 22 显示了从 2005 财年到 2024 财年,维修周期为 27 个月、32 个月和 36 个月时,处于维修状态的航母的平均数量。阴影部分表示了 27 个月周期,32 个月和 36 个月周期也用不同的曲线来表示。

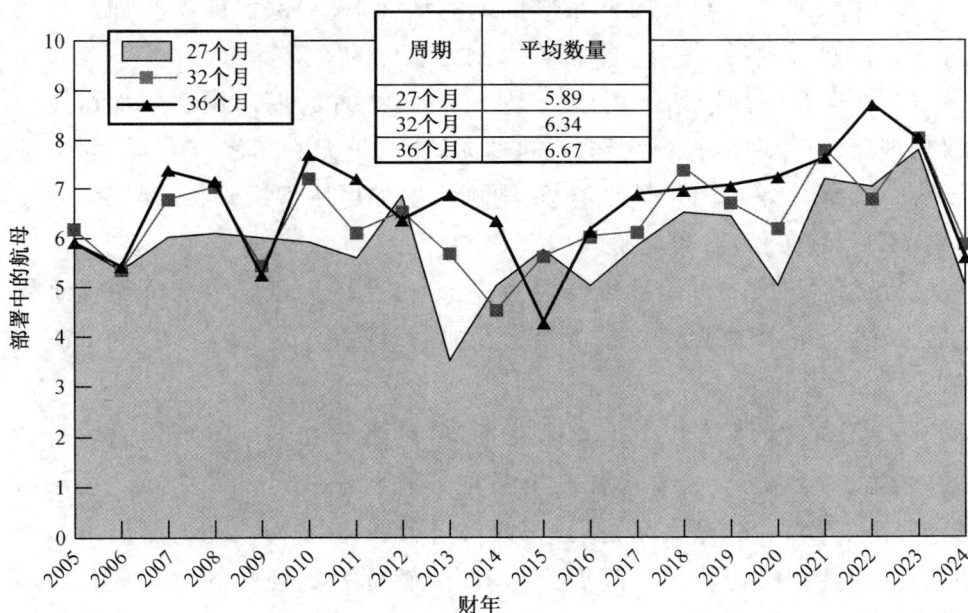

图 A. 22　各周期可部署航母数量

随着维修周期变长,处于维修状态的航母的平均数量在变少,从周期为 27 个月时的 3. 63 下降为周期为 36 个月时的 3. 16。周期为 32 个月和 36 个月的差距不大,但是维修周期从 27 个月延长到 32 个月时,航母的平均数量增加了约 10%。与 27 个月的曲线相比,2010 年以后的 32 个月和 36 个月的曲线,处于维修状态的航母数量的最小值明显更低,而最高值则更高。

---

① 这一变化与之前提到的海军作战部长的"有目的的存在"策略相一致,要求战舰处于高的战备水平,并能够在需要时进行部署(代替常规部署)。

从图 A.22 中可以看到,处于维修状态的航母数量在 2010 财年大幅下降,是因为"企业"号航母退役与第一艘"福特"级航母服役时间存在间隔。36个月的使用维修周期曲线走势是不稳定,特别是在 2011 财年到 2017 财年之间。

总之,延长航母维修周期能够减少处于维修状态的航母数量,从而使航母的可用性更高。不过,延长维修周期需要对维修工业基础中的劳动力定期关注,以防止在管理维修工业基础中出现问题。

2. 可部署的航母

接下来,我们分析在不同维修周期的情况下,可部署或者参加紧急行动的航母数量。我们假定以下因素限制了航母的紧急行动:

(1)6 个月的预定增加可用性维修,10.5 个月的坞内预定增加可用性维修,或者 36 个月的换料大修,在这些阶段,航母无法部署。

(2)在预定增加可用性维修、坞内预定增加可用性维修,或换料大修工程之前,1 个月的武器卸载期。

(3)在预定增加可用性维修之后 3 个月,在坞内预定增加可用性维修之后 5 个月,在换料大修之后 7 个月,在航母刚完工之后 7 个月的基础训练期①。

图 A.23 显示了在以上因素限制下,各种维修周期中可部署的航母数量,如紧急海上安全、大规模作战准备或紧急状态或者部署中。前沿部署海军部队(FDNF)航母也在我们的分析范围内②。因为核动力航母维修周期较长,使其维修花费的时间更短,它们能够部署到舰队的时间更长。因而,可部署航母数量随着维修周期的延长而增加。

美国海军在 2013 年"企业"号退役和 2015 年"福特"号航母服役的这段时间里面临着挑战。在 2013 年和 2014 年,不管是 27 个月还是 32 个月的维修期,可部署的航母都将少于 6 艘。在 2015 年,几种周期安排都不能够提供平均达到 6 艘的可部署航母。

表 A.8 从不同的角度显示了未来几年海军能够部署给定航母数量的时间比例。如表 A.8 显示,在周期为 27 个月时,海军能够部署至少 8 艘的时间比例为 13.8%。

---

① 船员在较长的基地级时期轮换,要求更长的单位级训练时间。

② 处在维修阶段的前沿部署海军航母并不算作部署。

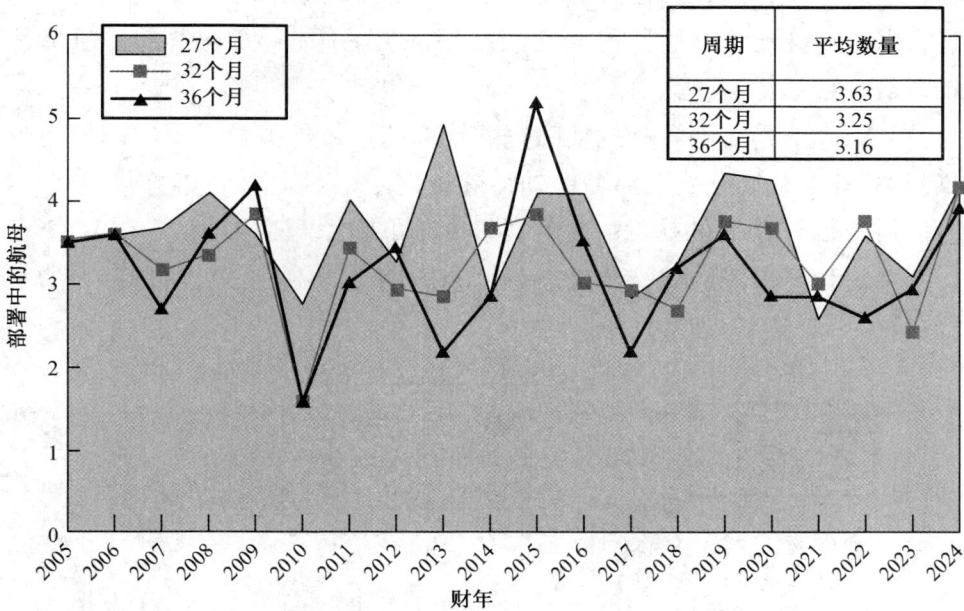

图 A. 23　各维修周期中处于维修状态的航母数量

表 A. 8　可部署周期(比例)

航母	27 月	32 月	36 月
≥8	13. 8%	18. 3%	28. 8%
≥7	32. 1%	40. 8%	56. 7%
≥6	60. 0%	76. 3%	79. 6%
≥5	86. 7%	92. 5%	92. 9%

　　如预期那样,在周期长度增加时,可部署航母数量满足需求的可能性也会增加。在周期为 36 个月,海军能够增加"6 + 1"艘航母的时间只占 57% ;在周期为 27 个月或者 32 个月时,比例不到一半。在换料大修中始终保持的至少 1 艘"尼米兹"级航母,很难在这一阶段满足突增需求。延长周期可以提升应急能力,但是仍不得不采取一些其他方法来使航母舰队具备更高的可用性。

3. 部署中的航母

　　正如本部分前面提到的那样,维修周期需要在可部署和部署之间取得平衡。更长的维修周期,延长了航母可部署时间,但是限制于6个月的部署时间,以及在基地级可用性维修之间计划部署的限制,意味着部署航母数量的减少。①

图 A.24 表示了在各种周期时每财年部署的航母数量。我们的模型中出现了只有 1 艘航母处于部署中的特殊情况。(实际上,在维修周期是 36个月时,2009 年部署的航母的平均数量少于 1 艘。)当周期为 27 和 32 个月时,海军平均至少能够保持 2 艘航母。当周期为 36 个月时,航母部署的平均数量少于 2 艘。

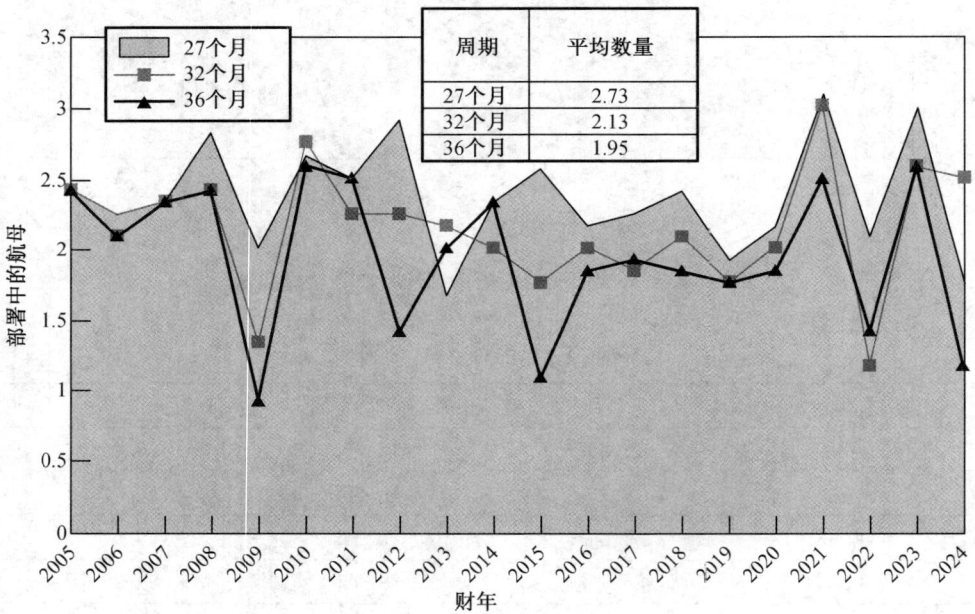

图 A.24 各周期航母部署平均数量

我们将图 A.22 和图 A.24 进行了综合,如图 A.25 所示。假定一个维修周期内有一次部署,在 2005 财年到 2024 财年期间,处于维修期和训练期的航母平均数量随着周期延长而减少。做好应急准备的航母数量随着维修周期的延长而增加。我们的模型表示,部署的航母数量随着维修周期的

---

① 按照目前的部署安排,更长的周期产生更多的可部署时间。在某种程度上,如果在目前的维修周期内调整部署安排,或者不同的周期产生更多的部署时间,维修周期就不得不减少航母位于 ROCH 阶段的时间。

延长而减少。正如本部分前面提到的,在可部署航母和部署航母之间存在平衡。更长的维修周期使航母可部署的时间变长,但是在我们的模型中,将部署期限定为 6 个月,在基地级维修之间有 1 次计划部署。我们认识到,在实际情况下,航母的部署时间很可能会更长。延长航母维修周期引起的可用航母数量增多,可以提高核动力航母的可用性。

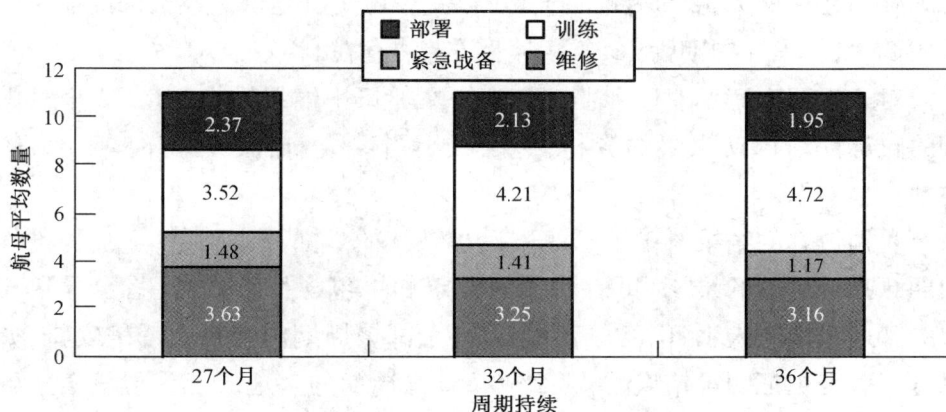

图 A. 25　各周期时美国航母的状态

八、总结

在前述研究中我们设计了一套方法来评估不同周期长度对不同基地级维修工作量,以及对维修工业基础的影响,其中涉及劳动力的供给与需求。我们还评估了不同周期长度对航母可用性的影响,讨论了工作包大小、基地级维修阶段长度和可用性之间的平衡。

我们评估了周期为 27 个月、32 个月、36 个月的情况。针对为增量维修计划设计的总人工日,为 32 个月的维修周期设计的航母计划行动小组,分析了劳动力供给和需求,固定寿期使增量维修计划保持 27 个月的人工日,将这些人工日在 32 个月和 36 个月的周期内进行分配。我们的模型使用了 4 个主要的变量,包括舰船的维修日程,舰船的维修可用性,劳动力供给和每次可用性的人工日。航母维修日程是用来确定支持舰队反应计划"6 + 1"要求的可用性航母的数量,要求在 30 天内提供 6 艘航母,另有 1 艘可在 90 天内提供。

考虑到维修工业基础,我们对比了 2010 年诺福克海军船厂和普吉特湾海军船厂中继级维修基地在周期为 27 个月时劳动力供给过度的情况。在周期为 32 个月时(包括持续维修),可以使这种过度供给的情况达到最小化。这些相同的选项也可以使未来十年需求过度和劳动力过剩波动减到最小。我们的模型还显示出,在周期为 36 个月的情况下,2010 年的需求有所下降。在周期为 32 个月时,同样可以减少由于持续可用性维修的损失引起的低效,但是在周期为 36 个月时低效始终存在。

对于诺福克海军船厂和普吉特湾海军船厂中继级维修基地 32 个月周期的航母计划行动小组的分析,可以减小当供给和需求匹配时劳动力的波动。

我们得到的结果对于不同的假设是敏感的。部分原因是,更长的维修周期意味着更短的维修可用性,我们假定如果包含持续维修,将会导致相似的基地级维修人工日。我们假定在一个部署周期内有一次部署安排,如果这一假定被证明是错误的,那么较长维修周期的基地级工作包就会达到无法管理的水平。例如,若在周期为 32 个月和 36 个月时,预定增加可用性维修和坞内预定增加可用性维修要求的总人工日,与 27 个月时的总人工日是相同的,每一次预定增加可用性维修显然将会需要在 6 个月内完成更多的工作量,坞内预定增加可用性维修则是 10.5 个月。而船厂受到的资源限制,特别是延期以及在一天内有 1 500 多名工人在 1 艘航母上作业产生的低效,将会导致在现有维修周期内的执行力不高。

若航母可用性具有最高优先级,那么海军可能会对 36 个月的维修周期最感兴趣,在这一周期内可以获得最高的战备水平。维修周期从 27 个月增加到 32 个月再到 36 个月,可用性是增加的,航母舰队的战备水平也是增加的。不过,如果假定在维修周期内,航母的部署时间为 6 个月,随着维修周期的延长,航母部署时间的比例就会下降,在基地级可用性的时间就会增长。而且,维修周期的延长能够增加处于应急准备状态的航母数量,如果需要的话甚至可以增加应急的核动力航母的数量。

延长航母维修周期长度,能够减少维修中的航母数量,增加可部署或应急的航母数量。同时,执行更长的维修周期必须格外关注在劳动力管理上可能会出现的问题。

航母基地级维修的时机和日程安排,会影响舰队反应计划"6 + 1"和航母部署需求。在满足基地级维修和航母可用性(部署中或可部署)之间,必须平衡两者需求。如果维修被推迟,那么就会在航母已经处于基地级可用性维修时,增加维修需求(以及维修时间)。维修周期变长则会缩短航母的可用性。维修时间越长,训练的时间就越长,从而会导致可用性降低。

　　总之,分析表明了在一个周期内部署期为 6 个月时,部署和可部署,或部署和应急准备之间的平衡。随着维修周期的延长,可以提高航母的可用性,但是降低了航母寿命周期内的部署时间。通过延长部署时间或者增加维修周期内航母部署的次数,能够对这种平衡作出调整。在可用性增加时,提高了维修需求,并可能对维修工业基础产生新的不同需求。

附录 B   诺福克海军船厂的主要业务部门及生产设施

一、船厂主要业务部门

(1)工程和规划部:下设工程设计分部,船体、推进器和辅助设备测试分部,战斗系统分部和工业工程分部。

(2)升降装卸部:下设技术分部,维护和码头区分部,方法与程序分部,战略规划分部和一流船厂分部。

(3)核工程与规划部:下设反应堆工程分部,测试工程分部,液流系统和机械工程分部,核裂变分部,核燃料补给分部和控制工程分部。

(4)质量保证部:下设中大西洋地区材料试验实验室分部,地区计量和校准分部和焊接工程分部。

(5)职业安全、保健和环境部。

二、船厂主要生产车间

船厂主要生产车间包括船舶装配车间:第 11 车间,锻造车间:第 11F 车间,金属板材车间:第 17 车间,焊接车间:第 26 车间,室内机械加工车间:第 31 车间,室外机械加工车间:第 38 车间,锅炉车间:第 41 车间,电力车间:第 51 车间,管道车间:第 56 车间,木工车间:第 64 车间,电子车间:第 67 车间,油漆车间:第 71 车间,索具车间:第 72 车间,临时业务车间:第 98 车间。

三、船厂主要修船设施

诺福克海军船厂现有船台 12 座,其中修船船台 2 座,分别为 280 m × 37 m 和 114 m × 12 m。干船坞 7 座,浮船坞 2 艘。修船码头 5 座,总长 2 133.6 m。干船坞设置见表 B.1。

表 B.1　诺福克海军船厂干船坞尺寸表

干船坞	1 号	2 号	3 号	4 号	5 号	6 号	7 号
长度	319 英尺① 5 英寸②	498 英尺 6 英寸	550 英尺	1 011 英尺 10 英寸	465 英尺 9 英寸	465 英尺 8 英寸	1 092 英尺 5 英寸
启用日期	1833 年 6 月	1889 年 9 月	1908 年 12 月	1919 年 4 月	1919 年 10 月	1919 年 10 月	1942 年 7 月

四、船厂技术实力

1. 制造技术/工艺

(1)电镀作业中的贵金属回收；

(2)计算机辅助设计和管理印刷电路板的生产；

(3)计算机辅助设计和管理生产资源车间；

(4)计算机辅助设计和管理成形加工、光车和铣磨。

2. 修理技术/工艺

(1)舰上钛焊；

(2)光纤安装、维护和测试；

(3)工程管理制图检索系统；

(4)监控值班台自动跟踪系统；

(5)摄影测量管道模板系统；

(6)电动机火焰喷涂。

五、船厂主要服务

诺福克海军船厂可提供的技术、加工、制造和工程服务主要包括如下方面。

1. 电气方面

(1)安全设备(管线软管、防护罩、手套、防爆毯、熄灭装置和吸水管)高达 20 000 伏特的高压测试；

---

① 1 英尺 = 1 ft = 30.48 cm。

② 1 英寸 = 1 in = 2.54 cm。

（2）纤维光学系统的制造、安装和测试；

（3）闭路电视系统的维修、安装和测试；

（4）电气控制和配电系统的维护修理；

（5）高达 2 500 kV 的各型号电动机与发电机的维修、重绕、测试和平衡；

（6）舰载电气部件、配电盘、缆线等的安装和测试。

2. 电子方面

（1）电子系统（通信、武器控制、雷达、声呐、导航、电子对抗、核反应堆控制等）的故障诊断、矫正、维修、拆除、拆修、安装和测试；

（2）计算机数控机械、电子模块、天线和天线系统以及密码设备的修理与测试；

（3）电子、电气和机电设备、辐射测量器、气体监测器和温度记录测量设备的校准、故障诊断及修理；

（4）制造印制电路板。

3. 工程、设计和技术支持

（1）新设计工艺、改型、修理和故障诊断的工程学；

（2）构件工程，以及船舶设计方面的机械、振动分析、电气、电子、作战系统和测试等工程；

（3）完成巡洋舰、补给舰、航母和浮船坞的设计工作；

（4）为 C4I 系统、通信、可居住性、升降机、模块性、3D 建模、固体废弃物、热应力、气候控制、综合仪表系统等提供技术支持。

4. 机械加工制造

（1）机床作业、内部修理、设计、制造和测试；

（2）提供长达 80 英尺、质量达 80 t 的推进轴系，可提供振幅达 12 英尺的常规车床和直径达 25 英尺、高度达 12 英尺的水平镗孔研磨机进行大型作业。

（3）提供外径达 48 英寸、长度达 80 英尺、质量达 80 t 的车削能力，外径达 10 英寸、长度达 28 英尺的精密磨削能力，长度达 12 英尺、宽 4 英尺、高 5 英尺的粗磨能力，以及内径达 30 英寸、长度达 30 英尺的汽缸珩磨能力；

（4）为大规模生产或单一品种生产提供全系列的电脑数控设备；

（5）提供高达 1 200 磅每平方英寸的蒸汽试验能力；

（6）提供全系列的金属铸件和合金铸件；

（7）设计和制造钢皮模具与落锻模具，以及实施落锤锻造；

（8）提供大型构件的完整电镀服务。

5. 修理

大修、修理、安装与测试各种类型的蒸发和燃烧控制系统、主机、液压元件、发电机和舰船辅助设备、泵（焊接修理和测试）、阀门、舰载机起降设备、柴油机、压缩机和光学准直系统。

6. 管线工程

（1）从最基本的管道装置到高压空气管道（5 000 磅每平方英寸）、蒸汽和液压管道等各种类型管道系统的安装、维护和修理；

（2）安装与修理空调和制冷系统，包括氟利昂的回收和氧气系统的清洗；

（3）提供临时的冷却水；

（4）提供与维护水冷却器、制冷器和冷藏箱。

7. 索具/装卸搬运/质量测试和鉴定

（1）提供浮式起重机服务、移动式起重机服务和质量达 350 t 的码头区升举能力；

（2）制造专门的质量装卸搬运设备和各种钢丝绳产品；

（3）修理与鉴定 55 t 级的起重吊架和拖轮；

（4）测试、鉴定、评估与维护起重机、起重装置和 100 多种质量装卸搬运设备；

（5）提供分析服务，包括趋势分析、油料分析、声响测量、超声波、无损探伤和化学分析；

（6）准备客户定制的起重机维护项目，包括常规和专门维护程序、测试程序、起重机操作员培训和质量装卸搬运指南；

（7）开发有关质量装卸搬运设备的操作和维护的客户定制课程与管理培训。

8. 喷砂、涂漆和绝缘

（1）改造高压泵和低压泵、真空泵、喷漆泵、喷漆枪、空气压缩机和喷砂除锈设备；

（2）运用各种介质包括钢珠、粗砂、玻璃珠、矿渣、海绵等在各种大小的物体上实施柠檬酸酸洗和喷砂作业；

（3）应用各种涂层，包括聚四氟乙烯、烤瓷、静电粉末涂装、防蚀和防污漆等）；

（4）提供无风的和常规的喷涂作业服务；

（5）提供客户定制的广告喷漆和丝网印制服务；

（6）应用高温绝缘（硅酸钙、玻璃纤维）、低温绝缘（聚酰亚胺、泡沫塑料、玻璃纤维）和冰点绝缘（聚酰亚胺、泡沫塑料、玻璃纤维、石棉）。

9. 焊接

（1）对0.5英寸至12英寸内径的管道和0.25英寸至4英寸内径的电子管的精密自动化焊接、切割、检查和等离子体电弧表面耐磨堆焊；

（2）直接数控热切割厚度达6英寸的铁金属或有色金属；

（3）潜弧焊和结构焊接铁金属或有色金属结构；

（4）热喷涂应用机械修理/防腐蚀；

（5）管道内部的光纤及视频探头检查，以及机械化电镀和表面耐磨堆焊钨电极惰性气体保护焊等；

（6）氧气瓶和氮气瓶的填充、测试和鉴定；

（7）填充便携式液态氩容器。

10. 其他

（1）提供全套的潜水和水下作业服务；

（2）填充和测试呼吸用压缩空气瓶包括各种自携式水下呼吸器和消防员背包等和高达5 000磅每平方英寸的救生艇用钢瓶；

（3）修理、测试和鉴定充气救生艇；

（4）测试气密和水密结构以及面对面的封条和密封垫；

（5）安装锌阳极保护和阴极保护；

（6）实施石棉纤维和玻璃分析以及其他各种工业分析；

（7）设计和制造帆布、钢化玻璃、聚乙烯基薄膜和其他纤维织物外壳、安全壳、手套。

附录 C 地区维修中心组织机构及职责

一、海军海上系统司令部04Y部门和各地区维修中心工作职责

（1）遵守联合舰队地区维修中心管理政策。

（2）协调与项目执行办公室和系统司令部之间的密切合作,以确保地区维修中心的效率维持在最高水平。

（3）遵守政府制定的与经费相关的政策、指南和规章制度。

（4）遵从所有适用的环境、安全与健康要求。

（5）确保提供经过恰当训练的人员以满足任务需求。

（6）根据更高级主管的指示,提交预算并确保提供财务执行信息。

（7）将管理集中于改进运作以取得维修积极的有效性。

（8）遵从海军海上系统司令部技术主管的所有要求。

（9）遵守联邦采办条例和海军海上系统司令部合同签订授权指南。

（10）对地区维修中心的管理工作履行海军监管机构职责。

（11）维护质量监督系统,以确保承包商的质量体系与海军海上系统司令部的指南相一致;并保障地区维修中心内部的质量满足所有的技术要求。

（12）根据本指示及其适用指南,实施舰船维护、修理及现代化。

（13）负责协调和监督司令部工作流程及工艺改进处的"连续过程改进倡议",包括精益制造、六西格玛等工作;使各地区维修中心的工作流程及工艺标准化并实现最佳实践。

二、舰队维修军官工作职责

在地区维修中心的运行管理中,舰队维修军官履行以下职责:

（1）为所有的维修中心实施维修工作提供联合舰队政策;

（2）确保分摊到各地区维修中心的拨款最大地满足舰种司令部保持舰

船装备战备的需求；

（3）确保舰种司令部对可能会影响地区维修中心工作能力的资金问题进行持续的评估，以满足舰种司令部舰船装备战备的要求；

（4）必要时向更高级主管提交地区维修中心资金短缺情况以解决问题；

（5）与海军海上系统司令部合作以确保该司令部关于地区维修中心的管理政策能够完全地保障舰队维修现代化的需求，并满足舰种司令部对舰船装备战备的需求；

（6）为地区维修中心提供充足的军事人员营区和非军事人员专用宿舍以保证满足任务需求。

三、质量保证部工作职责

确保所有地区维修中心的质量保证和质量控制工作到位且有效发挥作用。定期进行正式评估以确保质量保证和质量控制工作有效进行。

四、环境、安全与健康办公室构成及工作职责

环境、安全与健康办公室构成如图 C.1 所示。

图 C.1　环境、安全与健康办公室构成

该办公室负责人的工作职责如下：

（1）作为一个部门的领导要与其他部门领导相互协调运作以确保相互的利益；

（2）在重大的环境、安全和健康问题上可以直接与地区维修中心司令进行沟通。

五、工程部机构构成及工作职责

图 C.2 为工程部机构构成。该部的职责包括以下工作：

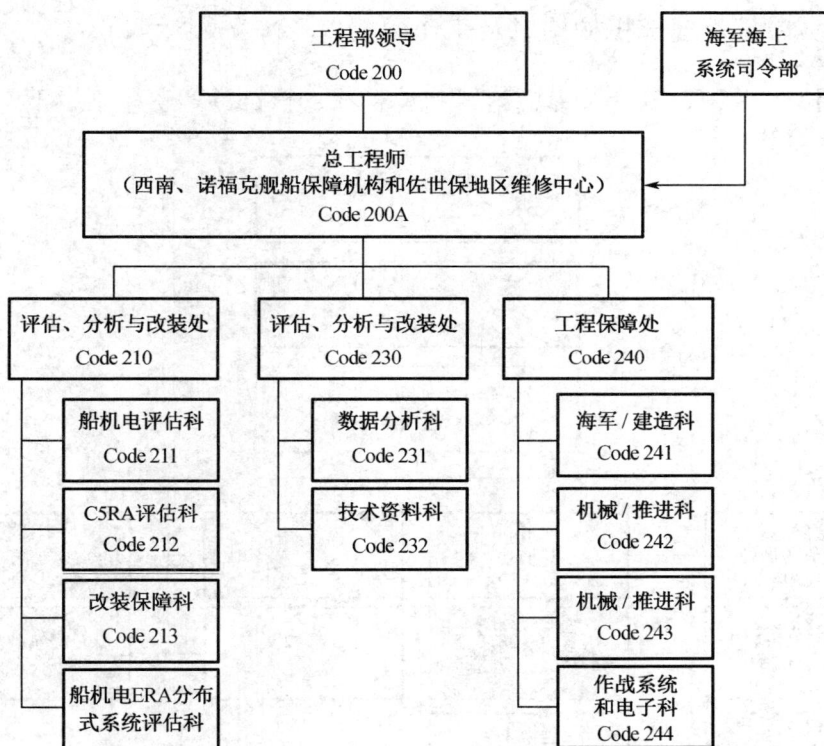

图 C.2　工程部机构框图

（1）根据海军海上系统司令部指令（NAVSEAINST 5400.95）——岸基工程与技术管理政策并经海军海上系统司令部提供的技术保证指南的批准，提供岸基技术保障。确保所提供的技术保障及时、有效。

（2）确保提供所有的技术文件（如技术出版物、图片及技术标准等）数量充足并保持为当前的和最新的。对其他地区维修中心的部门进行定期现场评估以确保提供的文件是最新的。

（3）确保承包商工作技术、质量和文件与联合舰队维修手册第七卷第十一章的内容相符。

（4）对"一般"评估程序进行管理和监督。

（5）对美国海军舰船入坞修理所使用的商用干船坞进行认证管理。

（6）确保所有地区维修中心的质量保证和质量控制工作到位并有效运行。定期进行正式评估以确保质量保证和质量控制工作有效进行。

六、岸基管理部机构构成及工作职责

图 C.3 ~ 图 C.9 为岸基管理部机构构成。该部的职责包括以下工作：

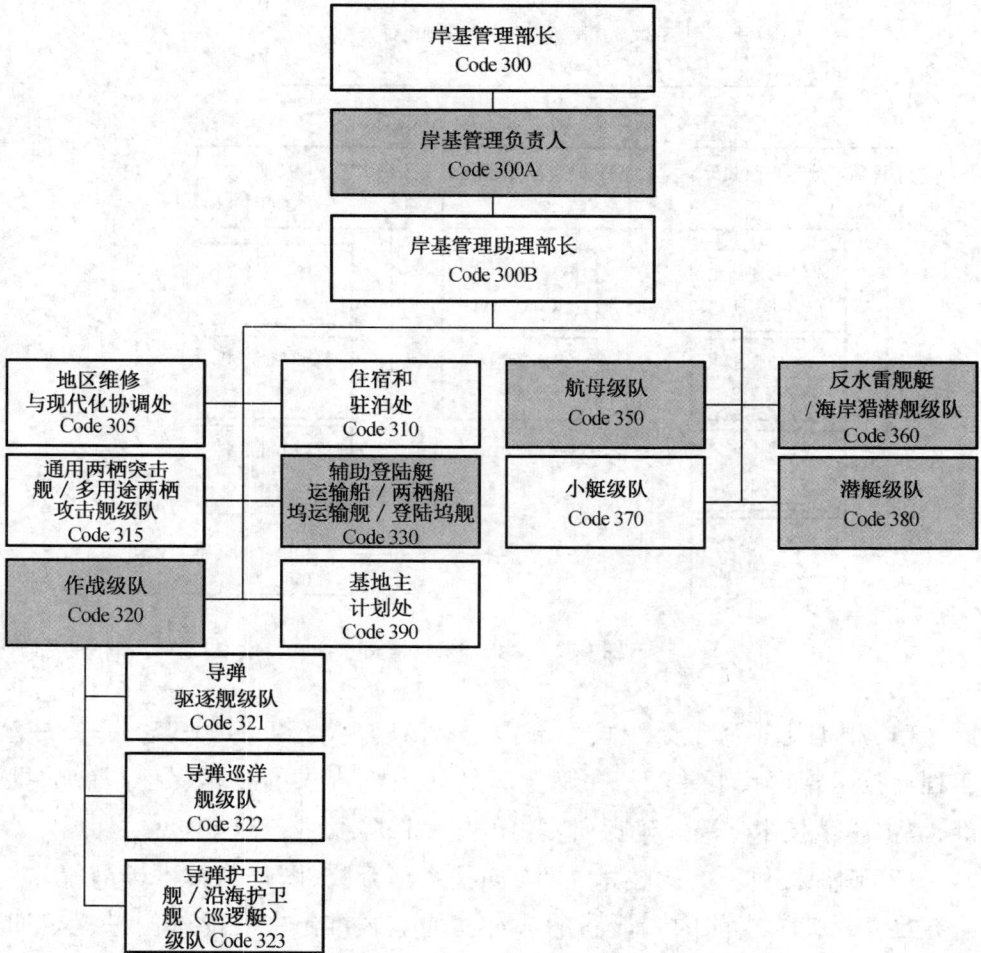

图 C.3　岸基管理部机构框图

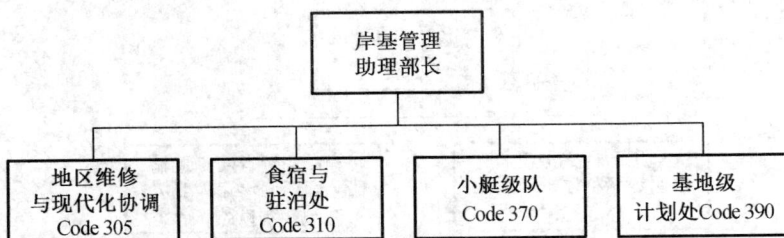

图 C.4　岸基管理助理部机构框图

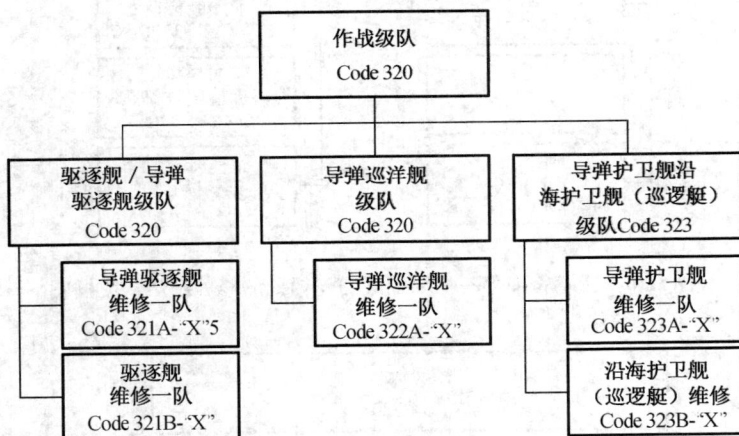

图 C.5　岸基管理部——作战级队部门构成框图

（1）根据海军海上系统司令部技术规范 9090－310——由安装实施的舰船改装之规定，履行地区维修及现代化协调办公室的职责。

（2）对安排给私营企业的非－多船/多项选择类的基地级工作进行计划。

（3）根据舰队食宿及停泊地项目负责人的要求，提供全面保障以确保所有的食宿及停泊地资产处于良好状态。满足舰船因舰上不适合居住而提出的离舰食宿及停泊要求。

（4）利用级队和维修队实施舰船维修与现代化。

（5）根据海军海上系统司令部技术规范 9090－310——由安装实施的舰船改装之规定，为改装安装队提供现场监督和保障。

（6）监督承包商在舰上完成所有的工作。

```
                    ┌─────────────────┐
                    │  岸基管理助理   │
                    │     部长        │
                    └────────┬────────┘
            ┌────────────────┴────────────────┐
   ┌────────┴─────────┐            ┌───────────┴────────┐
   │ 通用两栖突击舰／ │            │ 辅助船／登陆艇运输 │
   │ 多用途两栖攻击舰 │            │ 船／两栖船坞运输舰／登 │
   │ 级队 Code 315    │            │ 陆坞舰级队Code 330 │
   └────────┬─────────┘            └───────────┬────────┘
```

```
   ┌──────────────────┐            ┌────────────────────┐
   │ 通用两栖         │            │ 辅助船维           │
   │ 突击舰维修队     │            │ 修队1-X            │
   │ 1-X Code 315A-X  │            │ Code 330A-X        │
   └──────────────────┘            └────────────────────┘
   ┌──────────────────┐            ┌────────────────────┐
   │ LHD维修队        │            │ 登陆艇运           │
   │ 1-X Code 315B-X  │            │ 输船维修队         │
   │                  │            │ 1-X  Code 330B-X   │
   └──────────────────┘            └────────────────────┘
   ┌──────────────────┐            ┌────────────────────┐
   │ 改装保障科       │            │ 两栖船             │
   │ Code 213         │            │ 坞运输舰维修队     │
   │                  │            │ 1-X  Code 330C-X   │
   └──────────────────┘            └────────────────────┘
   ┌──────────────────┐            ┌────────────────────┐
   │ 船机电           │            │ 登陆坞舰           │
   │ ERA分布式系统    │            │ 维修队1-X          │
   │ 评估科Code 214   │            │ Code 330D-X        │
   └──────────────────┘            └────────────────────┘
```

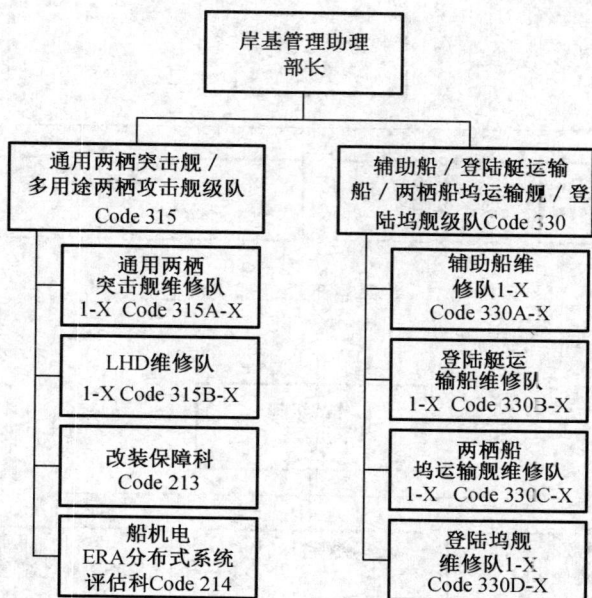

图 C.6　岸基管理部——两栖舰船与辅助船修理部门构成框图

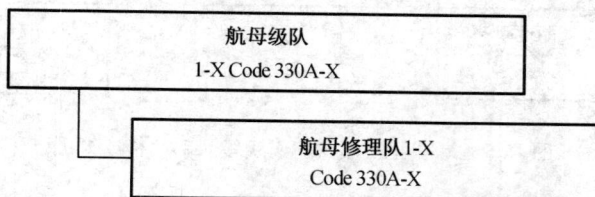

```
   ┌────────────────────────────────────┐
   │              航母级队               │
   │         1-X Code 330A-X             │
   └───────────────┬────────────────────┘
          ┌────────┴───────────────────┐
          │        航母修理队1-X        │
          │        Code 330A-X          │
          └─────────────────────────────┘
```

图 C.7　岸基管理部——航母级队构成框图

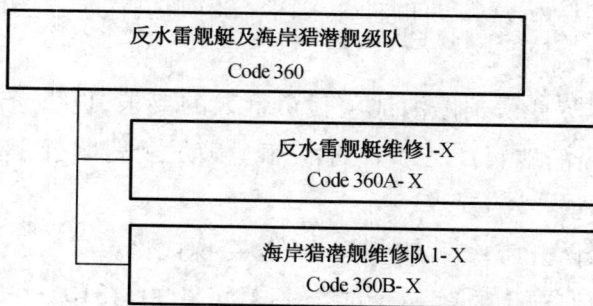

```
   ┌────────────────────────────────────┐
   │  反水雷舰艇及海岸猎潜舰级队         │
   │              Code 360               │
   └───────────────┬────────────────────┘
          ┌────────┴───────────────────┐
          │      反水雷舰艇维修1-X      │
          │        Code 360A-X          │
          └─────────────────────────────┘
          ┌─────────────────────────────┐
          │    海岸猎潜舰维修队1-X       │
          │        Code 360B-X          │
          └─────────────────────────────┘
```

图 C.8　岸基管理部——反水雷舰艇/海岸猎潜舰级队构成框图

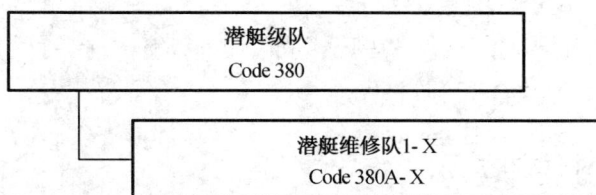

图 C.9 岸基管理部——潜艇级队构成框图

七、合同部机构构成及工作职责

图 C.10 为合同部机构构成。该部的职责包括以下工作：

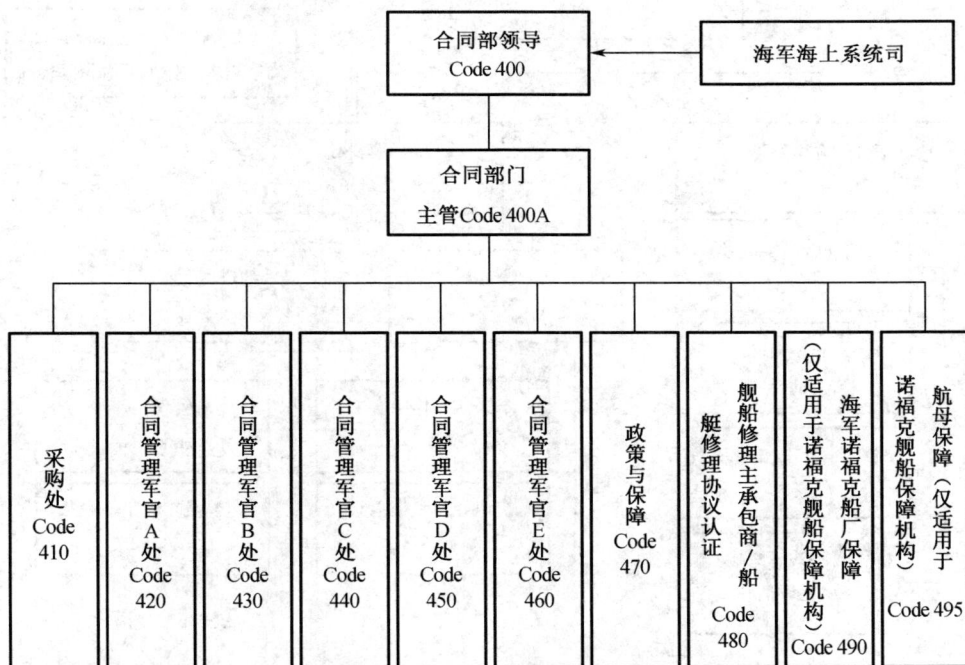

图 C.10 合同部机构构成框图

（1）遵守联邦采办条例和海军海上系统司令部合同签订授权指南；

（2）经过授权，履行主合同军官或合同管理军官职责；

（3）根据质量保证负责人及岸基监督人员的报告确定接受或拒绝承包商的工作；

（4）必要时起草质量缺陷报告。

此外,由横须贺或佐世保的舰队与工业补给中心履行舰船修理设施 –日本地区维修中心的合同签订职责。

八、后勤部机构构成及工作职责

图 C. 11 为后勤部机构构成。该部的职责包括以下工作。

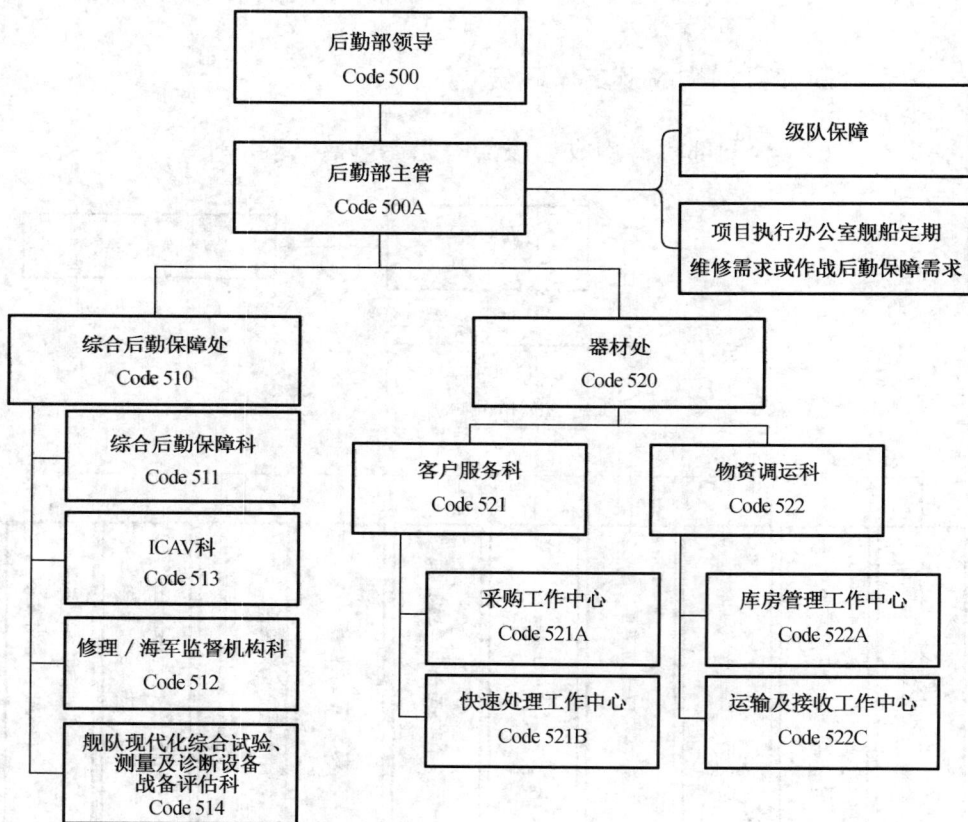

图 C. 11　后勤部组织机构框图

（1）负责所有政府提供器材的采购、发送、接收、存储、分发及处理工作。

（2）根据技术和环境要求处理所有器材。

（3）为舰船提供综合后勤保障援助。

（4）完成综合后勤大修工作。

(5)当地区维修中心为海军监管机构时,提供舰船修理综合后勤保障认证。

九、财务部机构构成及工作职责

图 C.12 为财务部机构构成。

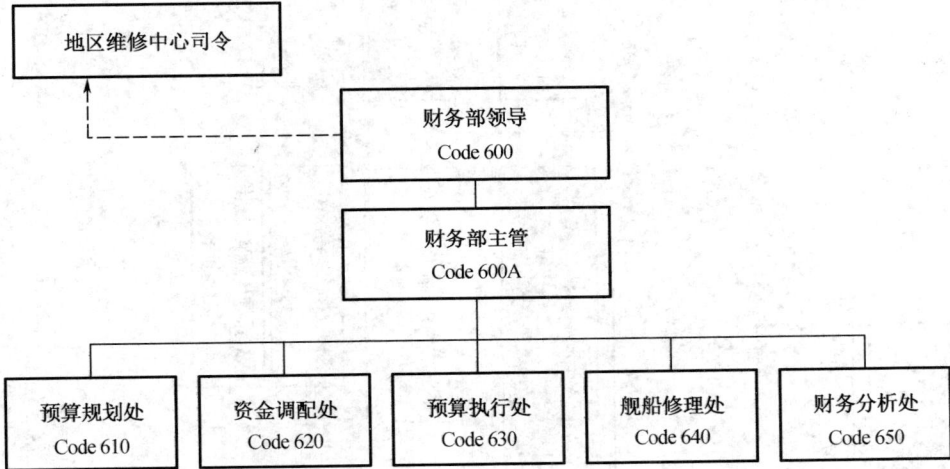

图 C.12　财务部组织机构框图

财务部履行以下工作职责:

(1)管理地区维修中心有关财政体系和运作的法律、政策、法规与指令。

(2)管理预算控制、职责、会计及支付业务。

(3)负责审计工作,确保地区维修中心司令能够直接获得审计或财务相关问题的资料。

(4)管理非军事人员工资。

(5)管理指挥机构采购卡和差旅卡项目。

十、生产部机构构成及工作职责

生产部为舰船技术保障的重要单位,其下属潜艇及水面处分别管理着几十个专业工作中心,图 C.13 至图 C.18 为生产部及主要专业处机构构成。

215

生产部领导 Code 900

生产部主管 Code 900A

生产部领导 Code 900

核地区维修处Code 940
(仅诺福克舰船保障机构、西南地区维修中心)

生产质量控制处 Code 980

水面舰船船机电生产处 Code 930

人力优化计划维修系统处 Code 970

船机电计划维修系统 Code 971

作战系统计划维修系统 Code 972

潜艇生产处Code 920
(仅诺福克舰船保障机构、西南地区维修中心)

水面舰船规划与计划处 Code 960

计划科 Code 961

规划科 Code 962

舰队技术帮助远程保障运行中心处 Code 995

地区校准中心Code 910
(仅诺福克舰船保障机构、西南地区维修中心)

水面作战系统生产处 Code 950

潜水生产处 Code 900

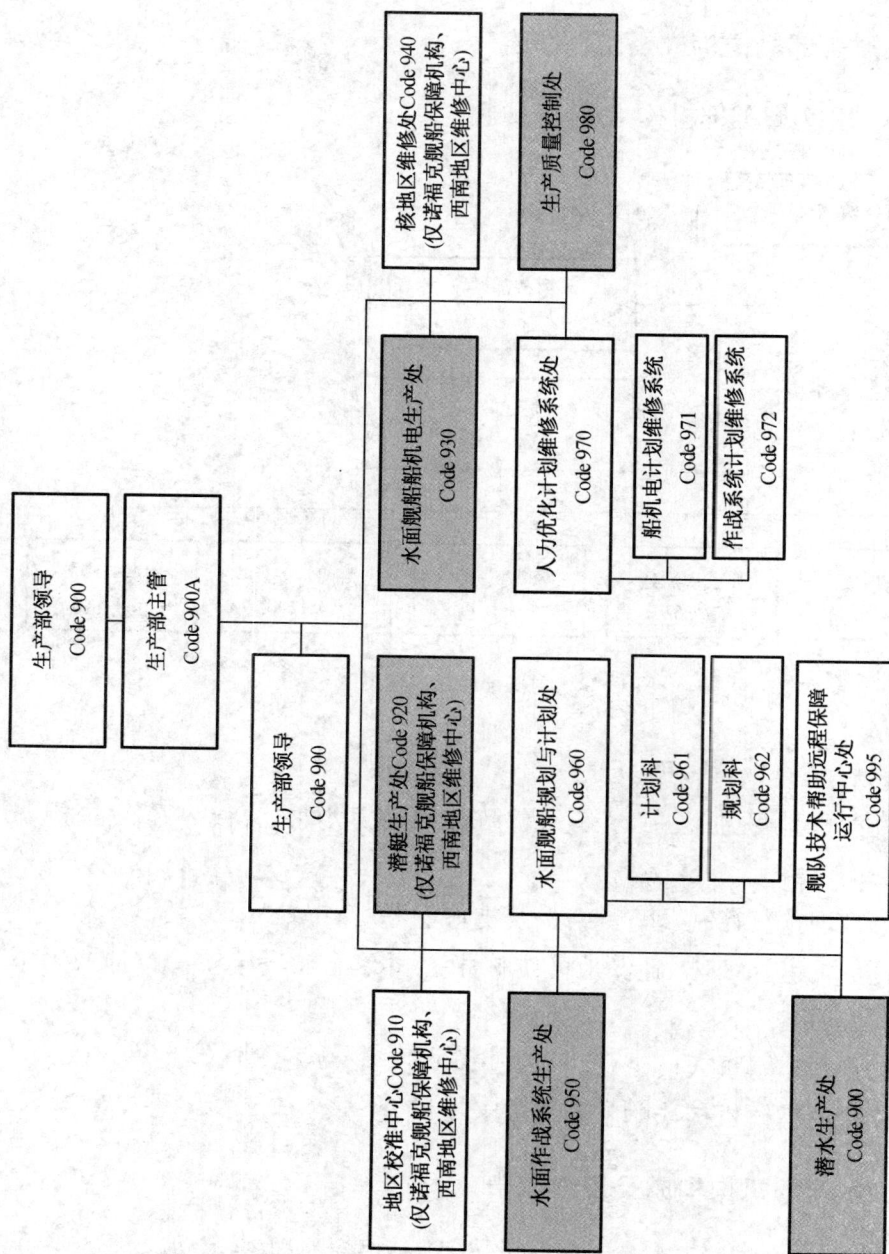

图C.13　生产部组织机构框图

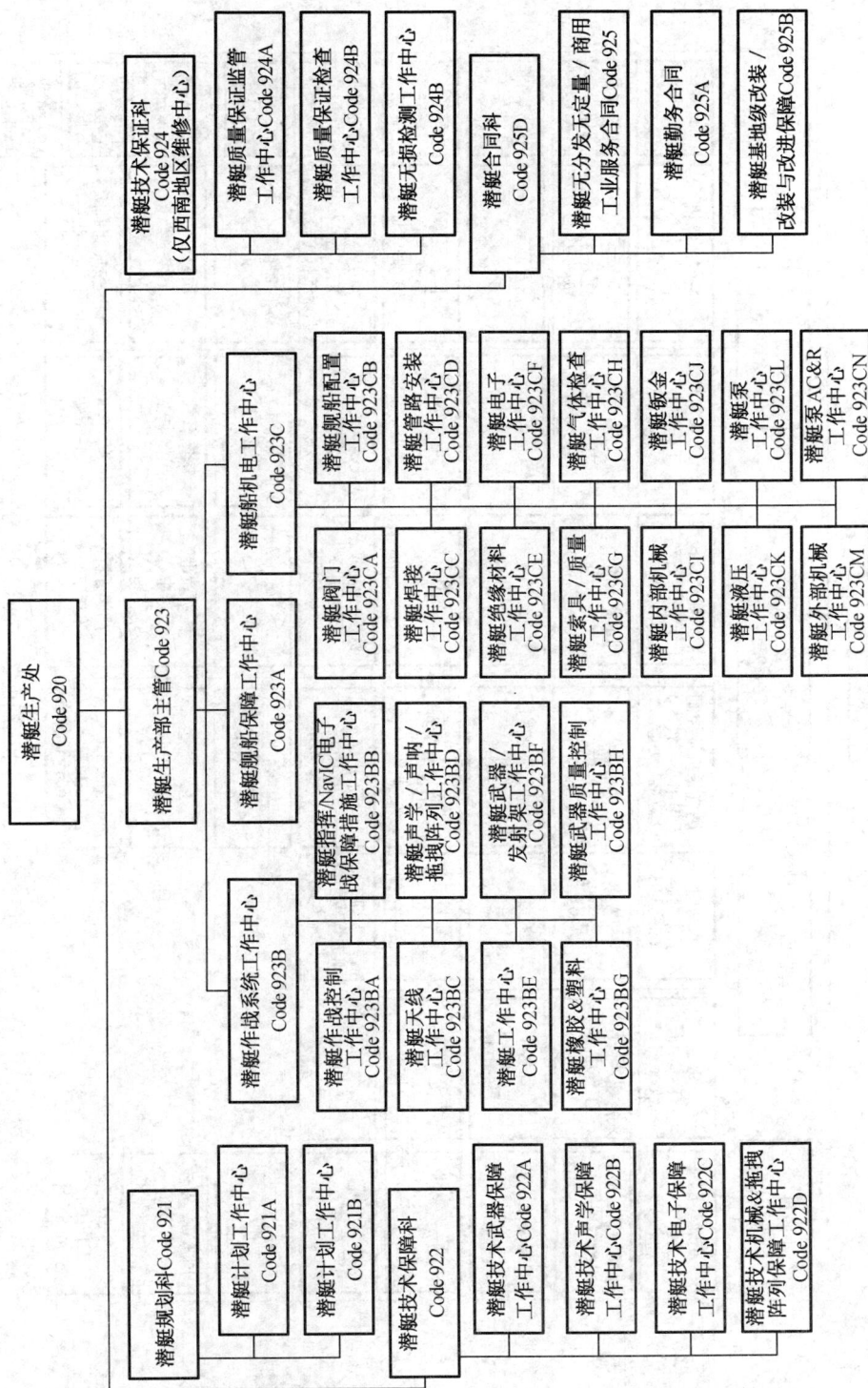

图 C.14　生产部/潜艇生产处组织撒气框图

水面舰船机电生产处
Code 930

小艇科 Code 931

- 小艇装配 工作中心 Code 931A
- 小艇涂料、玻璃 纤维及舾装工作 中心Code 931B
- 小艇腐蚀控制 工作中心 Code 931C
- 小艇发动机 工作中心 Code 931D
- 小艇机械 工作中心 Code 931E
- 小艇电力 工作中心 Code 931F
- 小艇工具发放 工作中心 Code 931G
- 小艇调动与运输 工作中心 Code 931H

船体科 Code 934

- 钣金 工作中心 Code 934A
- 水密配件及附件 工作中心 Code 931C
- 焊接 工作中心 Code 934E
- 结构与涂料 工作中心 Code 934G
- 木工 工作中心 Code 934I
- 水密门 工作中心 Code 934B
- 舰船配备 工作中心 Code 934D
- 管道 工作中心 Code 934F
- 结构报告 工作中心 Code 934H
- 舰队培训中心 先进焊接学校 Code 934J

主推进及电力科 Code 935

- 燃气轮机及控制 (技术) 工作中心 Code 934A
- 电力 工作中心 Code 935C
- 柴油机及控制 工作中心 Code 935E
- 柴油机调节器 工作中心 Code 935G
- 阀门 工作中心 Code 935I
- 内部机械 工作中心 Code 935K
- 马达重缠 工作中心 Code 935M
- Machalt 工作中心 Code 935P
- 燃气轮机及校准 (技术) 工作中心 Code 935B
- 外电及电缆检查 工作中心 Code 935D
- 柴油机发电机 工作中心 Code 935F
- 锅炉 工作中心 Code 935H
- 蒸汽MP及vibes 工作中心 Code 935J
- 泵 工作中心 Code 935L
- 系统校准 工作中心 Code 935N
- 声学分析 工作中心 Code 935Q

辅助科 Code 936

- AC&R空气 工作中心 Code 936A
- 外部机械 工作中心 Code 936E
- ROG&海水阀门 (技术) 工作中心 Code 936G
- LO/FO污染Abate 工作中心 Code 936I
- RAST 工作中心 Code 936K
- 饶性软管 工作中心 Code 936M
- DC&vent 工作中心 Code 936P
- 空气压缩机 工作中心 Code 936B
- 液压 工作中心 Code 936D
- 液压及舰船控制 工作中心 Code 936F
- 升降机及搬运 工作中心 Code 936H
- A.RE (西南地区维修中心) Code 936I
- 居住性 工作中心 Code 936L
- 钥匙与锁 工作中心 Code 936N
- 制版及照相制版 Code 936Q
- AC&R空气 (技术) 工作中心 Code 936C

勤务 Code 937

- Sail loft 工作中心 Code 937A
- 飞行保障 工作中心 Code 937B
- 飞行甲板搬件 工作中心 Code 937C
- 索具 工作中心 Code 937D
- 腐蚀控制 工作中心 Code 937E
- 绝缘层材料 工作中心 Code 937F
- 救生筏 工作中心 Code 937G
- 工具发放 工作中心 Code 937H
- 重量测量 工作中心 Code 937I

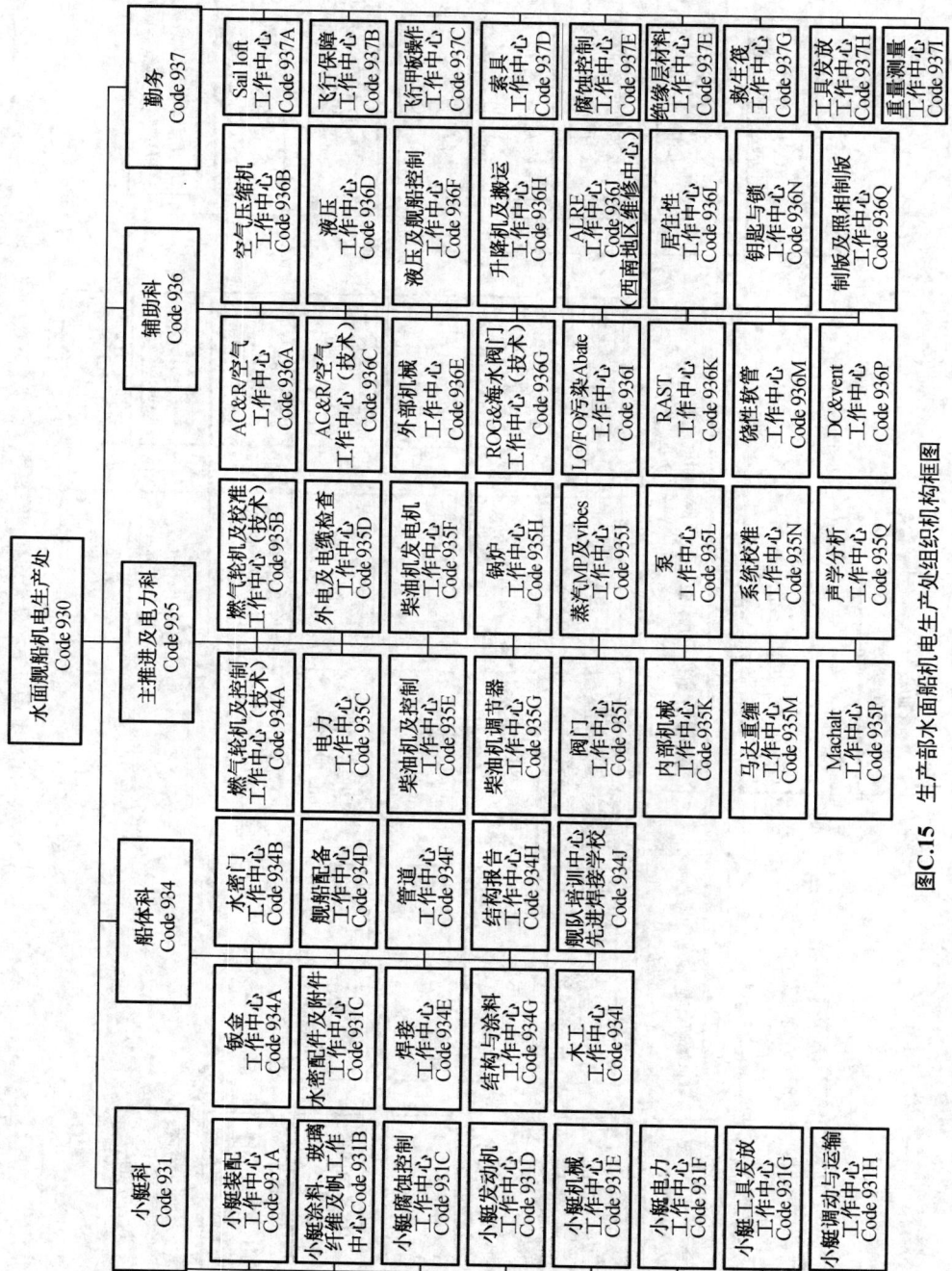

图C.15 生产部水面船机电生产处组织机构框图

水面作战系统生产处 Code 950

C41科 Code 952
- C21 工作中心 Code 952B
- 2M 工作中心 Code 952A
- IC 工作中心 Code 952D
- IC/NAV 工作中心（技术）Code 952C
- 测试设备 工作中心 Code 952F
- 卫星通信 工作中心（技术）Code 952E
- 天线 工作中心 Code 952H
- 司令部 工作中心（技术）Code 952G
- 光学修理 工作中心 Code 952J
- 搜寻雷达 工作中心（技术）Code 952I
- 外部司令部无线电修理工作中心 Code 952L
- 计算机修理 工作中心（技术）Code 952K
- 灭雷 工作中心（技术）Code 952N
- 灭雷 工作中心 Code 952M

防空&巡航武器科 Code 953
- 宙斯盾 工作中心 Code 953A
- 作战引导系统&舰船自卫系统工作中心 Code 953B
- 巡航武器 工作中心（技术）Code 953C
- 制导导弹发射架 工作中心（技术）Code 953D

水下作战科 Code 955
- 水声工作中心 Code 955A
- 水面火控战术目标水舰船防卫工作中心（技术）Code 955B
- SQQ-89 工作中心（技术）Code 955C
- SQQ-32 工作中心（技术）Code 955D（仅西南地区维修中心）
- SQQ-32 工作中心 Code 955E（仅西南地区维修中心）

自卫科 Code 956
- 电子战工作中心（技术）Code 956B
- 海麻雀&真实空速 工作中心 Code 956A
- 圆顶雷达罩修理 工作中心 Code 956D
- 近战武器系统/滚转导弹工作中心（技术）Code 956C
- 军械修理 工作中心 Code 956F
- 火炮 工作中心（技术）Code 956E
- 火控工作中心 Code 956H
- 导弹火控 工作中心 Code 956G
- 近战武器系统 工作中心 Code 956J
- 电子战 工作中心 Code 956I

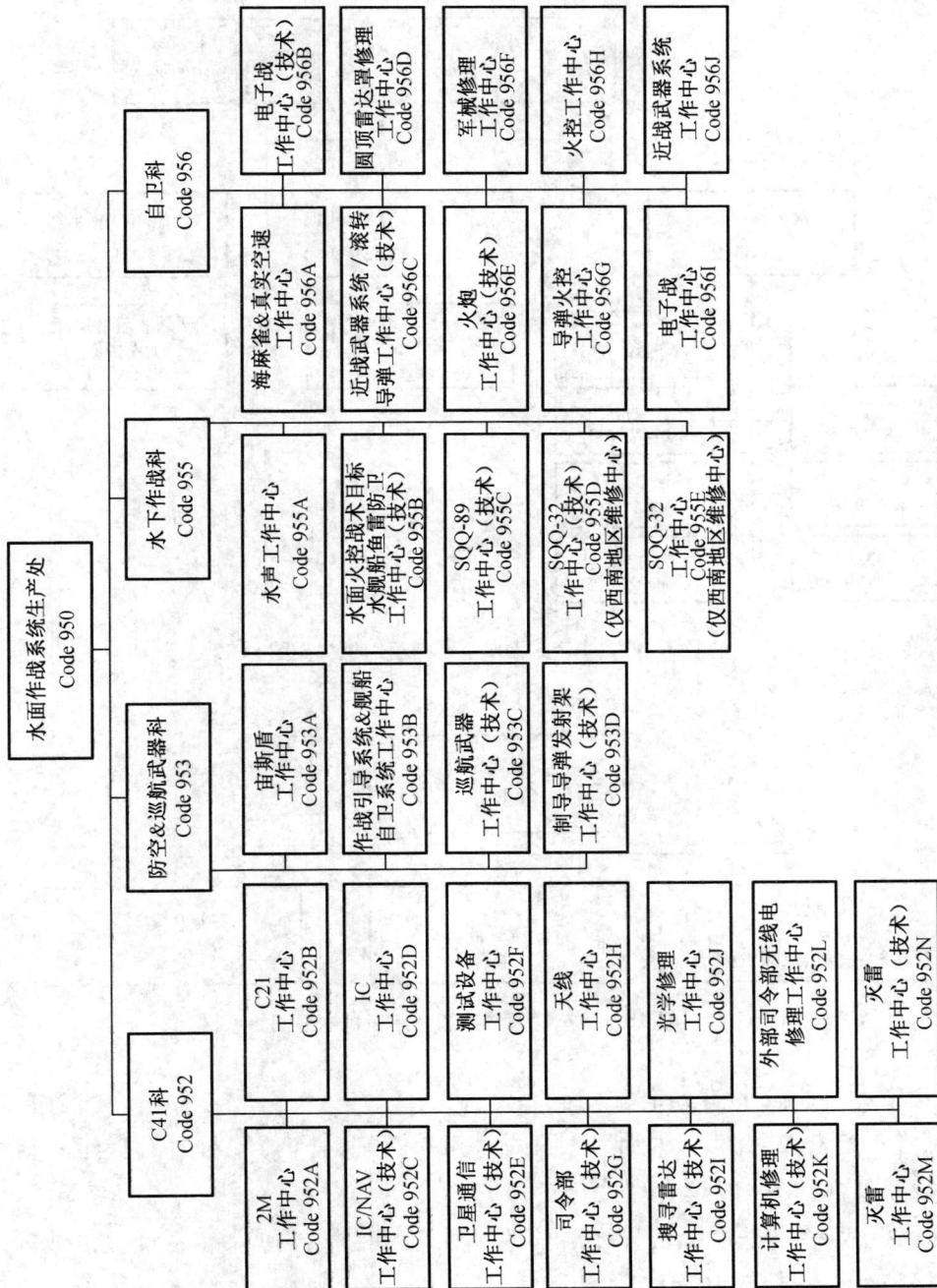

图C.16　生产部水面作战系统处组织机构框图

219

```
                    ┌──────────────────────┬──────────────────┐
              ┌─────┴─────┐          ┌──────┴──────┐
              │ 潜水生产处 │          │ 工程专业军官 │
              │ Code 990  │          │潜水军官（附带职责）│
              └─────┬─────┘          └─────────────┘
         ┌──────────┴──────────┬──────────────────┐
    ┌────┴────┐          ┌─────┴─────┐      ┌──────┴─────┐
    │水下修理工作│          │潜水保障/装备维修│      │加压舱/医疗  │
    │中心Code 990│          │工作中心Code 990│      │工作中心Code 990│
    └────┬────┘          └───────────┘      └────────────┘
```

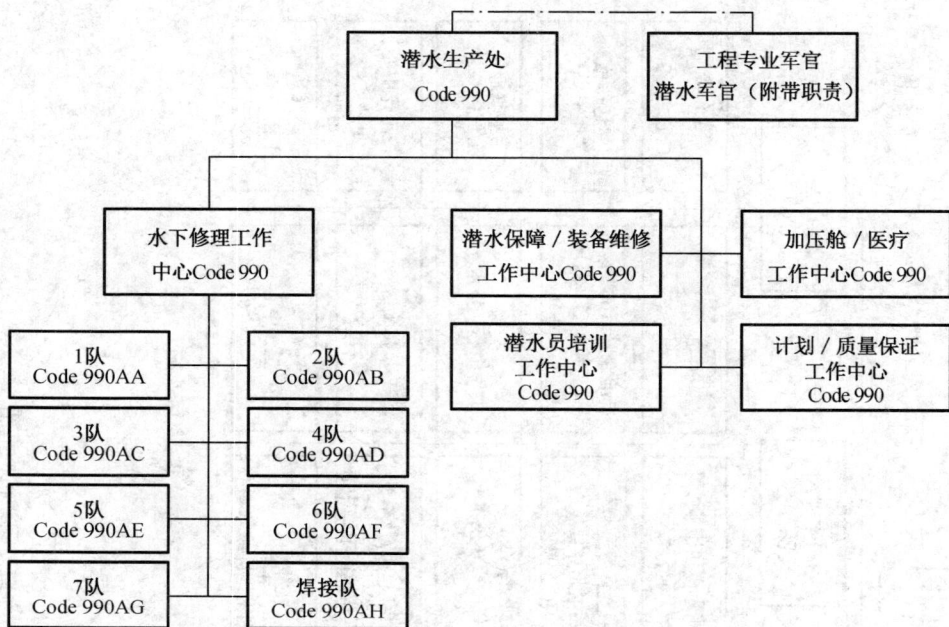

图 C.17　生产部潜水生产处组织机构框图

图 C.18　生产部质量控制处组织机构框图

生产部工作职责如下：

（1）根据舰船维修手册及其他适用的维修文件内容,对所有指定系统和设备实施维护、修理和现代化；

（2）为核推进系统及分配给核地区维修部的核推进保障系统提供放射性保障、维护、修理和现代化；

（3）为海军作战部队提供或取得技术帮助；

（4）对舰船进行评估；

（5）为舰上仪器和系统提供校准和保障；

（6）对指定给地区维修中心生产部的维护、修理和现代化进行计划编制及进度安排工作；

（7）为潜水船的舰艇资源保障及维修提供或获取潜水勤务；

（8）保持有效的质量控制以确保根据技术规范开展维护、修理及现代化活动；

（9）能够为维修队提供完成额外工作的车间（及有效工作容量）清单。

十一、指挥保障勤务部机构构成及工作职责

图 C.19 为指挥保障勤务部机构构成。

指挥保障勤务部的工作职责如下：

（1）为地区维修中心人员提供体检及安全服务；

（2）为所有地区维修中心的人员提供军事和平民的人员服务；

（3）管理地区维修中心的人力配备，确保提供经过恰当技能培训的人员；

（4）起草转发人事文件以满足人力、住房、人员配备及人事需求；

（5）为所有地区维修中心人员提供一般行政保障。保障包括制订差旅计划、差旅索赔处理、就业咨询服务及药物和酒精咨询服务等；

（6）管理包括海军海上维修训练策略、打击部队中级维修机构、工作资质要求项目及教育培养等所有地区维修中心的训练工作；

（7）管理地区维修中心的所有设施，包括设施维护、各种服（勤）务及改进；

（8）管理工业固定设备及部分资产。

十二、商务办公室机构构成及工作职责

图 C.20 为商务办公室机构构成。

商务办公室履行以下工作职责：

（1）提供工作量预测和远期计划以获得经济的港口装载。

（2）作为司令部的客户接口单位，提供管理、评估及接受所有与司令部能力、容量和任务以及更高级主管指示相一致的工作。

（3）履行地区维修中心企业资源规划和海军企业维修及自动化信息系统发布的重要职责。

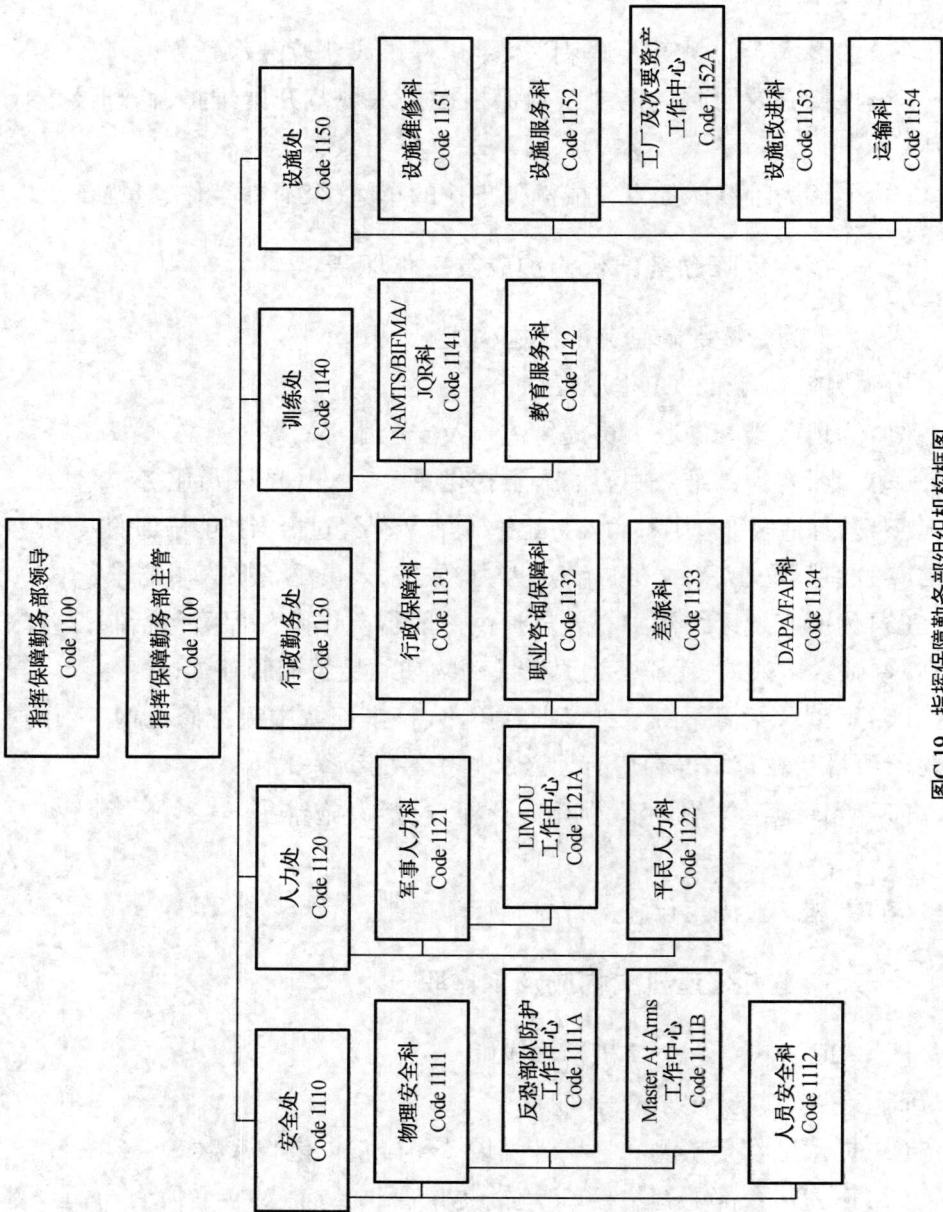

图C.19　指挥保障勤务部组织机构框图

- 指挥保障勤务部领导 Code 1100
- 指挥保障勤务部主管 Code 1100

安全处 Code 1110
- 物理安全科 Code 1111
- 反恐部队防护工作中心 Code 1111A
- Master At Arms 工作中心 Code 1111B
- 人员安全科 Code 1112

人力处 Code 1120
- 军事人力科 Code 1121
- LIMDU 工作中心 Code 1121A
- 平民人力科 Code 1122

行政勤务处 Code 1130
- 行政保障科 Code 1131
- 职业咨询保障科 Code 1132
- 差旅科 Code 1133
- DAPA/FAP科 Code 1134

训练处 Code 1140
- NAMTS/BIFMA/JQR科 Code 1141
- 教育服务科 Code 1142

设施处 Code 1150
- 设施维修科 Code 1151
- 设施服务科 Code 1152
- 工厂及次要资产工作中心 Code 1152A
- 设施改进科 Code 1153
- 运输科 Code 1154

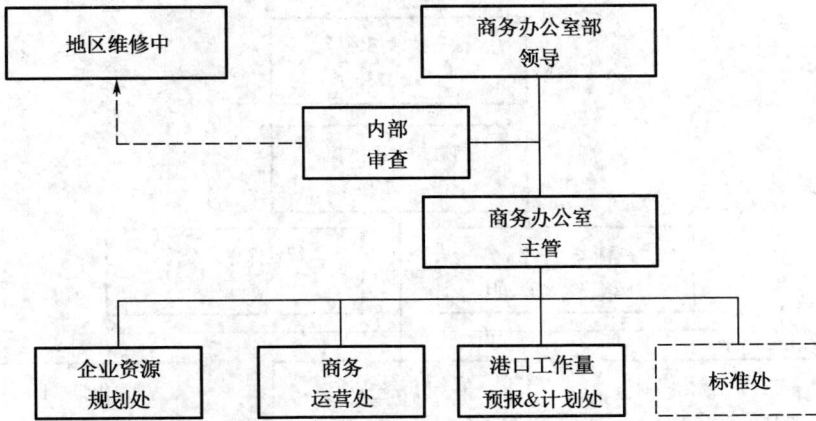

图 C.20 商务办公室组织机构框图

（4）对这些系统的整合、管理、监督、人员技能培训及改进开发等负责。

（5）是地区维修中心负责对指挥程序进行衡量、跟踪及评价并提供改进建议和目标的重要部门。向地区维修中心各部门及更高级主管（根据要求）提供标准、报告及分析。

（6）作为策略及业务规划、客户关系、起草备忘录协议和地区间交流的重要部门。

（7）进行内部工作程序审查，对内部或外部热线指控的诈骗、浪费和滥用权力进行调查。

十三、信息技术部门机构构成及工作职责

图 C.21 为信息技术部门机构构成。

信息技术部门工作职责如下：

（1）协调、管理及监督计算机软件、硬件、局域网，包括海军陆战队互联网和基地级信息基础设施以及相关保障设备的采购、维护及故障诊断等工作；

（2）作为司令部主要的海军陆战队互联网联络点；

（3）遵守所有计算机信息保证要求；

（4）负责所有司令部网的管理、开发，并遵守所有更高级别安全和技术要求。

```
                    ┌─────────────────┐
                    │  信息技术部领导    │
                    │   Code 1230     │
                    └────────┬────────┘
                    ┌────────┴────────┐
                    │  信息技术部主管    │
                    │   Code 1230A    │
                    └────────┬────────┘
          ┌──────────────────┴──────────────────┐
    ┌─────────────┐                      ┌─────────────┐
    │  NMCI行政    │                      │ 行政保障办公室 │
    │办公室Code 1230B│                     │  Code 1230C  │
    └──────┬──────┘                      └─────────────┘
   ┌───────┼───────────────┬──────────────────────────┐
┌──────────┐        ┌──────────┐              ┌──────────────┐
│ 网络与通信  │        │网络开发与应用│              │ 信息保证 / ISSM │
│管理处Code 1231│      │管理处Code 1232│              │  Code 1233    │
└──────────┘        └──────────┘              └──────────────┘
```

局域网服务于修理 工作中心Code 1231A	应用开发工作中心 Code 1232A
微机修理工作中心 Code 1231B	应用保障工作中心 Code 1232B
通信中心工作中心 Code 1231C	

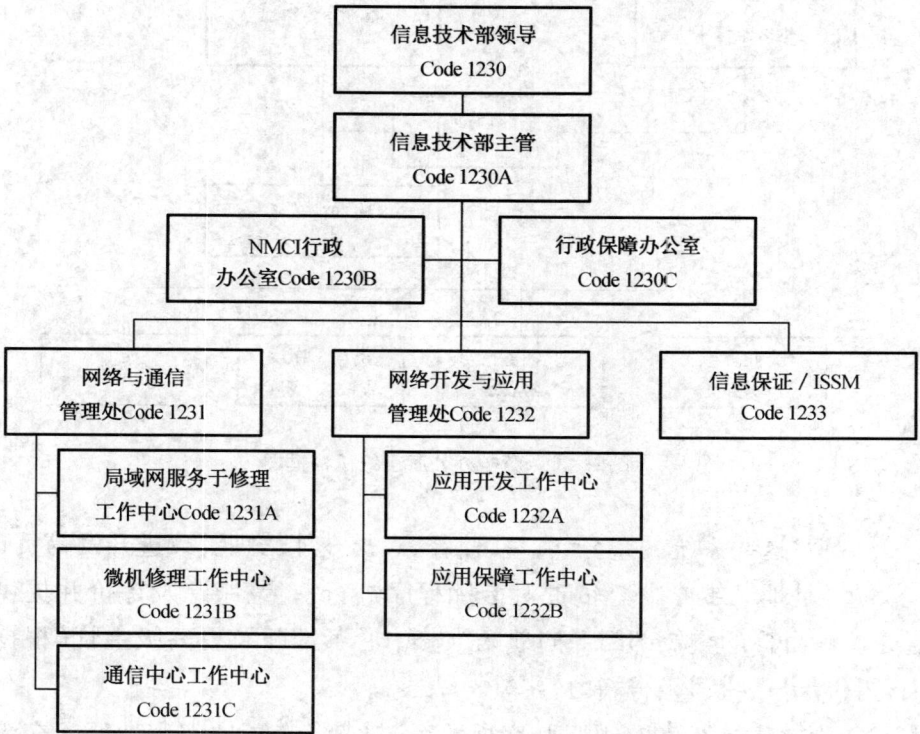

图 C.21　信息技术部组织机构框图

附录 D　美国海军舰载机起降设备维修管理组织机构

1. 舰载机起降设备维修管理组织机构

海军作战部是美国海军舰载机起降设备维修的决策机构,其维修管理组织机构如图 D.1 所示。

美国航母舰载机起降设备维修管理组织机构分工明确、职能界定清晰,为舰载机起降设备维修的组织与管理高效运行奠定了基础。舰载机起降设备的维修保养状态直接影响海军作战部队的作战能力和战备水平,在美国舰载机起降设备维修保障体系中,相关装置维修的物资状态、战备状态和维修人员的训练工作由海军作战部长直接负责。海军作战部长将任务分配给海军各作战部队、战术飞机项目执行办公室、海军海上系统司令部司令、海军空间和海战系统司令部司令、海军供应系统司令部司令、海军预备役部队司令以及海军教育与培训司令部。

2. 舰载机起降设备维修管理组织机构职责

(1)海军作战部长

海军作战部长负责海军所有作战部队的物资状态、战备和训练,具体职能由分管该专业的副部长实施,海军作战部长办公室通过指导海军系统司令部、海军舰队和舰种司令部及其配套下级司令部和办公室来履行这项职责。

海军作战部长在舰载机起降设备维修管理方面的组织机构如图 D.2 所示。

空战部主管负责制定航母运行和维修的政策、要求和优先级,同时还负责舰载机起降设备计划的资源配置。

海军水面作战部门主管负责制定水面舰船维修的政策、要求和优先级,并负责地区维修中心的资源配置。

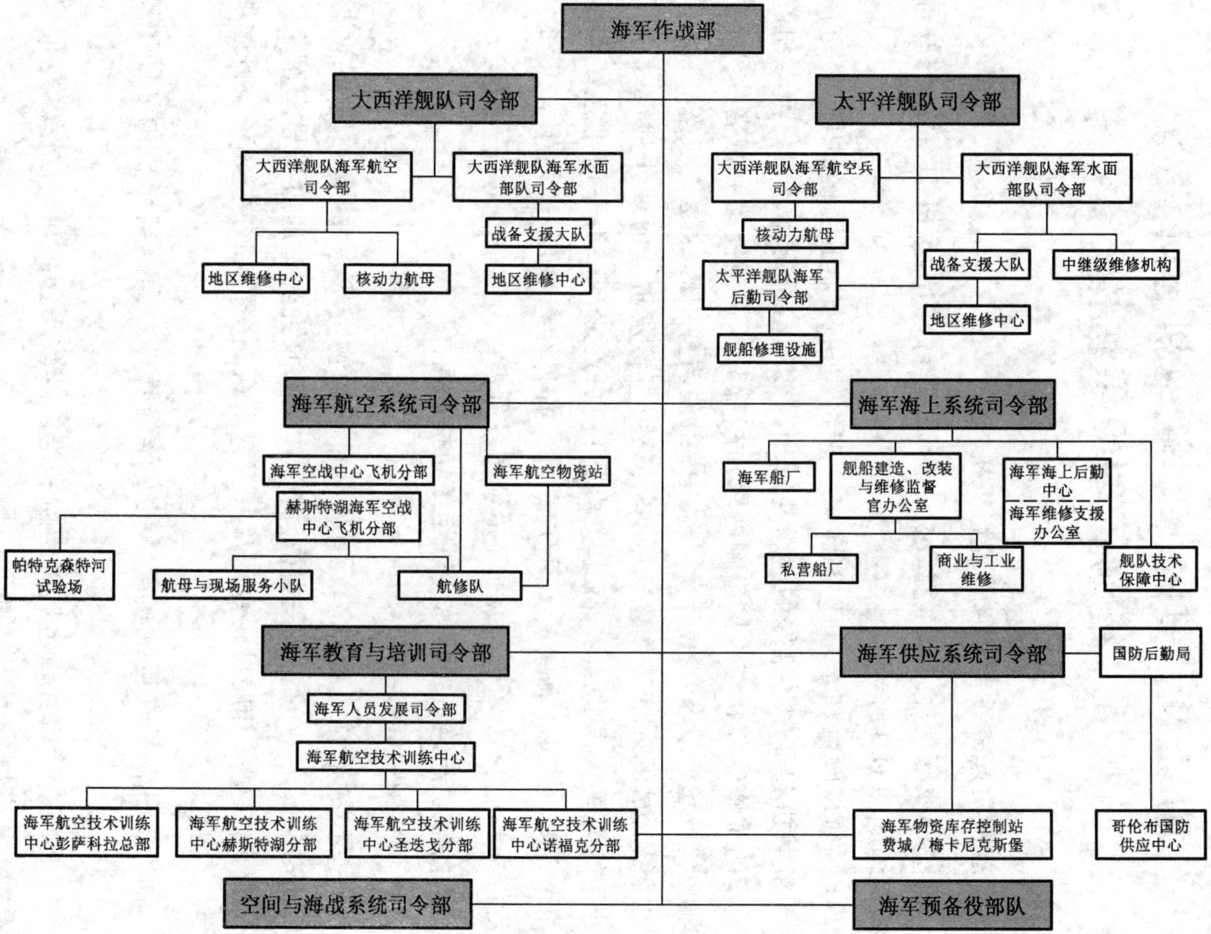

海军作战部

太平洋舰队司令部

大西洋舰队海军水面部队司令部
战备支援大队
地区维修中心
中继维修机构

大西洋舰队海军航空司令部
核动力航母
太平洋舰队海军后勤司令部
舰船修理设施

大西洋舰队司令部

大西洋舰队海军水面部队司令部
战备支援大队
地区维修中心

大西洋舰队海军航空司令部
核动力航母
地区维修中心

海军海上系统司令部
舰船建造、改装与维修监督管理办公室
海军船厂
商业与工业维修
私营船厂
海军海上后勤中心—海军维修支援办公室
舰队技术保障中心

海军供应系统司令部
海军物资储存控制站
海军物资储备费城/梅卡尼克斯堡
国防后勤局
哥伦布国防供应中心

海军航空系统司令部
海军航空物资站
航修队
海军航空战中心飞机分部
赫斯特湖海军空战中心飞机分部
航母与现场服务小队
帕特克森特河试验场

海军教育与培训司令部
海军人员发展司令部
海军航空技术训练中心
海军航空技术训练中心圣选戈分部
海军航空技术训练中心诺福克斯分部
海军航空技术训练中心密萨科拉总部
海军航空技术训练中心赫斯特湖分部

空间与海战系统司令部

海军预备役部队

图D.1 舰载机起降设备维修组织机构图

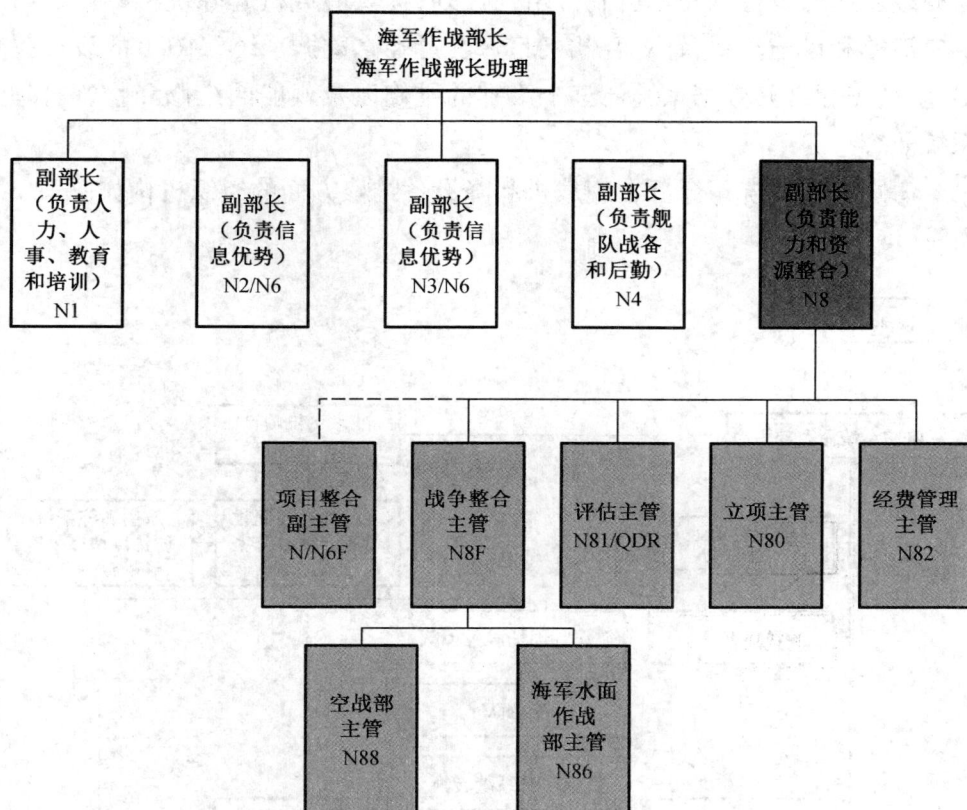

图 D.2 海军作战部长的指挥机构图

(2)舰载机起降设备维修大纲工作委员会

美国在舰载机起降设备的维修方面设有专门的技术委员会,并发挥着重要作用,在战术飞机项目执行办公室的支持下履行下列主要职责:针对海军作战部队和岸上部队在持续修订、细化和使用"舰载机起降设备维修大纲"所需的政策和程序,向海军作战部长提出建议;同时,负责向海军作战部长办公室(N885)提交舰载机起降设备维修大纲的变更和更正。

(3)海军航空系统司令部

海军航空系统司令部作为舰载机起降设备维修的技术管理部门,其主要职责包括:负责为各个层级的维修提供技术指导、工序指导和管理审核;制定舰载机起降设备维修规程文档,明确各级维修的功能、组织机构和职责;执行、管理和维持舰载机起降设备维修大纲;协助海军作战部长,为参与舰载机起降设备维修人员制订培训计划;提供舰载机起降设备维修器材供应清单和设施清单;针对舰载机起降设备维修数据系统(MDS)的设计提出建议,确保维修数据系统与三个级别的维修以及舰船的维修和物资管理系统兼容。

海军航空系统司令部在舰载机起降设备维修方面的组织机构如图 D.3所示。

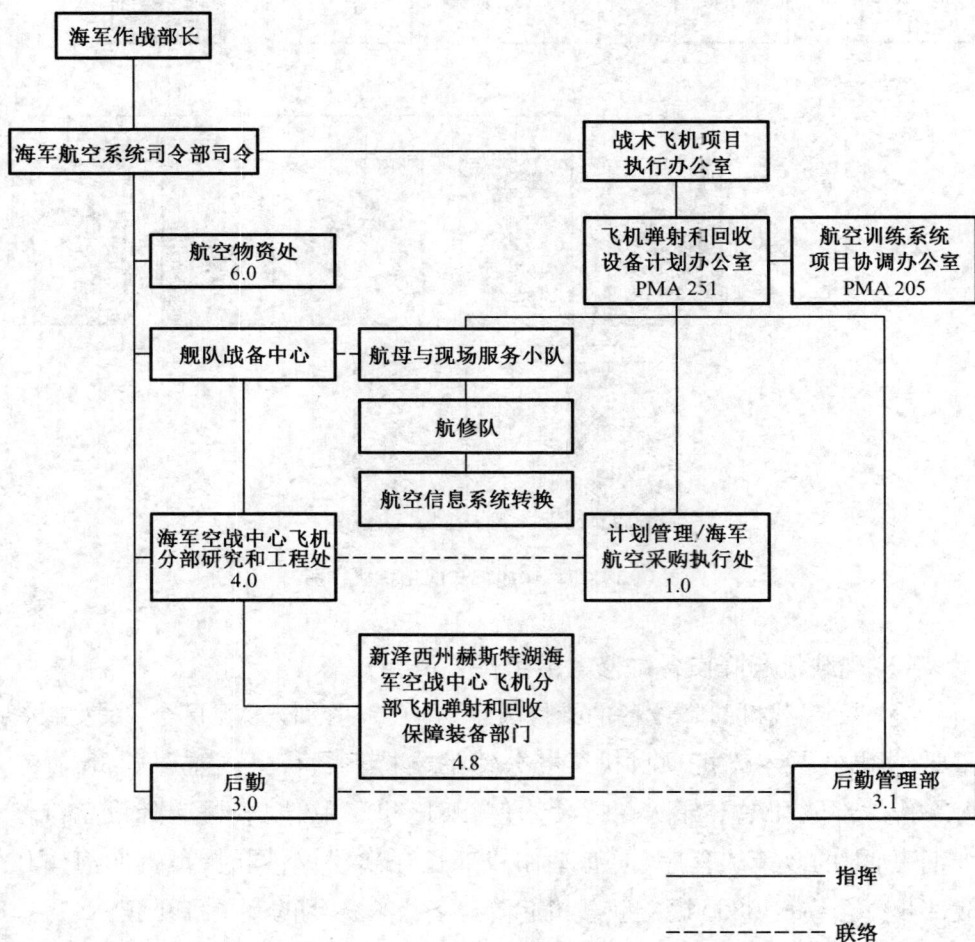

图 D.3　海军航空系统司令部在舰载机起降设备方面的组织机构

海军航空系统司令部主要下设机构的职责如下。

战术飞机项目执行办公室负责所有舰载机起降设备及相关物资和装

备的研究、设计、开发、试验、采购和后勤保障。舰载机起降设备计划办公室是战术飞机项目执行办公室下设机构,是海军航空系统司令部的舰载机起降设备维修大纲主管部门,负责为安装在舰船、舰载机与陆上的舰载机起降设备提供物资采购和后勤支援管理职能,其工作贯穿于相关系统的全寿命周期。具体负责:保证舰船上安装的舰载机起降设备系统的安全性和可操作性;协调舰船上所有海军航空系统司令部管辖装备的安装;开发总体航空设施需求数据包,以集成到所有海军舰艇的设计方案中;确保在舰船和舰载机上安装的自动着舰系统的兼容性;向赫斯特湖海军空战中心飞机分部及其航母与现场服务小队提供技术指导。

此外,还承担对赫斯特湖海军空战中心飞机分部的指挥和支持的责任。

赫斯特湖海军空战中心飞机分部负责舰载机起降设备的研究、设计、开发、测试和评估、系统集成、限量生产、采购、大修或修理以及服役期工程。此外,还向所有支持舰载机起降设备安装、运行、大修、维护、修理和认证检查的机构提供技术和后勤支援。

航母与现场服务小队是舰载机起降设备全寿命周期管理机构,是赫斯特湖海军空战中心飞机分部的技术代表,负责协调赫斯特湖海军空战中心飞机分部、舰队及参与机构之间的工作。主要负责:进行必要的程序管理和监督,以实现海军作战部长的"实现支持飞行作战的舰载机起降设备的最佳战备状态"目标;对海军航空系统司令部司令和库存控制站有技术管理责任,即确保指定的物资和维修配件在舰上处于"永不缺货"的状态,从而使常规计划内维修和修复性维修得到保障。

舰队战备中心和海军空战中心飞机分部均下设航修队,航修队负责舰载机起降设备基地级维修。负责实施指定的基地级维修、修理、翻新、更换和升级改造,直接支持海军航空系统司令部舰上和陆上舰载机起降设备的安装。航修队由船厂的维修专家组成,这些专家均受过交叉培训,至少精通两种或两种以上设备的维修技能。

(4)海军海上系统司令部

海军海上系统司令部是舰载机起降设备维修的主要组织管理机构,负责为舰载机起降设备提供基本备件和保障,包括提供弹射阀前部的弹射器蒸汽系统组件、液压系统的高压空气等,并提供电力和所有区域的内部通信,以及通过舰上的稳定装置为目视助降系统提供稳定校准输入;此外,还根据海军航空系统司令部的建议为舰载机起降设备的舰船改装做准备,并授权基地级维修机构进行改装。海军海上系统司令部与维修相关的组织机构如图 D.4 所示。

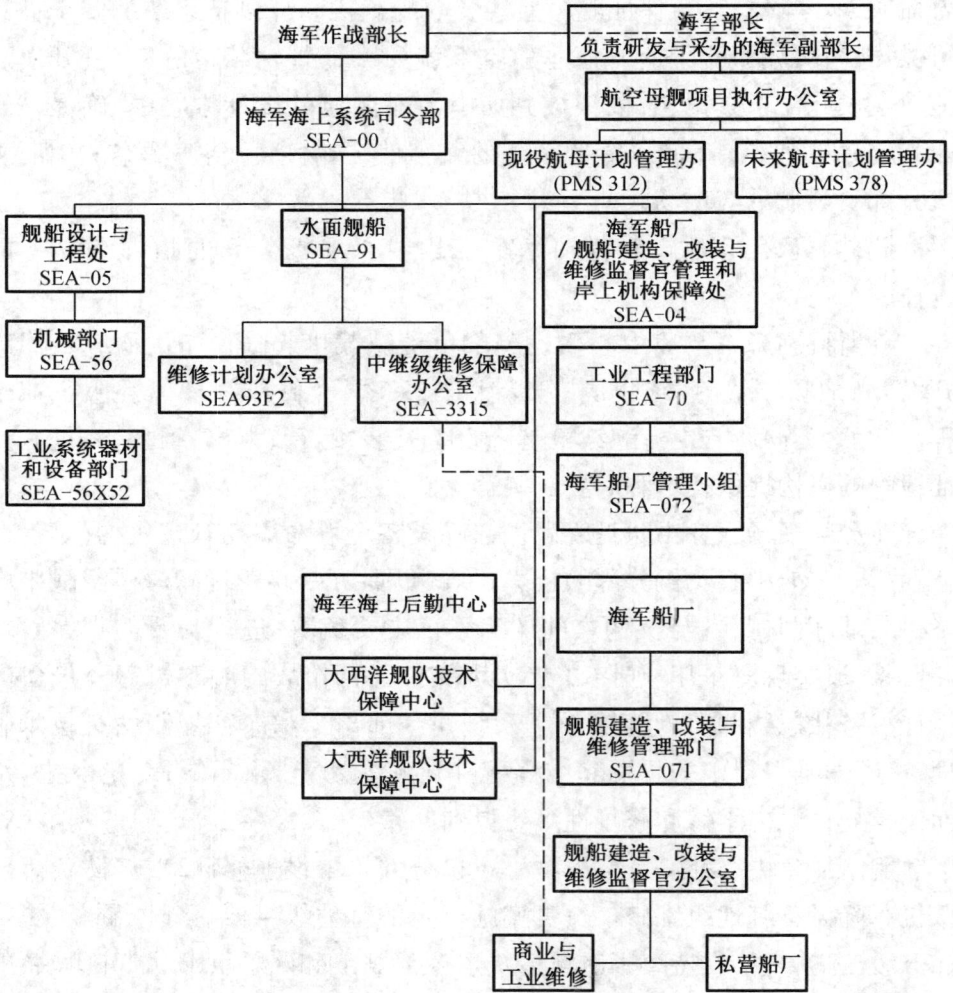

图 D.4　海军海上系统司令部与维修相关的组织结构图

　　海军船厂是舰载机弹射与回收设备主要的指定大修点。在舰载机弹射与回收设备维修期和大修期间,布雷默顿的海军船厂(包括圣迭戈分部)和诺福克的海军船厂负责提供舰载机弹射与回收设备的基地级修理设施和维修技术指导,并承担舰载机弹射与回收设备的主要修理、改装和大修,并负责依据当前的图纸和指令对装备进行适当的安装、改装和测试。

舰队技术保障中心负责根据赫斯特湖海军空战中心飞机分部提供的技术资料,维护舰载机起降设备并进行维修。大西洋舰队技术保障中心位于弗吉尼亚州诺福克的圣朱利安克里克,太平洋舰队技术保障中心位于加利福尼亚州圣迭戈。

舰船建造、改装和修理主管负责授予与管理海军和国防部在民用船厂的造船、设计、改装、修理以及设施合同;批准特定的设计方案、检验、测试和认证;管理商业与工业维修机构,并对大修和基地级维修的规划及技术工作进行管理。

海军海上后勤中心是海军海上系统司令部的现场机构,为海军舰艇维修与物资管理提供维修数据系统的中央数据库服务。

(5)海军供应系统司令部

海军供应系统司令部是舰载机起降设备供应保障的主管部门,负责供应舰载机起降设备的运行和维修所需的物资,使部队在任何时间、任何地点都能够得到所需的物资。舰载机起降设备维修大纲能否成功实现海军作战部长的主要目标,即实现支持飞行作战的舰载机起降设备的最佳战备状态,直接取决于现成可用的物资及维修配件在舰船上是否处于"永不缺货"的状态。舰载机起降设备供应组织机构如图 D.5 所示。

费城海军物资库存控制站是负责舰载机起降设备维修程序的物资支援主要的海军物资库存控制站。舰载机起降设备物资包括用于弹射器、阻拦装置、目视助降装置以及普通和特殊的保障装备的备件与维修配件。费城海军物资库存控制站的职责包括核算舰载机起降设备的物资需求。为合适的舰载机起降设备物资需求编制预算,提供经费。直接从企业或通过其他政府机构采购物资。将海军航空系统司令部采购的物资分配给库存站;配送物资满足库存供应需求;将采购申请单移交给库存站以满足要求。经赫斯特湖海军空战中心飞机分部授权,指挥妥善处置有缺陷的舰载机起降设备物资。保存舰载机起降设备备件及相关零配件清单和订购信息。确定批发供应系统,以满足资产修理需求,或经海军或商业维修或返工设施处理的可修理部件的返工需求。根据航母综合舰船装备定额表,向梅卡尼克斯堡海军物资库存控制站提供所需物资数据,以维持舰载机起降设备

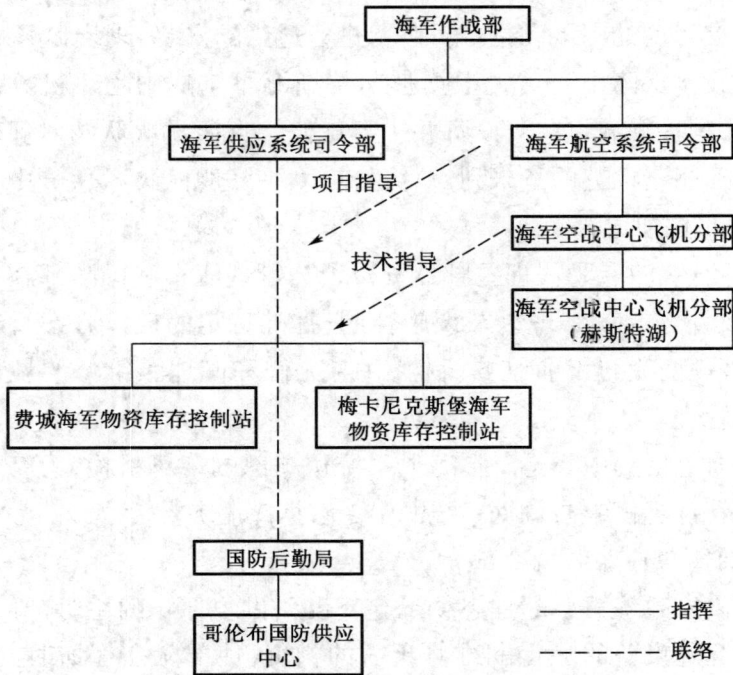

图 D.5　舰载机起降设备供应组织机构图

物资供应。综合舰船装备定额表是一份技术和供应管理文件,旨在使舰船不依赖外部后勤支援的情况下实现舰船长时间作战能力的最大化。

　　梅卡尼克斯堡海军物资库存控制站是海军供应系统司令部的一个现场机构,位于宾夕法尼亚州的梅卡尼克斯堡。梅卡尼克斯堡海军物资库存控制站是弹射回收电视监视系统和弹射槽组件的物资库存控制站。梅卡尼克斯堡海军物资库存控制站在舰载机起降设备方面的职责除了费城海军物资库存控制站职责所包含的内容外,还负责维持核动力航空母舰协调舰船装备定额表。

　　(6)海军教育与培训司令部

　　海军教育与培训司令部负责制订海军训练计划和海军航空训练计划,负责为作战部队提供正式训练,为指定训练计划的定期验证和审查制定程序,为人力和训练资源(包括设施)提供必要的规划、计划和预算,以支持指定的训练需求。

（7）空间与海战系统司令部

空间与海战系统司令部负责为海军部队提供硬件维护和应用软件，以保证网络化指挥与控制、通信和空间系统及其他产品（例如情报数据和图像）的使用。

（8）航空兵司令部

大西洋舰队海军航空兵司令部和太平洋舰队海军航空兵司令部是大西洋舰队和太平洋舰队分别下设的四大舰种司令部之一，是大西洋和太平洋舰队航空设备的后勤保障负责机构，负责与水面舰种司令部、系统司令及其陆上机构进行技术联络，负责保障舰载机起降设备维修按正确的程序和方法有效进行，其具体职责包括：核准维修技术的可用性；分析故障报告；对舰员级、中继级和基地级维修工作申请进行审核；管控海军航空系统司令部服务变更材料，协调支持海军赫斯特湖空战中心飞机部航母与现场勤务小队。

此外，大西洋和太平洋舰队航空兵司令部下设的舰船装置官员，负责监督他们管辖下的所有舰载机起降设备的维修和物资装备状况。他们检查、控制和指导其负责的所有弹射器、阻拦装置和目视着舰引导设备的工作情况并提供资金。其具体职责包括向战备支援大队、地区维修中心、海军舰船维修基地、舰队战备中心或海军空战中心飞机分部，筛选分发所有与舰载机起降设备相关的工作需求，并告知各部分筛选后的舰船维修工作；检查和协调所有舰载机起降设备维修情况和物资装备信息通信；反复评估现行舰船维修计划；参加所有关于维修和物资装备事务的会议；审查所需的舰载机起降设备舰船改装；检查所有舰载机起降设备维修和物资装备事故报告；与舰船维修管理员协调，使所有舰载机起降设备维修和物资装备需求纳入一个集成工作包；与纽波特纽斯舰船建造、改装与维修监督官协调舰队现代化计划的舰载机起降设备规划；确保能够将赫斯特湖海军空战中心飞机部航母与现场勤务小队的技术援助提供给舰队部队和工业部门；协调舰队战备中心与承担舰载机起降设备系统维护和修理任务的海军空战中心飞机处航修队的工作安排。

附录 E 美国"小鹰"号和"企业"号航母全寿期维修大事记

表 E.1 "小鹰"号航母维修大事记

舰名	时间	维修类型	船厂	备注
"小鹰"号 1956 年开工, 1960 年下水, 1961 年服役, 2009 年退役	1961 年 11 月—1962 年 5 月	试航后维修 PSA	旧金山海军船厂	
	1964 年 8 月—1965 年 4 月	COH	普吉特湾海军船厂	1 400 万美元费用
	1966 年 6 月—1966 年 8 月	RAV	圣迭戈海军基地	
	1967 年 6 月—1967 年 9 月	RAV	长滩海军船厂	
	1969 年 10 月—1970 年 7 月	COH	布雷默顿海军船厂	
	1971 年 8 月—1971 年 10 月	RAV	北岛海军航空站	
	1973 年 1 月—1973 年 7 月	ESRA	旧金山船厂	从攻击性航母（CVA）转变为多用途航母（CV）
	1976 年 3 月—1977 年 3 月	COH	普吉特湾海军船厂	费用为 1 亿美元
	1980 年 3 月—1980 年 6 月	SRA	圣迭戈海军基地	
	1982 年 1 月—1983 年 1 月	COH	布雷默顿	
	1988 年 1 月—1991 年 3 月	SLEP	费城海军船厂	本次大修延长服役期限 20 年，费用 8.32 亿美元
	1993 年 6 月—1993 年 9 月	SRA	北岛海军航空站	费用为 3 000 万美元
	1997 年 5 月—1998 年 2 月	COH	北岛海军航空站	费用为 1.1 亿美元
	1999 年 11 月—2000 年 3 月	SRA	横须贺海军基地	
	2001 年 12 月—2002 年 3 月	SRA	横须贺海军基地	
	2002 年 12 月—2003 年 1 月	维修	横须贺海军基地	
	2002 年 5 月—2002 年 10 月	DSRA	横须贺海军基地	
	2004 年 9 月—2005 年 1 月	SRA	横须贺海军基地	
	2005 年 9 月—2006 年 1 月	SRA	横须贺海军基地	
	2007 年 1 月—2007 年 5 月	维修	横须贺海军基地	

表 E.2　"企业"号航母维修大事记

舰名	时间	维修类型	船厂	备注
"企业"号 1958 年开工， 1960 年下水， 1961 年服役， 2015 年退役	1964 年 11 月	核燃料换装、设备检修	纽波特纽斯船厂	仅核燃料换装一项，就花费 6 400 万美元
	1969 年 1 月	临时检修	夏威夷珍珠港	
	1969 年 7 月	核燃料换装和全面检修	纽波特纽斯船厂	此次核燃料换装共花费了 2 000 万美元
	1979 年 1 月—1982 年	全面大修和第三次燃料换装	普吉特桑海军船厂	对舰岛、通信、雷达和武器系统进行检修和换装
	1990 年 10 月—1994 年 9 月	全面大修和第四次燃料换装	纽波特纽斯船厂	
	1995 年 1 月—1995 年 5 月	SRA	纽波特纽斯船厂	
	1997 年 2 月—1997 年 8 月	SRA	纽波特纽斯船厂	
	1999 年—2000 年	大修	纽波特纽斯船厂	
	2002 年 1 月—2003 年 1 月	SRA	诺福克海军船厂	耗资 1.91 亿美元
	2004 年 9 月—2005 年 6 月	大修	纽波特纽斯船厂	耗资 2 亿美元
	2008 年 4 月—2010 年 3 月	SRA	纽波特纽斯船厂	费用为 6.617 亿美元
	2011 年 8 月	常规维护	诺福克海军船厂	

235

表 E.2（续）

舰名	时间	维修类型	船厂	备注
"尼米兹"号，1968年开工，1972年下水，1975年服役	1977年3月—1997年7月	SRA	诺福克海军船厂	
	1978年10月—1979年1月	SRA	诺福克海军船厂	
	1980年10月—1981年1月	SRA	诺福克海军船厂	
	1982年4月—1982年6月	SRA	诺福克海军船厂	
	1983年6月—1984年7月	COH	纽波特纽斯船厂	这是"尼米兹"号航母的首次大修
	1985年11月—1986年3月	SRA	诺福克海军船厂	
	1987年8月—1988年2月	SRA	普吉特湾海军船厂	
	1988年5月—1988年6月	额外维修	普吉特湾海军船厂	
	1989年5月—1989年6月	维修	普吉特湾海军船厂	
	1989年7月—1989年8月	额外维修	普吉特湾海军船厂	为人均选定有限可用性维修（DSRA）做准备
	1989年8月—1990年3月	DSRA	普吉特湾海军船厂	
	1991年10月—1992年5月	SRA	普吉特湾海军船厂	
	1993年12月—1995年1月	ESRA	普吉特湾海军船厂	
	1996年6月—1997年1月	ESRA	普吉特湾海军船厂	费用为8400万美元
	1998年5月—2001年6月	RCOH	纽波特纽斯船厂	
	2004年2月—2004年8月	PIA	北岛海军航空站	
	2006年2月—2006年8月	PIA	圣选戈基地北岛海军航空站	
	2008年6月—2008年12月	PIA	圣选戈基地北岛海军航空站	
	2010年12月—2011年12月	PIA	圣选戈基地北岛海军航空站	
	2010年5月—2010年8月	DPIA	普吉特湾海军船厂和布雷默顿的维修厂	

缩略语说明表

缩略语	译文	缩略语	译文
ACO	合同管理专员	FISCN	工业品供应中心
ALRE	飞机弹射与回收设备	FLM	固定寿命期维修
APO	项目管理助理	FMR	现场改装采购任务
ATR	临界重新规划	FRP	舰队反应计划
AWP	有效性维修工作包	FRTP	舰队战备训练计划
BRAC	基地调整及关闭	FTC	舰队训练中心
CAP	计划行动小组	GFE	政府供应设备
CAPS	有效性维修规划系统	GNFPP	海军部队现行政策
CARPOP	反应堆大修工作包	GPETE	通用测试设备
CAST	有效性维修支持小组	ICAN	一体化通信和先进网络
CDRL	合同数据需求清单	IDRC	部署间战备周期
CFE	承包商供应设备	IDTC	部署间训练周期
CFFC	舰队司令部司令	IMP	增量维修计划
CIA	持续增加可用性维修	IR	项目检查报告
CM	持续维修	JCN	工业控制编号
CMA	持续可用性维修	JTFEX	联合战术部队演习
CNO	海军作战部长	MCO	大规模作战任务
COH	复杂大修	MCO – R	大规模作战行动准备期
COMPTUEX	综合训练军种演习	MCO – S	紧急大规模作战准备期
CPR	费用绩效报告	MDS	维修数据系统
CSG	航母打击群	MMP	舰船现代化设计计划
DPIA	坞内预定增加可用性维修	MRC	维修需求卡
DSRA	坞内有限可选维修	MSMO	多舰多选项合同
EOC	设计维修周期	MSS	紧急海上安全期
ERO	换料大修改造	NAS	北岛海军基地
FAT	舰队交流援助小组	NAVAIR	海军航空系统司令部
FDNF	海军前沿部署部队	NAVSEA	海军海上系统司令部

（续）

缩略语	译文	缩略语	译文
NCIS	海军罪案调查处	PSNSY	普吉特湾海军船厂
NFMT	海军膳食管理小组	RCOH	换料大修任务
NGNN	纽波特纽斯船厂	RPPY	反应堆规划船坞
NNPP	海军核推进计划机构	SCN	舰船建造与改造
NNSY	诺福克海军船厂	SCP	舰船费用调整
NORSHIPCO	诺福克造船与干船坞公司	SDM	舰船设计经理
NRO	海军核反应堆	SIMA	岸上中级维修站
NRRO	海军反应堆代表办公室	SLEP	延寿改装任务
O&MN	海军作战和维修	SPAWAR	海军航天与作战系统司令部
OPN	海军其他采购	SRA	有限可选维修
PCO	合同采购专员	SRF	舰船修理厂
PEO	项目执行办公室	STA	特别授权移交
PERA – CV	航母维修与改建规划和工程机构	SWLIN	舰船工作线项目编号
PIA	预定增加可用性维修	TYCOM	海军职能司令部
PMP	项目管理计划	USMR	美国海洋修理公司
PMS	计划维修系统	VASCIC	弗吉尼亚先进造船与航母集成中心
PSA	试航后有效性维修	WARR	工作分配和资源报告

★ ★ ★ ★ ★